CW00402826

Gemma Townley, die Schwester der Autorin Sophie Kinsella, geht gerne eigene Wege: So gründete sie ein Konkurrenzblatt zur offiziellen Unizeitung ihrer Hochschule, schrieb Musikkritiken für Szenemagazine und – ganz seriös – Artikel für Wirtschaftszeitungen. Heute arbeitet sie als Wirtschaftsjournalistin und publiziert in namhaften Blättern wie dem *Financial Management*. Ganz nebenbei hat die leidenschaftliche Musikerin mit ihrer Band *Blueboy* zwei Alben aufgenommen. Gemma Townley lebt mit ihrem Mann und ihrem kleinen Sohn in London.

Love in the City

Herzklopfen in der Oxford Street

Gemma Townley

Überarbeitete Neuausgabe Januar 2020

© 2020 dp DIGITAL PUBLISHERS GmbH

Made in Stuttgart with ♥
Alle Rechte vorbehalten

Love in the City

ISBN 978-3-96087-936-7
E-Book-ISBN 978-3-96087-891-9

Copyright © 2006 by Gemma Townley
Titel des englischen Originals: *Learning Curves*

Published by Arrangement with Gemma Townley.
Dieses Werk wurde vermittelt durch die Literarische Agentur
Thomas Schlück, 30827 Garbsen.

Copyright © Oktober 2007, Verlagsgruppe Lübbe GmbH & Co. KG,
Bergisch Gladbach
Dies ist eine überarbeitete Neuausgabe des bereits Oktober 2007
bei Verlagsgruppe Lübbe GmbH & Co. KG, Bergisch Gladbach er-
schienenen Titels Von Männern und Mäusen.

Übersetzt von: Stefanie Retterbush
Covergestaltung: Buchgewand
Umschlaggestaltung: ARTC.ore Design
Unter Verwendung von Abbildungen von
shutterstock.com: © Viorel Sima, © Iakov Kalinin, © letovsegda,
© ElenaOdareeva und © Drobot Dean
Korrektorat: Sofie Raff
Satz: dp DIGITAL PUBLISHERS
Druck und Bindung: Books on Demand GmbH, Norderstedt

Für Abigail, die dafür sorgt, dass ein kleines schwarzes Kostüm einfach umwerfend aussieht:
Möge der Kelch mit deinem Urlaubsgeld überfließen.

Prolog

Mein Gott, Jen, wo hast du dich denn jetzt schon wieder reingeritten?, dachte Jennifer Bell, als sie den Hörer auflegte, sich in ihrer Küche umsah und verzweifelt versuchte zu begreifen, worauf sie sich da gerade eingelassen hatte, versuchte, es nicht ganz so lächerlich und nicht ganz so beängstigend wirken zu lassen. *Ich mache ein MBA-Aufbaustudium*, dachte sie und verdrehte fassungslos die Augen. Ich hasse das Big Business. Und Bell Consulting hasse ich noch viel mehr. Und trotzdem habe ich mich gerade bereit erklärt, ein Aufbaustudium bei Bell Consulting zu machen. Schon beim Gedanken daran wurde ihr ganz mulmig.

Wie konnte das bloß passieren?, fragte sie sich. *Warum um Himmels willen habe ich ja gesagt?*

Vor ein paar Minuten hatte sie noch ganz friedlich und ahnungslos die Nachrichten geguckt. Hatte einfach nur dagesessen, sich um ihren eigenen alltäglichen Kram gekümmert und keinen Gedanken an irgendwelche tiefgreifenden Veränderungen in ihrem Leben verschwendet. Aber im Laufe der letzten Jahre hatte sie gelernt, dass sich innerhalb weniger Minuten eine ganze Menge verändern konnte. Vor allem, wenn ihre Mutter die Hände im Spiel hatte.

Sie runzelte die Stirn und überlegte, ob sie überrumpelt worden war, sich auf dieses kleine Abenteuer einzulassen, oder ob sie tatsächlich an der Entscheidung beteiligt gewesen war. Vermutlich Ersteres, dachte sie seufzend, während sie die Ereignisse der vergangenen zehn Minuten im Geiste noch einmal durchging.

»Und nun zu weiteren Nachrichten über das jüngste Erdbeben in Indonesien. Weit über einhundert Familien haben bei dieser Tragödie das Dach über dem Kopf verloren. Susan Mills berichtet.«

»Danke, Susan. Nun ja, Wissenschaftler hatten bereits davor gewarnt, dass so etwas passieren würde, aber niemand hat damit gerechnet, dass es so bald nach dem Tsunami am zweiten Weihnachtstag geschehen würde. Und das wirklich Beunruhigende daran ist die Tatsache, dass etliche der zerstörten Häuser, die nach dem Tsunami gebaut wurden und diesen Naturgewalten eigentlich hätten standhalten sollen, bis auf die Grundmauern eingestürzt sind. Dadurch verdichten sich die Spekulationen, dass einige der Bauunternehmer die Bauvorschriften nicht eingehalten haben. Es kursieren Gerüchte über Korruption und Schmiergeldzahlungen, die geflossen sein sollen, um Aufträge zu sichern, doch bisher konnte nichts Konkretes nachgewiesen werden. Axiom, eine der großen Baufirmen, bestreitet jegliche Verstrickung in diese fragwürdigen Geschäfte und hat eine einstweilige Verfügung gegen zwei Zeitungen erwirkt ...«

Okay, sie hatte also ferngesehen, und wie gewöhnlich hatten die Nachrichten sie ziemlich heruntergezogen. Sie hatte sich gefragt, in was für einer Welt sie eigentlich lebte, in der in einem Monat tausende von Menschen in Flutwellen ums Leben kamen und ein paar Monate später die Überlebenden erneut ihr Zuhause verloren? Es war einfach zu schrecklich.

»Und wir haben weitere Nachrichten zum jüngsten ...«

Kraftlos schaltete sie den Fernseher ab und schleppte sich in die Küche, um sich ein Glas Wein einzuschenken. Das half zwar nicht unbedingt, musste sie sich eingestehen, war aber nichtsdestotrotz dringend vonnöten. Sie hatte nach Sri Lanka gehen wollen, nachdem der Tsunami die Küste getroffen hatte, hatte mit eigenen Händen anpacken wollen, neue Häuser bauen oder irgendetwas machen, um die Menschen bei einem Neuanfang zu unterstützen. Sie hatte zwar nicht die geringste Ahnung vom Häuserbauen und hätte vermutlich nur im Weg herumgestanden, aber sie hätte sich besser gefühlt. Wie auch immer, jetzt hatte sie einen richtigen Job, in einem richtigen Büro. Und so sehr sie die damit verbundene Sicherheit genoss, war es ihr dennoch schwergefallen einzusehen, nun allmorgendlich zur Arbeit zu pendeln, statt sich mir nichts, dir nichts nach Sri Lanka abzusetzen. Und: Es hätte sowieso nichts gebracht.

Genau in diesem Augenblick klingelte das Telefon und unterbrach Jen in ihren Gedanken. Sie guckte auf die Uhr und stellte erschrocken fest, dass sie eigentlich schon längst unterwegs sein sollte. Sie war mit ihrer Freundin Angel verabredet und sicher war sie es jetzt, die anrief und wissen wollte, wo Jen blieb.

Nicht, dass sie die geringste Lust hatte, auf die Piste zu gehen. Die Nachrichten hatten sie aufgewühlt und Dinge zutage gefördert, die sie normalerweise lieber verdrängte. Die Frage nach dem großen Sinn. Für sie. Für alles. Bis vor ungefähr einem Jahr hatte alles eigentlich ganz gradlinig und einfach ausgesehen. Sie hatte einen festen Freund und eine Berufung gehabt. Sie war eine Umweltaktivistin gewesen. Sie hatte sich für die kleinen Leute stark gemacht, für die Natur, für ... für alles und jeden, genau genommen, und genau das war das Problem gewesen. Bei der Organisation, für die sie gearbeitet hatte, wimmelte es nur so von Leuten, die genau wussten, wogegen sie waren – große Konzerne, die meisten Regierungen, die Verbraucher –, aber dabei schienen sie keinen Schimmer zu haben, wofür sie waren. Irgendwann hatte sie der Gedanke beschlichen, dass sie es wohl eher tat, um etwas zu beweisen, als um wirklich etwas zu erreichen. Geschmissen hatte sie das Ganze, weil sie den Verdacht hatte, dass ihr Freund Gavin sie betrog, doch das war nicht der wahre Grund gewesen. Die Wahrheit war, dass sie überhaupt nicht mehr wusste, warum sie das alles überhaupt tat.

Obwohl die Aussicht, eine ganze Woche lang mit Gavin in einem Baum festzusitzen, um gegen einen geplanten Straßenausbau zu protestieren, natürlich auch ein guter Grund war, sich aus dem Staub zu machen.

Vielleicht wurde sie ganz einfach langsam erwachsen, sagte sie sich traurig.

»Hi!«, antwortete sie gedankenverloren. »Hör zu, ich weiß, ich bin ein bisschen spät dran ...«

»Das sind wir doch alle, Liebes. Das sind wir alle.«

Jen schreckte hoch. Das war nicht Angel.

»Entschuldige, Mum. Ich dachte, du seiest jemand anderes.« »Manchmal wünschte ich, das wäre ich«, seufzte Harriet. »Alles okay?«, fragte Jen, zog sich einen Stuhl heran und warf erneut einen Blick auf die Uhr.

Die Gespräche mit ihrer Mutter waren nicht gerade für ihre Kürze bekannt.

»Ach, es wird schon. Ich nehme an, du hast die Nachrichten gesehen? All die Häuser, die zerstört worden sind. Die vielen Menschen, die alles verloren haben. Das ist einfach entsetzlich.«

»Ja, ich weiß. Ich habe den Fernseher gerade ausgeschaltet.« Jen und ihre Mutter hatten nicht allzu viel gemeinsam, aber über Naturkatastrophen oder über den Verdacht, Politiker säßen womöglich untätig herum, konnten sie stundenlang reden. Genauer gesagt, Harriet konnte stundenlang darüber reden. Jen kam normalerweise kaum zu Wort und konnte meist nicht mehr einwerfen als: »Ich weiß. Du hast vollkommen recht.«

»Ach, Liebes, es ist einfach furchtbar. Wenn ich nur an das viele Geld denke, das da verschwendet wird. Die vielen Spendengelder von großzügigen Menschen, und alles umsonst.«

»Nein, nicht umsonst«, unterbrach Jen sie. »Die Häuser sind vielleicht eingestürzt, aber ein großer Teil der Hilfe ist auch angekommen ...«

»Ja, na ja, das werden wir ja noch sehen.«

Jen verdrehte die Augen und dachte: »Geht das schon wieder los.« Harriet liebte es, Andeutungen zu machen und ihrem Gegenüber vielsagende Blicke zuzuwerfen. Ganz so, als sei sie allmächtig, als wisse sie mehr als das, was sie im Radio gehört oder in der Zeitung gelesen hatte. Einmal, als Jen für Greenpeace an einem Projekt gearbeitet hatte, um eine Ölfirma an den Pranger zu stellen, die in der Nordsee nach Öl bohrte, Rohöl verklappte und damit eine Unzahl von Meerestieren tötete, hatte ihre Mutter sie angerufen und ihr einen Vortrag über Umweltplanung gehalten, gestützt auf einen Höreranruf auf Radio 5. Zweifellos hatte auch sie eine ganz eigene Theorie zum Thema Tsunami-Hilfe. Unzählige Gerüchte kursierten um Probleme mit dem Zoll und Korruption – genau die Art von Verschwörungstheorie, auf die Harriet sich mit Begeisterung stürzte.

»Und weshalb«, fragte Jen nun nach einer kurzen Pause, »deine Andeutungen, das Geld sei nicht in die Wiederaufbauhilfe geflossen?«

»Vielleicht ist es ja in die Aufbauhilfe geflossen. Aber was man unter dieser Aufbauhilfe versteht, das macht mir Sorgen. Wer seine Pfoten in den Topf gesteckt hat, ehe es seinem Verwendungszweck zugeführt werden konnte. Das macht mir persönlich Sorgen.«

Jen biss sich auf die Lippen, bemüht, ihren Ärger hinunterzuschlucken. Harriet tat immer so, als sei sie die

Einzige, die den Ernst der jeweiligen Lage erkannte. Es machte Jen fuchsteufelswild, wie ihre Mutter jede Krise in ihr persönliches Melodram verwandelte, in dem diese natürlich die Hauptrolle spielte. Aber sie würde sich nichts anmerken lassen, schwor sie sich. Jetzt war nicht der geeignete Zeitpunkt, dieses Fass aufzumachen und eine Breitseite von Kritik auf Harriet abzufeuern.

»Kann ich gut verstehen, Mum, aber ich muss jetzt los«, sagte sie höflich, aber bestimmt, und mittlerweile auch schon etwas ungeduldig. »Wir können nur hoffen, dass wenigstens ein Teil des Geldes bei den Leuten ankommt, für die es bestimmt war, oder?«

»Hoffen?«, gab Harriet sofort schnippisch zurück und senkte dann die Stimme. »Da braucht es schon etwas mehr als Hoffnung«, orakelte sie düster. »Die Lage ist sehr ernst, Jennifer. Wirklich sehr ernst.«

Jen seufzte. Wie's aussah, würde sie zu spät zu ihrer Verabredung mit Angel kommen ... mal wieder. »Gibt es irgendwelche Fakten, auf die du dich da stützt«, hakte sie vorsichtig nach, »oder reden wir hier nur von vagen Vermutungen?«

Sie hörte, wie ihre Mutter leise und zufrieden aufseufzte.

»Na ja«, erklärte Harriet verschwörerisch, und ihre Stimme verriet, wie sehr es sie freute, endlich ihre Theorie loswerden zu können, die Jen ihr, wie sie offensichtlich sehnlich gehofft hatte, nun »entlockte«. »Ich weiß gar nicht, ob ich dir das erzählen sollte, aber ich habe sehr seriöse Informationen, dass ein Teil der

Bauarbeiten da unten von einer Firma durchgeführt wird, die durch Bestechungsgelder an ihre Aufträge gekommen ist. Und in dem Moment, als die Behörden anfingen, die Geschichte zu untersuchen, begannen Unterlagen zu verschwinden, und alles ist im Sande verlaufen. Die ganze Sache riecht gewaltig nach Korruption. Und es würde mich nicht wundern, wenn sich rausstellen würde, dass einige der Firmen, die da mitgemauschelt haben – und noch immer mitmauscheln –, ganz in unserer Nähe zu finden sind.«

Jen spürte beim Gedanken an die Möglichkeit solcher Ungerechtigkeit die Wut in sich aufsteigen und der Ärger über ihre Mutter verrauchte. »Ist das dein Ernst? Das ... also, das ist ja ungeheuerlich.«

»Ungeheuerlich ist gar kein Ausdruck«, fuhr Harriet fort. »Es ist die reinste Posse. So was sollte heutzutage nicht mehr passieren ...«

»Aber da muss doch irgendjemand etwas unternehmen.« Kaum war ihr dieser Satz über die Lippen gestolpert, bereute Jen ihn schon wieder. Schließlich redete sie hier mit ihrer Mutter, rief sie sich schnell wieder ins Gedächtnis. Möglicherweise entsprach nichts davon der Wahrheit. Aber andererseits hatte Harriet immer gute und verlässliche Quellen. Es war eher selten, dass sie vollkommen danebenlag. Normalerweise übertrieb sie bloß hier und da ein bisschen, um das Ganze etwas aufzupeppen.

»Natürlich müsste man das, Liebes, aber da liegt der Hase im Pfeffer, nicht wahr. Dazu hat niemand den

Mumm. Niemand, der Zugang zu wichtigen Informationen hat, möchte da hineingezogen werden.«

»Und woher weißt du das alles?«, fragte Jen unvermittelt, da eine leise Stimme sie daran erinnerte, dass ihre Mutter sich manchmal in Dinge hineinsteigerte und mit einer kleinen Kopfbewegung aus einer Annahme eine Tatsache machte.

»Liebes, du musst mir einfach vertrauen«, erklärte ihre Mutter finster. »Ich weiß Dinge, die ich dir einfach nicht erzählen kann. Das wäre nicht fair.«

»Es wäre nicht fair? Wem gegenüber?«

»Dir.«

Jen verzog entnervt das Gesicht. Warum konnte ihre Mutter nicht einfach geradeheraus sagen, was sie zu sagen hatte?

»Wie meinst du das? Wieso wäre das nicht fair mir gegenüber?« Sie bemühte sich, ihre Verärgerung nicht durchklingen zu lassen, aber das war nicht so einfach. Das hatte man davon, wenn man zu viel Zeit mit seinen Eltern verbrachte. Bis vor sechs Monaten hatte sie sich blendend mit ihrer Mutter verstanden. Sie hatten ungefähr alle vierzehn Tage miteinander telefoniert und hatten sich etwa alle zwei Monate gesehen, wenn Jen mal auf einen Tee reingeschaut hatte. Sie und Harriet hatten immer jede Menge Gesprächsthemen, und wenn sie gerade anfingen, sich gegenseitig auf die Nerven zu gehen, wenn ihre Diskussionen zu Streitgesprächen wurden, war es für Jen auch schon wieder Zeit zu gehen, Zeit nach Schottland oder nach Dorset zu fahren und gegen einen Supermarktneubau zu protestieren oder für den Schutz der Delfine zu kämpfen. Jen hatte für »Fighting for Survival« gearbeitet, eine Gruppe, die dafür bekannt war, sich für hoffnungslose Fälle einzusetzen, und Harriet hatte immer gerne zugehört, wenn Jen ihr Geschichten erzählte – und, um ehrlich zu sein, hatte sie sich auch gerne bei ihren Kollegen mit dem Märchen von der tapferen, wild entschlossenen Tochter wichtiggemacht, und natürlich hatte sie auch hier gelegentlich ein wenig übertrieben und dort etwas ausgeschmückt.

Und dann war alles anders geworden. Jen hatte sich von ihrem Freund Gavin getrennt, und da er den Ausschlag für ihr Engagement bei »Fighting for Survival« gegeben hatte und zudem der Chef der Gruppe war, hatte Jen sich gezwungen gesehen, alles noch einmal zu überdenken. Und da hatte Harriet sich dann gleich eingemischt und ihr angeboten, für eine Weile in ihrer Unternehmensberatung namens Green Futures zu arbeiten.

Zunächst hatte Jen dieses Angebot natürlich abgelehnt – für eine Unternehmensberatung zu arbeiten stand nicht gerade ganz oben auf der Liste ihrer Traumberufe, genauso wenig, wie ihre Mutter als Chefin zu haben. Aber Harriet war ein hartnäckiger Mensch und Jens Zweifeln war sie mit ihrer altbekannten Überzeugungstaktik entgegengetreten: Sie hatte sie mit Fakten bombardiert, ihr ein schlechtes Gewissen eingeredet und eine Situation geschaffen, in der Jen, würde sie die Stelle abschlagen, nicht nur ihre Mutter im Stich ließe, sondern gleich den ganzen Planeten Erde. Sie verwies darauf, dass Green Futures den Firmen sozial- und umweltverträgliche Lösungen aufzeigte und behauptete, ohne Jen, die ihnen hilfreich zur Seite stand, würden diese Firmen wieder in ihre schlechten Gewohnheiten zurückfallen. Tief im Inneren wusste Jen ganz genau, dass es nicht den geringsten Unterschied machte, ob sie nun bei Green Futures arbeitete oder nicht, schließlich war man dort in den letzten fünfzehn Jahren auch ganz gut ohne sie ausgekommen. Dazu befürchtete sie insgeheim, die großen Hoffnungen ihrer Mutter könnten zerplatzen wie Seifenblasen, nämlich dann, wenn sie herausfand, wie viel die kleine Jen tatsächlich über das Geschäftsgebaren großer Firmen wusste. Gavin hatte sie bei einer Kundgebung kennengelernt, zu der sie mit Angel gegangen war, um gegen eine Ölfirma zu protestieren, die zufälligerweise zu den Kunden ihres Vaters gehörte. Schon allein deswegen schien ihr die Teilnahme an dieser Veranstaltung damals eine unheimlich geniale Idee zu sein, umso mehr, nachdem sich Gavin als ziemlich guter Küsser entpuppt hatte. Und auch wenn sie viel gelernt hatte (ihre Hauptaufgabe war die »Recherche« gewesen, weil kein anderer aus der Gruppe Lust gehabt hatte, in die Bibliothek zu gehen), hätte das, was sie durch diese Organisation über Protestaktionen oder Geschäftsethik gelernt hatte, auf eine Streichholzschachtel gepasst.

Aber fürs Erste würde es schon gehen, hatte sie sich gesagt. Andere Jobangebote lagen nicht auf dem Tisch, und Geld war auch keins mehr auf der Bank. Sie kampierte nun zwar nicht mehr auf Bäumen, aber Green Futures verfolgte doch zumindest hehre Ziele.

Als sie dann dort anfing, fand sie es eigentlich ganz angenehm, sich gemütlich einzurichten und eine eigene Wohnung mit fließend Warmwasser zu haben. Es war so eine Art »Agitation light« – sie hatte das wohlige Gefühl, der Welt etwas Gutes zu tun, ohne dafür die ganze Woche lang tagein, tagaus dieselbe Armeehose tragen zu müssen. Sie benutzte wieder Lippenstift und kaufte Schuhe, die nicht unbedingt geeignet waren, durch matschige Felder zu marschieren. Und der Alltagstrott, der sich einstellte, wenn man jeden Tag ins Büro ging und die immer gleichen Leute traf, war eigentlich auch ganz beruhigend. Ein Abhang, der geradewegs in die Zufriedenheit führte, steil und rutschig zwar, aber es war dennoch ein ziemlich angenehmes Gefühl, ihn hinabzuschlittern. Und auch wenn sie sich nach ein bisschen mehr Aufregung sehnte, war sie sich irgendwie nicht mehr so sicher, dass sie ihre Massagedusche oder ihr Kabelfernsehen so einfach wieder hergeben könnte, nachdem sie sich erst mal an sie gewöhnt hatte. Ein kleines bisschen Zufriedenheit war manchmal doch ganz nett.

»Und warum wäre das nicht fair?«, wollte sie gereizt wissen. »Warum sollte es mich überhaupt interessieren?«

Harriet seufzte theatralisch. »Liebes, für mich ist es einfacher. Ich kenne deinen Vater seit vielen Jahren. Ich weiß, was für ein Mensch er ist, aber ich will deinen

Vater nicht vor dir schlechtmachen. Ich weiß, wie schwer es war, als er dich verlassen hat.«

»Dad?«, fragte Jen ungläubig. »Jetzt bist du echt durchgeknallt. Ach, und übrigens, er hat uns verlassen, nicht mich. Und er ist mir scheißegal. Das weißt du.« Sie hielt inne und runzelte die Stirn, als ihre Mutter darauf nur mit Schweigen antwortete. Schweigen. Und das konnte nur eins bedeuten: Harriet meinte es ernst. Jen warf einen Blick auf die Uhr und fragte dann vorsichtig: »Du meinst also, er hat was mit der Sache zu tun? Das verstehe ich nicht. Seine Firma ist doch eine Unternehmensberatung.« Sie lachte halbherzig, als sie das sagte, um ihr Unbehagen zu überspielen. Sie hasste es, über ihren Vater zu sprechen. Normalerweise redete sie sich einfach ein, sie hätte überhaupt keinen Vater. Über ihn zu sprechen untermauerte und bekräftigte nur die Tatsache, dass er gesund und munter und sie ihm dabei völlig egal war. Aber die Unterstellung, er habe seine Finger bei einer derartigen Schweinerei im Spiel, war ein ganz anderes Paar Schuhe. Er verkörperte alles, was sie verabscheute – große Konzerne, fette Unternehmensgewinne und geschniegelte Typen in schicken Anzügen mit dicken Brieftaschen. Außerdem hatte er bisher nicht das geringste Interesse an seiner einzigen Tochter gezeigt. Sie verabscheute ihn und er war ihr vollkommen schnuppe. Aber er war immer noch ihr Vater.

»Jennifer, wie du sehr wohl weißt, beraten Unternehmensberater ihre Kunden in allen möglichen Dingen, angefangen bei Geschäftsstrategien bis hin zu ... nun ja, den Entwicklungen am internationalen Markt, wenn du verstehst, was ich meine.«

Jen runzelte die Stirn. »Nein, ich verstehe nicht, was du meinst. Aber ich vermute, du wirst es mir erklären.«

Harriet machte zunächst eine Kunstpause, begann aber schließlich doch zu reden.

»Von mir hast du das nicht erfahren, aber soweit ich weiß, hatten diejenigen, die hinter dieser Korruptionsgeschichte stecken, hinter diesem entsetzlichen System aus Schmiergeldern und fragwürdigen Geschäften in Indonesien, also, diejenigen müssen eine angesehene Firma als Tarnung benutzt haben. Eine internationale Firma, die Büros in der betreffenden Region hat. Eine Firma mit vielen Kunden, bei der es nicht auffällt, wenn sie sich an einem Tag mit Regierungsvertretern und am nächsten mit einer Baufirma trifft. Und dabei ist der Name deines Vaters gefallen ...«

»Das glaube ich dir nicht«, unterbrach Jen sie entrüstet. »So was würde er nie ... auf gar keinen Fall ...«

»Liebes, so gut kennst du deinen Vater nicht«, fiel Harriet ihr ins Wort, und Jen biss sich auf die Lippen. Das stimmte – sie konnte sich kaum an ihn erinnern. Selbst als er noch da gewesen war, hatte er sich mehr um seine Arbeit gekümmert als um sie, und nachdem er ihre Mutter verlassen hatte, hatte er nicht einmal versucht, mit ihr in Kontakt zu bleiben.

»Dein Vater würde alles tun, um Geld in die Kassen seiner heiß geliebten Firma zu spülen.« Harriet nutzte Jens Schweigen schamlos aus und fuhr fort: »Und glaub mir, ich bin nicht die Einzige, die glaubt, dass er seine Finger im Spiel hat.«

»Und warum erzählst du mir das dann?«, fragte Jen aufgebracht. »Damit solltest du lieber zur Polizei gehen!« Gespannt wartete sie auf die Reaktion ihrer Mutter. Die Polizei oder Umweltbehörde zu erwähnen war normalerweise eine gute Möglichkeit, um herauszufinden, ob Harriet über Tatsachen oder Hirngespinste redete.

»Ach, dafür ist es noch viel zu früh. Die würden keinerlei Beweise finden. Dass Axiom zu den Kunden deines Vaters gehört, mag dich oder mich stutzig machen, aber leider kennen ihn die anderen nicht so gut wie wir. Keiner hat bisher auch nur das kleinste Fitzelchen eines Beweises dafür gefunden, dass Axiom Bestechungsgelder gezahlt hat, aber andererseits suchen sie vermutlich am falschen Ort danach. Noch hat niemand daran gedacht, ihre Unternehmensberater zu befragen, weißt du ...«

»Axiom? Was bitte ist denn Axiom?«

Harriet schnaubte missbilligend. »Liebes, du bist wirklich nicht auf dem Laufenden. Axiom ist die Baufirma, die am laufenden Band sämtliche Ausschreibungen für sämtliche Bauvorhaben gewinnt. Wenn man das überhaupt Bauen nennen kann.«

Ungläubig schüttelte Jen den Kopf. Das war einfach zu viel auf einmal. War es wirklich möglich, dass ihr eigener Vater hinter derartigen Machenschaften steckte? »Mum, hör zu, das ist ja alles sehr interessant«, begann sie vorsichtig, »aber meinst du nicht, du solltest lieber mit jemandem darüber reden, der etwas dagegen unternehmen kann? Oder, na ja, an Beweise rankommt? Der irgendetwas findet, das ihn belastet. Du brauchst jemanden, der verdeckt ermittelt – ich würde ja Gavin vorschlagen, aber momentan ist es nicht gerade so, als würden wir jeden Tag plaudern ...«

Harriet seufzte, aber dieses Seufzen wirkte auf einmal ziemlich aufgesetzt, und Jens feine Antennen vibrierten plötzlich in höchster Alarmbereitschaft. »Ach, Jen, einer wie Gavin würde deinen Vater nie an der Nase herumführen können – dafür ist er viel zu clever. Nein, um an Beweise zu kommen, bräuchten wir jemanden, der bei Bell Consulting arbeitet, aber die würden natürlich ganz bestimmt nicht mit uns reden. Die Firma deines Vaters und meine ... na ja, könntest du dir vorstellen, dass einer von Bell Consulting mir irgendwas Vertrauliches erzählt?«

Schweigend schüttelte Jen den Kopf. Bell Consulting und Green Futures waren eindeutig die Kinder ihrer Gründer und die Mitarbeiter hegten entsprechend einander gegenüber die gleichen Feindseligkeiten wie Jens Eltern.

Dennoch war sie ganz und gar nicht glücklich über die großzügige Art und Weise, in der ihre Mutter das Wörtchen »wir« einsetzte, als sei es nun »ihr« gemeinsames Problem. Sollte die Sache tatsächlich etwas mit ihrem Vater zu tun haben, dann wollte sie damit nichts zu tun haben.

Zumindest wollte sie nichts mit ihm zu tun haben. Sie runzelte die Stirn. Sollte er tatsächlich in der Sache mit drinhängen, dann durfte er damit nicht davonkommen. Denn ganz offen gesagt war er schon mit viel zu Vielem einfach so davongekommen.

Jen verdrehte die Augen, als ihre Mutter weiterredete. Jeder andere hätte sich gefragt, warum Harriet so tat, als sei sie der einzige Mensch, der die Wahrheit herausfinden konnte, aber sie kannte ihre Mutter nur zu gut. Wenn etwas Verwerfliches im Gange war, musste Harriet der Sache auf den Grund gehen – und sie traute weder der Polizei noch den Behörden und auch sonst niemandem zu, diese Aufgabe besser bewältigen zu können als sie selbst. Tatsächlich war Jen ganz genauso – beide stürzten sie sich nur zu gerne Hals über Kopf in Krisen, wild entschlossen, die Probleme zu lösen und die Dinge wieder geradezurücken. Und der Verdacht, ihr Vater könne möglicherweise beteiligt sein, war in etwa so, als würde man einem Stier mit einem roten Tuch vor der Nase herumwedeln. Es war ganz klar, dass sich Harriet wie wild darauf stürzte.

»Am besten schleust du da jemanden ein, wie dieser Typ, der sich einen Job in einem Fast-Food-Restaurant besorgt hat und dann einen Artikel über die mangelnden Hygienevorkehrungen geschrieben hat«, meinte Jen vorsichtig. Wenn Harriet sich einmischen wollte, war das ihre Sache, aber je länger dieses Gespräch dauerte, desto mehr hatte Jen das ungute Gefühl, man könnte sie gleich um einen unheimlich großen Gefallen bitten. Nicht, dass sie nicht helfen wollte, dachte sie bei sich und biss sich unbehaglich auf die Lippen. Es war bloß so, dass sie es mittlerweile einfach ziemlich satthatte, andauernd die Welt zu retten. Und außerdem war es ihr immer sehr suspekt, wenn sie in die Pläne ihrer Mutter hineingezogen zu werden drohte.

Wieder Schweigen.

»Ach, da kommt mir gerade eine Idee ... aber nein, nein, damit wärst du niemals einverstanden. Und es wäre auch zu viel verlangt.«

Jen starrte hinauf zur Decke und zählte bis drei.

»Womit wäre ich nicht einverstanden?«, fragte sie mit geradezu engelhafter Geduld.

»Na ja«, erwiderte Harriet gedehnt, »mir ist nur gerade aufgegangen, dass du recht hast – die einzige Chance, etwas über Bell Consulting in Erfahrung zu bringen, ist, einen von unseren eigenen Leuten einzuschleusen. Jemand, der ein bisschen rumschnüffeln und Gespräche belauschen kann.«

Jen runzelte die Stirn. »Haargenau. Und wie lautet deine tolle Idee? Es muss doch da irgendwelche freien Stellen geben, auf die man sich bewerben könnte. In der Poststelle oder so?«

»Zu weit weg«, murmelte Harriet. »Nein, wir brauchen jemanden mehr im Zentrum des Geschehens. Wusstest du übrigens, dass Bell ein eigenes MBA-Aufbaustudium anbietet?«

Jen schnappte nach Luft. Sie hatte plötzlich den schrecklichen Verdacht, ihre Mutter könnte sie nur deswegen angerufen haben. Das war nicht bloß ein Gefallen – das war wesentlich mehr.

»Ähm, nein, nein, das habe ich nicht gewusst. Aber du hast doch nicht etwa vor, jemanden da hinzuschicken, oder?«, fragte sie argwöhnisch. »Das wäre doch wirklich ziemlich viel verlangt von einem deiner Mitarbeiter, meinst du nicht?«

»Du hast recht. Aber nicht, weil es zu viel verlangt wäre, sondern weil keiner von ihnen das hinkriegen würde. Du schon, klar, aber warum sollte dich das interessieren ... Das wäre ja auch ein ziemlich harter Brocken ...«

»Ich?« Jen riss die Augen auf. Auch wenn ihre Mutter sie gar nicht sehen konnte, hatte sie das Gefühl, besonders überrascht tun zu müssen und dabei auch dementsprechend auszusehen.

»Ich kann sonst niemandem vertrauen. Aber vergiss einfach, dass ich das gesagt habe. Ehrlich. Dann müssen wir uns eben etwas anderes ausdenken. Und außerdem bin ich mir sicher, dass die ... Behörden der Sache auf den Grund gehen werden.«

So, wie Harriet das Wort Behörden aussprach, war klar, dass diese ganz sicher nichts dergleichen tun würden. Jen lehnte sich zurück und versuchte, einen klaren Gedanken zu fassen. Versuchte sich ins Gedächtnis zu rufen, dass sie sich gerade jetzt nichts mehr als ein ganz ruhiges, beschauliches Leben wünschte. Dass sie eigentlich herausfinden wollte, was sie aus ihrem Leben machen wollte, statt sich ohne groß nachzudenken auf ein verrücktes Vorhaben ihrer Mutter einzulassen. Dass sie das heftige, aufgeregte Kribbeln im Magen besser ignorieren sollte. Die ganze Idee war einfach wahnwitzig. Ein Aufbaustudium bei Bell Consulting? Ihren Vater ausspionieren, den sie seit über fünfzehn Jahren nicht mehr gesehen hatte? Der Mann, der zu den erfolgreichsten Geschäftsleuten weit und breit gehörte und sich nicht mal die Mühe gemacht hatte, sich ein einziges Mal bei ihr zu melden, seit er aus ihrem gemeinsamen Zuhause ausgezogen war? Nein. Auf gar keinen Fall. Obwohl es eine ziemlich gute Möglichkeit wäre, es ihm heimzuzahlen.

»Meinst du nicht, gleich meinen Abschluss in Betriebswirtschaft zu machen wäre ein bisschen übertrieben?«, fragte sie betont ruhig. Ich meine, so was dauert ein ganzes Jahr. Und man hat Prüfungen und so ein Zeug. Ich glaube, die Idee mit der Poststelle ist viel besser. Dagegen hätte ich nichts.« Jen hatte neulich einen mit versteckter Kamera gefilmten Bericht gesehen, in dem die Mitarbeiter der Poststelle auf Rollschuhen herumgesaust waren, und der Teenie in ihr fand diese Vorstellung ziemlich verlockend.

»Meinst du nicht, das würde reichlich seltsam wirken? Eine junge Frau mit deinem Talent arbeitet in der Poststelle? Und du glaubst doch nicht im Ernst, ein einfaches Postmädel würde zu wichtigen Sitzungen eingeladen?«

Jen wollte schon widersprechen und ihr erklären, dass die Leute in der Poststelle vermutlich eher an Informationen gelangten als sämtliche anderen Mitarbeiter, von der EDV-Abteilung mal abgesehen, aber dazu hatte sie gar keine Gelegenheit, denn ihre Mutter kam jetzt erst richtig in Fahrt. »Glaub mir, Jen«, meinte sie gefährlich munter, »ich habe mir alles genau überlegt und das ist die einzige Möglichkeit.«

»Komisch, deine Ideen sind scheinbar immer die einzig möglichen«, murmelte Jen halblaut. »Egal, aber ich dachte, die Idee sei dir gerade erst gekommen? Sieh mal, ich würde es ohnehin nie schaffen, in diesen Kurs zu kommen«, ergänzte sie schnell. »Und selbst wenn, würde Dad mich sofort erkennen.«

»Unsinn. Du bist ein kluges Mädchen, Jen. Natürlich würden die dich nehmen. Und bei den mehr als dreitausend Menschen, die in den Bell Towers arbeiten, wäre es eher unwahrscheinlich, dass du ihm über den Weg läufst ...«

Harriets Stimme klang honigsüß, und Jen wusste nur zu gut, was sie im Schilde führte. Man gründet nicht eine eigene Firma für Umweltplanung und macht daraus ein dreihundert Mitarbeiter starkes Unternehmen, wenn man nicht in der Lage ist, Menschen dazu zu bewegen, Dinge zu tun, auf die sie sonst im Traum nicht kämen.

Lass ja nicht zu, dass sie dir mit ihrer Schmeichelei ein »Ja« abringt, ermahnte sich Jen.

»Du wärst wieder mittendrin«, fuhr Harriet fort. »Du würdest wirklich ... etwas erreichen.«

»Und wenn er gar nichts damit zu tun hat?«, fragte Jen, um Zeit zu schinden. Sie bemühte sich nach Kräften, sich entgegen ihrer üblichen Neigung mal nicht gleich Hals über Kopf in etwas zu stürzen, ohne vorher das Für und Wider abzuwägen. Und es kostete sie noch größere Mühe, sich klarzumachen, dass dieses MBA-Aufbaustudium eine denkbar ungeeignete Methode wäre, ihre gegenwärtige Lebenssinnkrise zu bewältigen.

»Dann wären wir des Rätsels Lösung, wer wirklich dahintersteckt, immerhin einen großen Schritt nähergekommen.«

Jen seufzte. Ihr war klar, dass sie geschlagen war, und sie kannte ihre Mutter lange genug, um zu wissen, dass sie nicht lockerlassen würde, bis Jen endlich zustimmte.

»Du hast das alles geplant, Mum, stimmt's? Ich meine, die Idee spukt dir doch schon seit geraumer Zeit im Kopf rum, oder nicht?«

»Liebes, wofür hältst du mich?«, fragte Harriet mit gespielter Entrüstung. »Obwohl ich vorsorglich schon mal die Unterlagen für den Kurs angefordert habe. Die solltest du morgen im Briefkasten haben. Wer weiß, vielleicht macht es dir ja sogar Spaß.«

Jen lachte auf. »Spaß? Du bist wirklich nicht mehr zu retten. Ich habe mal eine ganze Woche lang auf einem Baum kampiert, und eins kann ich dir sagen, das ist ziemlich unbequem. Aber ich würde lieber noch mal einen ganzen Monat da oben einziehen, als in einem Raum voller dämlicher BWLer zu sitzen und ... was auch immer zu lernen.«

»Aber du machst es?«

Jen verzog das Gesicht. Sie sah sich in ihrer gemütlichen Wohnung um und dachte an ihren Schreibtisch bei Green Futures. So sehr sie die Beständigkeit ihres neuen Jobs und ihrer Wohnung auch genoss, fehlten ihr doch die Leidenschaft und vor allem die Aufregung ihres alten Jobs. Etwas musste passieren, und auf eine Chance wie diese hatte sie gewartet! Das war doch die Gelegenheit, etwas zu bewegen, und das sogar, ohne ihre Wohnung aufgeben zu müssen! Aber andererseits ging es hier nicht um irgendein aufregendes Abenteuer – es ging um ein betriebswirtschaftliches Aufbaustudium, wo sicher jede Menge langweiliger Streber mit Schlips und Kragen herumsaßen. Es wäre grässlich, nein, grässlich war gar kein Ausdruck. Und wenn Gavin davon erfuhr, würde er ihr das den Rest ihres Lebens unter die Nase reiben.

Es sei denn, sie würde einen Riesenskandal aufdecken, fiel ihr plötzlich ein. Sie könnte eine Heldin werden ...

»Aber ich trage kein Kostüm«, erklärte sie rundweg, um nochmal ein bisschen Zeit zu schinden. Gegen hübsche Schuhe und gelegentlich mal einen Bleistiftrock hatte sie gar nichts einzuwenden, aber Kostüme hasste sie wie die Pest, und das wusste Harriet ganz genau. Als sie Jen beschwatzt hatte, bei Green Futures anzufangen, war Teil ihrer Taktik gewesen zu betonen, wie locker die Kleiderordnung im Büro gehandhabt wurde, und sie gleichzeitig eindringlich davor zu warnen, so ziemlich jede andere Firma in London bestehe darauf, dass ihre Mitarbeiter in Kostüm und Anzug antanzten, sogar Umweltorganisationen wie Friends of the Earth.

Harriet lachte. »Das wird bestimmt nicht nötig sein. Aber wir müssen uns einen Namen für dich ausdenken. Ich glaube, Jennifer Bell auf das Anmeldeformular zu schreiben könnte ein paar Leute stutzig machen, oder?«

»Du redest, als hätte ich schon zugestimmt.«

»Hast du das denn nicht?«

Resigniert schüttelte Jen den Kopf. »Wie's scheint, schon«, murmelte sie mit einem kleinen Lächeln. »Aber nur unter einer Bedingung.«

»Was immer du willst, Liebes.«

»Ich möchte, dass niemand etwas davon erfährt. Ich möchte nicht, dass du diese Sache zu einer deiner Dinnerparty-Klatschgeschichten verwurstet.«

»Ach, Jen.« Harriet klang gekränkt, doch Jen wusste, dass sie bloß enttäuscht war.

»Ich möchte nicht, dass du es irgendwem bei Green Futures erzählst, und deinen Freunden auch nicht. Niemandem. Ich meine es wirklich ernst.«

»Aber selbstverständlich, Liebes. Was denkst du von mir?« »Nicht mal Paul.«

Schweigen.

»Aber ich erzähle Paul alles ...«

»Tja, wenn du ihm das erzählst, blase ich alles ab.«

Wieder Schweigen, dann ein Seufzen. »Also gut. Ich sage kein Sterbenswörtchen.«

Jen runzelte die Stirn und fragte sich, ob ihre Mutter wohl in der Lage sein würde, dieses Versprechen auch zu halten. Dann zuckte sie die Achseln. »Hör zu, ich muss jetzt wirklich los. Okay?«

»Natürlich. Wir sehen uns dann am Montag. Und hör mal, du hast die richtige Entscheidung getroffen, ganz bestimmt.«

Dann legte Jen den Hörer auf und langsam dämmerte ihr, auf was sie sich da eigentlich eingelassen hatte. Das Telefon klingelte gleich wieder. Schnell ging sie dran.

»Was ist denn noch?«, blaffte sie ungehalten.

»Okay, okay, beiß mir nicht gleich den Kopf ab. Ich wollte bloß mal nachfragen, wann du vorhattest, hier aufzutauchen. Ich dachte nämlich, wir seien schon vor einer halben Stunde verabredet gewesen ...«

Es war Angel. Mist. Sie wollten in eine schicke neue Bar gehen, und Jen hatte noch nicht einmal angefangen, sich fertig zu machen. Sie schaute auf ihre Jeans hinunter und sprang auf.

»Entschuldige, ich bin aufgehalten worden. Du glaubst nicht, was mir gerade ... ich, ähm, bin gleich da. Gibst du mir zwanzig Minuten?«

»Zwanzig Minuten Jen-Zeit oder zwanzig Minuten normale Zeit? Deine zwanzig Minuten dauern nämlich immer doppelt so lange wie die von anderen Leuten ...«

Jen grinste reumütig. »Ich komme so schnell wie möglich, okay?«

Sie sauste ins Badezimmer und durchsuchte ihren Schrank nach etwas Tragbarem.

Ich mache ein MBA-Aufbaustudium, schoss es ihr wieder durch den Kopf, während sie diverse T-Shirts und Schuhe herauszerrte und umgehend verwarf. Ich mache allen Ernstes ein Aufbaustudium bei Bell Consulting.

Schon jetzt hatte sie das dumme Gefühl, einen schrecklichen Fehler zu machen.

Jen schaute an dem riesigen, grauen Gebäude hoch, vor dem sie stand, und versuchte sich einzureden, dass sie tatsächlich die richtige Entscheidung getroffen hatte.

Irgendwie war ihr das Ganze wesentlich einfacher vorgekommen, als sie ihrer Mutter zugesagt hatte, sie werde dieses Aufbaustudium machen, und sich alles noch auf einer rein theoretischen Ebene abspielte. Sie hatte sich vorgestellt, wie sie Vorstandssitzungen ausspionierte, auf den langen Fluren Gespräche belauschte und die Täter und ihre abscheulichen Verbrechen der Justiz überantwortete. Im Geiste hatte sie sich bereits als Heldin ihres eigenen kleinen Films gesehen, in dem sie (quasi im Alleingang) die Welt rettete und dafür einen Dankesbrief von der Queen erhielt. Selbst Angels Einwände, nun sei sie völlig durchgeknallt, hatten sie nicht beirren können. Dadurch hatte sie sich nur noch mehr gefühlt wie eine Rebellin, und das hatte die ganze Geschichte natürlich noch reizvoller gemacht.

Und dann war dieses Anmeldeformular in ihrem Briefkasten gelandet. Da stand, sie würde Essays schreiben müssen und Tests bestehen, sich von Männern in grauen Anzügen ausfragen und davon überzeugen lassen, dass eine Karriere als Unternehmensberaterin genau das war, was sie sich immer schon erträumt hatte, ja sogar mehr als das. Doch nun war sie tatsächlich dabei, geradewegs in die Büroräume von Bell Consulting zu marschieren und sich ihre erste Vorlesung anzuhören. Irgendwie hatte sie in ihren

Tagträumen die unwesentliche Kleinigkeit außer Acht gelassen, dass sie ja dort wirklich ihren MBA-Abschluss machen musste.

Aber so schwer konnte das doch nicht sein, dachte sie sich. Bloß todlangweilig. Wie damals im Physikunterricht in der Schule. Oder in den Durkheim-Vorlesungen an der Uni. Jen hatte ein Semester lang Soziologie studiert, weil sie dachte, so einen Einblick in die Beweggründe menschlichen Verhaltens zu bekommen und vielleicht sogar den Schlüssel zum Glück zu entdecken. Stattdessen hatten sie sich wochenlang damit beschäftigt, warum Menschen zu Kriegszeiten seltener Selbstmord begehen. Angeblich war es dann irgendwann interessanter geworden, denn die, die weitergemacht hatten, erzählten ihr später immer wieder, wie toll es sei. Aber so lange hatte Jen nicht warten wollen. Sie hatte auf Philosophie umgeschwenkt und es nie bereut. Nun ja, bis sie dann die Vorlesungen über Hegel über sich ergehen lassen musste, aber da war es dann schon zu spät, noch einmal zu wechseln.

Egal, ermahnte sie sich, eigentlich ging es doch nur darum, in eine Rolle zu schlüpfen. Alle anderen würden sie für eine stinknormale BWL-Studentin halten und sie brauchte einfach nur mitzuspielen. So tun, als fände sie das alles unheimlich spannend. Schon bei dem Gedanken erschauderte sie. Sie hatte den Prospekt von vorne bis hinten durchgelesen und dabei erfahren, dass sie Dinge wie »innerbetrieblicher Strukturwandel von Unternehmensprozessen« und »Endgewinnmanagement« studieren würde. Das war so grässlich, darüber durfte man gar nicht nachdenken.

Andererseits machte sie wenigstens etwas Sinnvolles. Um ehrlich zu sein, hatte sie sich ja in der letzten Zeit doch des Öfteren ihre Gedanken gemacht, was sie eigentlich mit ihrem Leben anfangen wollte. Irgendwie hatte sie nämlich der Gedanke beschlichen, dass sie an ihrem Schreibtisch bei Green Futures bloß die Zeit totschlug, und sie hatte sich sogar auch schon gefragt, ob es die richtige Entscheidung gewesen war, sich von Gavin zu trennen. Sie war sich einfach nicht mehr ganz sicher, ob ihr Platz im Leben in London war, ja, sie wusste nicht einmal mehr so genau, wer sie eigentlich war.

Irgendwie hatte sie sich etwas anderes darunter vorgestellt, bei Green Futures zu arbeiten. Als die Firma noch ganz neu war, da war ihre Mutter beinahe so etwas wie ein Star und in aller Munde gewesen. Ihre war die erste Unternehmensberatung, die über die soziale Verantwortung großer Firmen redete und sich so weit aus dem Fenster lehnte zu fordern, dass Unternehmen nicht einfach alles machen durften, was ihnen gerade in den Sinn kam, nur um ihre Gewinne immer mehr zu maximieren. Zu Jens Schul-und Studienzeit meinten alle, Jens Mutter sei die coolste überhaupt, und auch Jen selbst hatte das gedacht. Sie war wirklich sehr stolz auf sie gewesen und das hatte sie ein bisschen dafür entschädigt, dass ihr Vater durch und durch ein Mistkerl war, der Unternehmen das genaue Gegenteil predigte, nur auf Profit aus war und sich einen Dreck um so unbedeutende Dinge wie Menschen oder die Erderwärmung scherte.

Auch die Medien waren begeistert gewesen. Vor der Gründung ihrer eigenen Firma hatte Harriet schließlich bei Bell Consulting gearbeitet. Ihre Trennung von George Bell und die Gründung ihrer Konkurrenzfirma füllten wochenlang die Kolumnenspalten der Tageszeitungen. Damals war Harriet in schönster Regelmäßigkeit auf den Titelseiten von Newsweek, The Economist und Time zu sehen. Sie machte Schlagzeilen und fand es toll.

Aber Jen hatte einsehen müssen, dass Green Futures eine Firma wie jede andere war. Büros mit jeder Menge Schreibtischen, an denen Leute saßen, die wild auf die Tastatur einhackten und neben der (Bio-)Kaffeemaschine über ihre Kinder/Haustiere/Hobbys redeten. Früher einmal mochte es eine revolutionäre Firma gewesen sein, aber heutzutage wirkte sie ein bisschen ... müde. Und um ehrlich zu sein, hatten sie nicht mehr annähernd so viele Kunden wie damals. Auch andere Unternehmensberatungen waren auf den umweltfreundlichen Zug aufgesprungen und ihre Mutter schien nicht wahrhaben zu wollen, dass sie nicht mehr die große Berühmtheit war. In vielerlei Hinsicht war Jen regelrecht erleichtert, da herauszukommen.

Vom Regen in die Traufe, dachte Jen verdrießlich und schaute sich den Riesenkasten noch einmal genauer an. Bell Towers, einzig dazu erbaut, sämtliche Leute, die ihre Schwelle überschritten, einzuschüchtern und zu beeindrucken. Eigentlich hatte sie sich nie vorstellen können, jemals für einen Elternteil zu arbeiten, und jetzt sah es ganz danach aus, als würden am Ende beide ihre Arbeitgeber. *Aber nicht lange*, beruhigte sie sich. *Das ist bloß Mittel zum Zweck.*

Jen zwang sich zu einem Lächeln und marschierte durch die Tür, und ehe sie sich versah, stand sie am Empfang und trug sich ein.

»Bist du auch im MBA-Kurs?«

Jen schaute auf und in das ernste Gesicht des Typen neben ihr im Aufzug.

»Weil du in den siebten Stock willst«, ergänzte er hastig. »Ich glaube, in der Etage gibt es keine Büros, bloß, du weißt schon, Hörsäle.«

Kurz betrachtete sie sein Gesicht. Ein bisschen pummelig, ziemlich rosige Wangen, die Brille etwas beschlagen. Ein geradezu mustergültiger BWLer, wie er im Buche stand. Sie merkte, dass er sie ebenfalls musterte und kritisch die Augenbrauen hochzog, als sein Blick an ihren Jeans und den Ugg Boots hängen blieb. Eigentlich hatte sie ein paar seriösere Klamotten kaufen, sich das passende Kostüm für ihre Rolle zulegen wollen, aber irgendwie war sie bisher nicht dazu gekommen. Und außerdem hatte in der Broschüre gestanden, die Kleiderordnung verlange eine »sportlichelegante« Garderobe. Und für den Anfang tat es doch wohl auch eine der beiden beschriebenen Varianten.

»Ja, bin ich«, murmelte sie abweisend, ehe ihr wieder einfiel, dass sie sich ja auch wie eine vorbildliche BWLerin verhalten sollte.

»Ich auch!«, sagte er überflüssigerweise. Er schleppte vier Lehrbücher und einen mit Notizen vollgestopften und sorgsam mit BELL MBA-KURS, ALAN HINCH-CLIFFE beschrifteten Ordner mit sich herum. »Ich heiße Alan, nett, dich kennenzulernen. Und, hast du dich schon vorbereitet? Ich habe angefangen, über angewandte Strategie zu lesen, aber das meiste davon habe ich schon in meinem BWL-Studium durchgenommen, also habe ich mich mehr auf strategische Unternehmensführung konzentriert – dieses hier ...« Er zeigte auf das größte der drei Lehrbücher. Jen starrte ihn ungläubig an, dann riss sie sich zusammen. *Ich bin MBA-Studentin*, sagte sie sich immer wieder. *Ich muss so tun, als interessierte mich dieser ganze Quatsch.*

»Ich ... ähm ... weißt du, habe hier und da mal reingeschaut«, stotterte sie in der Hoffnung, Alan möge sie über keins davon ausquetschen. »Ich bin übrigens Jennifer. Jennifer Bellman.« Ihr sträubten sich die Nackenhaare, den Namen laut auszusprechen, aber sich einen neuen Nachnamen auszudenken war gar nicht so einfach, wie es sich anhörte. Sie hatte dieses Problem immer wieder aufgeschoben, bis sie das Anmeldeformular ausfüllen musste, und dann war sie eine gute halbe Stunde lang durch ihre Wohnung getigert auf der Suche nach einer Inspiration – Jennifer Fernseher, Jennifer Lampe, Jennifer Wand. Dann hatte sie im Telefonbuch geblättert und ein paar der Namen ausprobiert, aber sie hatte höllische Angst davor, sich einen auszusuchen, der ihr dann im entscheidenden Moment nicht mehr einfiel. Also hatte sie sich schließlich für Bellman entschieden, die einfallsloseste Abänderung von Bell, die man sich vorstellen konnte. Aber die würde sie sich wenigstens merken können.

Vorsichtig schob Alan seine Unterlagen auf den linken Arm und streckte ihr die nun freigewordene Rechte hin. Jen starrte sie einen Moment lang an, bis sie begriff, dass sie sie schütteln sollte. Was sie dann auch tat, und dabei lächelte sie ihn unsicher an.

»Wollen wir?«, fragte sie und spähte beklommen in Richtung Hörsaal.

»Ach, ja. Auf geht's!«

Gemeinsam betraten sie den Saal und suchten sich zwei Plätze nebeneinander. Der Raum war voll – ungefähr fünfzig Leute waren da, alle Ende Zwanzig bis Anfang Dreißig, und alle sahen furchtbar ernsthaft aus.

Jen nahm ihren Stundenplan heraus. Eine Einführung, gefolgt von angewandter Strategie, gefolgt von einer Mittagspause, danach eine kurze Wiederholung von angewandter Strategie, dann Ende.

Sie sah sich im Hörsaal um und wartete.

»Ist hier noch frei?« Jen schaute auf und blickte geradewegs in ein großes, rundes Gesicht mit einem breiten Lächeln, umrahmt von blonden Haaren. »Du bist die einzige andere Jeansträgerin hier, und die Einzige, die auch nur annähernd nett aussieht, wenn du also nichts dagegen hast ...«

»Nein, ich schätze nicht«, murmelte Jen zweifelnd. Sie wusste nicht so recht, ob sie auf eine MBA-Studentin nett wirken wollte.

»Ich sage dir«, fuhr ihre neue Nachbarin fort, während sie sich setzte und Block, Stifte, Bücher und Ordner hervorkramte, »in diesem Kurs kriegen wir eine Menge zu lesen. Ein echter Albtraum.« Sie sah sich um und runzelte missbilligend die Stirn. »Nicht besonders viele Hingucker, oder?«

Jen zog erstaunt die Brauen hoch. »Hingucker?«

»Männer. Lieber Gott, das ist doch der einzige Grund, weshalb ich überhaupt hier bin. Ich sage dir, ich habe es schon in etlichen Bars probiert, ich habe es mit Internet-Kontaktbörsen versucht, ich habe mir sogar einen Hund gekauft, verdammt noch mal, aber alles ohne Erfolg. Es gibt gar keine alleinstehenden Männer in London, soweit ich feststellen konnte. Jedenfalls keine normalen, die vor allem nicht aussehen, als seien sie in ihrer Freizeit als Axtmörder unterwegs. Bis mir aufgefallen ist, dass immer mehr Leute ›MBA‹ in ihre Beschreibung auf den Kontaktseiten setzen. Und da habe ich mir gedacht – warum warten, bis die das Studium abgeschlossen haben? Warum nicht gleich an der Quelle angeln?«

Jen starrte sie an. »Du machst diesen MBA-Kurs bloß, um Männer kennenzulernen?«

»Klar. Und du?«

Jen grinste vor Erleichterung, eine Hochstaplerkollegin getroffen zu haben. »Ach, ich hatte bloß ein bisschen Zeit totzuschlagen. Ich heiße übrigens Jen. Jen ... Bellman.«

Sie lächelte. »Lara. Ich heiße Lara. Nett, dich kennenzulernen.«

Ein Mann spazierte in den Hörsaal und baute sich vorne vor ihnen auf. Allmählich verstummten die Gespräche und alle wandten sich stattdessen ihm zu. Er hatte ein sehr markantes Kinn, wie Jen bemerkte, und hellblonde Haare.

»Guten Morgen, Leute«, sagte er mit New Yorker Akzent. »Ich bin Jay Gregory, und ich bin der Studienleiter des MBA-Aufbaustudiums von Bell Consulting. Ich freue mich sehr, Sie alle an Bord begrüßen zu dürfen – ich weiß, dass Sie sich gegen harte Konkurrenz durchsetzen mussten, um es bis hierher zu schaffen, also sitzt ein ziemlich erlesener Haufen hier in diesem Raum.«

Ein Raunen ging durch den Saal, und alle winkten betont bescheiden ab, so toll sei man doch gar nicht, nur um gleichzeitig anzudeuten, würde man sie drängen, seien sie durchaus davon zu überzeugen, doch ein ziemlich klasse Haufen zu sein.

»Meinst du, der hat sich die Haare gefärbt?«, zischte Lara. Jen rümpfte die Nase.

»Würdest du deine Haare in so einer Farbe färben?«, zischte sie zurück.

»Hat Andy Warhol auch gemacht.«

Jen zuckte die Achseln und grinste Lara an.

»Aber was Sie bisher gemacht haben ist Kinderkram verglichen mit diesem Studium«, fuhr Jay fort, »Das kommende Jahr wird das schwerste, das sie je durchgemacht haben. Wir erwarten von Ihnen, dass Sie jederzeit absolutes Engagement zeigen, sich einbringen und Einblicke gewähren. Und Sie werden in Gruppen arbeiten, damit Sie die Bedeutung von Teamwork schätzen lernen, die Notwendigkeit, als Einheit zusammenzuarbeiten statt als Einzelkämpfer. Sie haben Zeit bis Juni, meine Damen und Herren – neun sehr aufregende Monate –, und ich hoffe, Sie werden sie nutzen.«

Jen sträubten sich die Nackenhaare, als einige »Machen wir« sagten und Jay daraufhin anerkennend nickte.

»Und jetzt«, fuhr er fort, »freue ich mich, Ihnen unseren Dozenten für angewandte Strategie vorstellen zu dürfen, Professor Richard Turner. Viele von Ihnen werden schon von Richard gehört haben – er gehört zu den führenden Strategen Europas und hat mehr Bücher geschrieben, als die meisten von Ihnen je lesen werden. Ich bin mir sicher, von diesem Mann werden Sie eine Menge lernen – ich übergebe dir das Wort, Richard.«

Ein ziemlich hagerer grauhaariger Mann stand auf und Jen stellte mit Genugtuung fest, dass er wesentlich mehr nach Akademiker aussah – ausgestattet mit diesen maulwurfsähnlichen Gesichtszügen, die Leute bekamen, die ihr ganzes Leben in Bücher vergraben mit Lesen zubrachten.

Ein paar Minuten lang sah er sich nur im Raum um und alle saßen ganz still und warteten darauf, dass er anfing zu sprechen.

»Coca-Cola«, sagte er schließlich. »Stellen Sie sich vor, aus irgendeinem Grund gehen die Verkaufszahlen in den Keller. Sollte man Ihrer Meinung nach nun unter einem anderen Namen Billigcola für Supermarktketten produzieren, um den Absturz des Markennamenwertes abzufangen?«

Alle guckten sich zögernd an, dann sah Jen, wie ein Typ ganz vorne die Hand hob. Der Professor gab ihm ein Zeichen zu reden.

»Nein, denn warum sollte dann noch irgendwer die echte Cola kaufen?«, erklärte er, und viele nickten zustimmend.

»Macht Kellogg's doch auch«, warf Richard ein. »Und die Leute kaufen trotzdem weiter Cornflakes, oder etwa nicht?«

»Finde ich auch«, rief ein Mädchen ganz in Jens Nähe schnell. »Die Verbraucher sind immer weniger markenfixiert, und immer mehr Supermärkte lancieren die Produkte ihrer Eigenmarken.«

»Aber dann ist Coca-Cola bald nicht mehr von den anderen zu unterscheiden. Und wichtiger noch, sie sind den Supermärkten auf Gedeih und Verderb ausgeliefert, die sich jederzeit für einen anderen, billigeren Cola-Produzenten entscheiden können, und nur anhand der Verpackung könnte man den Unterschied nicht mal bemerken. Eine Situation, über die ich als Vorstandsmitglied von Coca-Cola nicht gerade glücklich wäre.«

Schweigen machte sich breit und das Mädchen wurde puterrot.

»Willkommen im Strategiekurs«, sagte der Professor mit einem kleinen Lächeln. »Und wenn Sie in diesem Kurs eins lernen – und nur dieses eine –, dann bitte Folgendes: Sie können externe Faktoren analysieren, Sie können interne Faktoren analysieren und Sie können Voraussagen treffen, so viel Sie wollen. Aber Sie können die ganze Sache immer noch vermasseln, weil die Welt da draußen sich nicht im Geringsten um Ihre Strategien schert. Sie verändert sich. Ihre Kunden verändern sich, ihre Zulieferer verändern sich. Und wenn Sie da nicht mithalten, wenn Sie nicht in der Lage sind, blitzschnell zu reagieren, dann wird es Ihnen ergehen wie den Dinosauriern. Habe ich mich klar ausgedrückt?«

Alle nickten.

»Ich persönlich finde«, fuhr der Professor fort, »dass Sie recht haben.« Er sah den Typ an, der gesagt hatte, Coca-Cola solle für niemand anderen produzieren. »Aber das heißt nicht, dass ich nicht morgen schon völlig falsch liegen könnte.«

Der Typ nickte ernst und Jen konnte es sich nicht verkneifen, entnervt aufzustöhnen. Wen interessierte es denn, ob Coca-Cola für jemand anderen produzierte? Cola war ein ekelhaftes, überzuckertes Gesöff, das einem die Zähne wegfraß. Und dass sie nur wegen dieser Vorlesung jetzt plötzlich große Lust hatte, eine zu trinken, setzte dem Ganzen die Krone auf.

1

Saublödes MBA-Studium. Jen knallte vier riesige Lehrbücher und zwei Ordner auf den Küchentisch und schüttelte die Arme aus. Sie zitterten vor Anstrengung, weil sie die schwere Last den ganzen Weg von der U-Bahn hatte nach Hause schleppen müssen. Niemand hatte sie davor gewarnt, was für ein gigantisches Lesepensum in diesem Kurs auf sie zukommen würde. Und was für eine gigantische Traglast. Vergesst die Auswahlgespräche, die sollten die potenziellen Kandidaten lieber einem Fitnesstest unterziehen. Grundlagen der Unternehmensführung durch die Gegend zu bugsieren war kein Pappenstiel.

Sie steuerte geradewegs auf die Flasche Wein zu, die sie am Abend zuvor aufgemacht hatte, goss sich ein Glas ein, setzte sich und funkelte wutentbrannt die Bücher auf dem Tisch vor sich an. Fünf Stunden Vorlesungen hatte sie über sich ergehen lassen müssen. Die halbe Stunde »Teambildung« nicht mitgerechnet, in der sie und Lara und Alan zusammen in einen Raum gehen und drei Dinge übereinander in Erfahrung bringen mussten, die sie vorher nicht gewusst hatten. Herrje, das war einfach so was von nervtötend. Warum um alles in der Welt musste sie erfahren, dass Alan Geschichtsbücher mochte, in Hampshire auf die Welt gekommen war und seine Kindheit in Wales verbracht hatte? Und obwohl es ganz interessant war, dass Lara BH-Größe 75 DD hatte, war es ihr doch ziemlich unangenehm gewesen, diese Information an den ganzen Kurs weitergeben zu müssen.

Vor allem, weil sie selbst eher 75 B trug und sich lebhaft vorstellen konnte, wie die anderen sie daraufhin insgeheim mit Lara verglichen.

Jen seufzte. Es war gerade mal der erste Tag. Sicher würde es noch besser werden.

Aber was, wenn nicht? Was, wenn es nur noch schlimmer wurde? Was, wenn sie den ganzen Tag Teambildungsübungen machen musste und nicht mal ansatzweise dazu kam, das zu tun, wofür sie eigentlich dort war – nämlich, um eine Verschwörung aufzudecken und ihren Vater als den Mistkerl bloßzustellen, der er ihrer Meinung nach war. Sie hatte keinen Schimmer, wie sie es anstellen sollte, überhaupt an Informationen zu kommen, und den ganzen Tag im Hörsaal zu sitzen war dabei nicht unbedingt eine große Hilfe.

Jen trank den Wein in einem Zug aus und schenkte sich gleich noch ein Glas ein. Vielleicht sollte sie Alkoholikerin werden, überlegte sie. Wenn sie dauernd betrunken war, würde es ihr vielleicht nicht so viel ausmachen, den ganzen Tag in hirntötenden Vorlesungen über Firmenstrategien zu sitzen.

Sie verzog das Gesicht. Oder auch nicht.

Ganz langsam stand sie auf und trottete durch die Hintertür zu dem kleinen Areal, das sie als Garten bezeichnete, das aber eigentlich viel zu klein war, um diesen hochtrabenden Namen zu verdienen. Das Ganze maß drei Meter mal eineinhalb Meter, ein winzig kleines Fleckchen Erde, das sie in den letzten paar Monaten in einen wunderschönen Ort zum draußen Sitzen verwandelt hatte, inklusive Kräutern und Kletterpflanzen, die sich überall hochrankten.

Machte sie sich nur etwas vor, wenn sie glaubte, sie könne wirklich etwas erreichen, indem sie sich bei Bell Consulting he rumtrieb? Ging es hier wirklich um Firmenspionage und darum, ihren Vater der Justiz zu übergeben, oder musste sie sich bloß selbst etwas beweisen? Sie wusste, dass es die richtige Entscheidung gewesen war, sich von Gavin zu trennen, und auch, dass sie sich ein eigenes Leben aufbauen musste. Aber ob das wirklich der richtige Weg war? Hoffte sie nicht insgeheim, dass er davon erfahren würde? Dass er beeindruckt wäre? Dass er einsehen würde, dass er kein Monopol auf Heldentaten hatte?

Jen musste über sich selbst lachen. Einen MBA-Abschluss zu machen sollte eine Heldentat sein? Das grenzte ja schon fast an Wahnvorstellungen.

Etwas irritiert schaute sie sich um. Hier geriet alles ein wenig aus der Kontrolle. Die Clematis fing an, alles zu überwuchern, am Jasmin mussten die vertrockneten Blüten abgeknipst werden, das arme Basilikum war ganz welk geworden und der Rosmarin schon völlig vertrocknet. Es wunderte sie nicht – ihre Pflanzen waren nicht dafür gerüstet, sich ganz allein im rauen Londoner Klima, der dreckigen Luft und dem wechselhaften Wetter zu behaupten. Allerdings war sie auch nicht davon überzeugt, dass es bei ihr selbst anders war.

»Was meint ihr, sollen wir zusammen nach Südfrankreich abhauen?«, fragte sie ihre Pflanzen in lockerem Plauderton und streifte sich die Gartenhandschuhe über.

Langsam und systematisch machte Jen sich daran, ihre Pflanzen zu gießen und zu beschneiden, behutsam die Erde zu lockern, Kompost und Dünger einzuarbeiten und wieder eine gewisse Ordnung in ihrer kleinen Enklave herzustellen. Das war das Einzige, wofür sie sich immer genügend Zeit nahm. Das Einzige, was sie immer ganz in Ruhe und ohne Hast erledigte. Und das Einzige, worauf sie wirklich richtig stolz war. Es war zwar keine herausragende Leistung, schließlich handelte es sich nur um ein paar Quadratmeter Erde mit ein paar Pflänzchen, aber jedes einzelne davon hatte sie mit ihren eigenen Händen gepflanzt. Niemand hatte hier mitgeredet oder sich eingemischt – ja, eigentlich wusste niemand außer ihr von der Existenz dieses Gartens. Der zudem auch noch ziemlich praktisch war, wenn man gerade einen Tomaten-Mozzarella-Salat mit Basilikum zubereitete.

Sie lehnte sich zurück und begutachtete ihre Arbeit. Den Kräutergarten hatte sie ganz links in der Ecke angelegt, rechts davon, wo es am sonnigsten war, hatte sie Jasmin und Clematis gepflanzt, die den ramponierten

Zaun zum Nachbargrundstück verdeckten. Und ganz vorne, seitlich neben dem kleinen gepflasterten Stück, auf das sie einen winzigen Tisch und zwei Stühle gequetscht hatte, standen Unmengen von Töpfen mit himmlisch duftendem Lavendel.

Alles ziemlich zähe Gewächse. Nichts, was dem durchschnittlichen Hobbygärtner Ärger machte. Aber nichtsdestotrotz eine reife Leistung. Und gut riechen tat es auch.

Zufrieden flitzte sie hinein, schnappte sich den Wein, ging dann wieder nach draußen und setzte sich auf einen der wackligen Stühle. Das Leben erschien einem so einfach, wenn man hier draußen war, dachte Jen. So elementar – Leben, Erneuerung und Tod waren die einzig beherrschenden Prinzipien. Pflanzen mussten sich keine Gedanken über Exfreunde, entfremdete Elternteile und strategische Ausrichtung machen. Sie lebten einfach, wuchsen der Sonne entgegen und trieben auf der Suche nach Wasser und Nährstoffen ihre Wurzeln in den Boden. Und zäh waren sie auch noch – Jen sah kaum etwas lieber als das kleine Unkraut, das sich durch den Asphalt bohrte und damit eindrucksvoll die Kraft der Natur unter Beweis stellte. Und das erinnerte sie immer wieder daran, dass die Menschen, trotz aller Häuser, Straßen und Computer, die sie gebaut hatten, Mutter Natur nie ganz würden zähmen können.

Jen seufzte und trank noch einen Schluck Wein. Ihre eigene Mutter zu zähmen war mindestens genauso schwer, musste sie sich eingestehen, während ihr Blick für einen Moment auf der Clematis ruhte. Sie runzelte die Stirn. Die Pflanze hatte sich um die Drähte gerankt, die sie eigens zu diesem Zweck gespannt hatte, wickelte sich aber auch schon um seinen Nachbarn, den Jasmin, der sich im Gegenzug in und um den Zaun geschlungen hatte und jede Spalte und jedes Loch gnadenlos ausnutzte. Und dort, zu Füßen dieser beiden Pflanzen, stand eine kleine Gardenie, deren zaghafte Wachstumsversuche von den beiden rücksichtslosen Kletterern zunichtegemacht wurden.

Die Gardenie hatte sie noch nie gesehen – gepflanzt hatte sie die jedenfalls nicht. Schnell nahm sie ihre Pflanzkelle und grub, mit den bloßen Händen tastend, behutsam die Wurzeln aus und hob dann die Pflanze aus ihrem Loch.

Sie grübelte, wie und durch wen sie wohl dort gelandet sein mochte. Die linke Seite ihres Gartens war zu schattig, und auf der rechten wäre sie auf Gedeih und Verderb den Kletterpflanzen ausgeliefert, die in ihrem ungehemmten Wachstum unbarmherzig alles überwucherten.

»Wohin würde ich gerne gepflanzt werden?«, fragte sie sich laut. »Lieber in den Schatten oder in die Sonne? Allein oder da, wo ich um meinen Platz kämpfen müsste?«

Schließlich entschied sie sich für einen kleinen Flecken unweit der Clematis und grub ein Loch. Das füllte sie mit Kompost und Erde, setzte die kleine Pflanze vorsichtig hinein und begoss sie kurz mit einem ordentlichen Schluck Wasser. Dann setzte sie sich wieder hin und genoss die letzten Minuten der warmen

Herbstsonne auf dem Gesicht, bevor diese wieder hinter der Mauer verschwand.

Gerade als sie anfing, sich zu entspannen, und die Gedanken wegschweifen ließ von ihrer Mutter und Gavin, klingelte das Telefon und zerriss ihre friedlichen Tagträumereien. Widerstrebend ging Jen hinein und griff nach dem Hörer.

»Und, wie war's?«, tönte ihr die Stimme ihrer Mutter entgegen und beinahe wünschte Jen sich, sie wäre nicht drangegangen. Vielleicht sollte sie sich ein Beispiel an der Gardenie nehmen – hätte sie Harriets Anrufe etwas häufiger ignoriert, würde sie vermutlich gar nicht erst diesen Kurs machen müssen und hätte jetzt auch keine malträtierten Arme und keine Kopfschmerzen.

»Ach, Mum. Hi. Ja, es war ... na ja, du weißt schon. Es war ganz okay.«

»Hast du deinen Vater gesehen? Hast du irgendwas herausgefunden?«

Jen seufzte. »Mum, das war gerade mein erster Tag. Nein, ich habe ihn nicht gesehen, und nein, ich habe auch noch nichts herausgefunden. Ich habe den ganzen Tag in völlig bescheuerten Vorlesungen gesessen. Und ehrlich gesagt bin ich todmüde und bekomme gerade schreckliche Kopfschmerzen ...«

»Ach herrje«, rief Harriet, aber Jen fand nicht, dass sie dabei besonders mitfühlend klang.

»Na ja, wie dem auch sei, wie steht's denn bei dir? Irgendwas Neues im Büro?«, fragte Jen betont locker. Sie wollte irgendetwas hören, das überhaupt nichts mit

Firmenstrategie zu tun hatte, und wäre sogar so weit gegangen, sich die Märchengeschichten ihrer Mutter anzuhören, wenn schon nichts anderes zur Wahl stand.

»Ach, weißt du, das Übliche. Nächste Woche haben wir eine Sitzung, zu der du vielleicht auch kommen solltest – zum Thema heilige Weiblichkeit. Weißt du noch, darauf sind wir in unserem Buchclub gekommen, als wir Sakrileg gelesen haben. Wir treffen uns, um Strategien auszuarbeiten, wie man wirtschaftlichen Erfolg erzielen kann, indem man die heilige Weiblichkeit in uns allen – auch in unseren Kunden – stärkt. Ich glaube, das könnte eine ganz große Sache für uns werden.«

Jen rümpfte die Nase. So ein Gespräch hatte sie nicht gerade im Sinn gehabt.

»Die heilige Weiblichkeit?«, fragte sie ungläubig, betrachtete ihre Fingernägel und fragte sich, wie Lara es schaffte, dass ihre Fingernägel so lang und glänzend waren. Jen war noch nie der Typ für lange, glänzende Fingernägel gewesen, und eigentlich wollte sie es auch nicht werden, aber interessiert hätte es sie trotzdem. »Ich dachte, Sakrileg sei eine erfundene Geschichte.«

Jen hörte ihre Mutter verächtlich schnauben.

»Erfunden? Glaubst du das wirklich? Die größte Verschwörung aller Zeiten wird endlich aufgedeckt und du glaubst, das sei alles bloß erfunden?«

Jen musste grinsen, als ihre Mutter zu einer leidenschaftlichen Verteidigung des Romans und seiner Theorien ansetzte.

»Und du meinst, das würde helfen, wieder mehr Kunden anzulocken?«, frage Jen schließlich.

»Da bin ich mir ganz sicher. Die Idee ist mir gekommen, als ich gerade mit Paul Kristalle aussuchte, und es war beinahe wie eine Vision, so klar habe ich alles vor mir gesehen.«

Jen stöhnte auf. Die Marotten ihrer Mutter waren eine Sache, aber die Marotten von Paul »der Nervensäge« Song, Feng-Shui-Experte und Harriets neuester Guru, waren etwas ganz anderes. Jen wusste, sie sollte wohl etwas nachsichtiger sein, aber jemand, der in langen, wallenden Hosen herumlief und über Kristalle und Meditation schwadronierte, der verdiente es ihrer Meinung nach nicht, ernst genommen zu werden. Ihre Mutter kannte ihn erst seit ein paar Wochen, aber schon jetzt ließ sie seinen Namen im Gespräch so häufig fallen, als kenne sie ihn schon ihr ganzes Leben lang.

»Jetzt suchst du schon Kristalle mit ihm aus. Wie romantisch«, bemerkte Jen sarkastisch. Harriet entging ihr Tonfall nicht.

»Ich weiß, in deinem Alter glaubt man, alles dreht sich nur um Sex, Liebes, aber manche Menschen lassen das Körperliche irgendwann hinter sich und wenden sich dem Geistigen zu«, erklärte sie schnippisch. »Ich weiß nicht, warum du Paul nicht magst, aber ich finde, das wirft kein gutes Licht auf dich. Er ist mir eine große Stütze, wirklich. Und er versteht mich, wie niemand anderes mich versteht ...«

»Du meinst, weil er dich länger quasseln lässt als alle anderen«, gab Jen betont liebenswürdig zurück. »Sieh mal, ich bin mir sicher, dass deine Idee mit der heiligen Weiblichkeit ein Knaller ist, aber ich fürchte, ich habe alle Hände voll mit diesem kleinen MBA-Studium zu tun, das ich mir da aufgehalst habe. Du wirst also wohl leider auf mich verzichten müssen.«

»Gut«, erwiderte Harriet abweisend. »Ach, und habe ich schon erwähnt, dass ich uns einen Tisch bei der Tsunami-Spendengala reserviert habe? Du kommst doch mit, oder?«

»Nein, das hast du noch nicht erwähnt«, erwiderte Jen bestimmt. Wohltätigkeitsabende hatte sie schon einige erlebt, und die reichten ihr für alle Zeiten. Da liefen lauter Leute herum, die dachten, bloß weil sie 80 Pfund für eine Karte bezahlt hatten, seien sie die weltgrößten Experten für das jeweilige Anliegen, und außerdem war kaum einer der Anwesenden unter fünfzig.

»Doch, habe ich ganz bestimmt. Schon am kommenden Freitag. Die Karten waren sehr teuer.«

»Tja, dann hättest du mal was sagen sollen. Ich bin am Freitag mit Angel verabredet ...«

Und außerdem bin ich, glaube ich, etwas zu alt, um freitags abends noch mit meiner Mutter auszugehen, hätte sie am liebsten hinzugefügt, verkniff es sich aber lieber.

Harriet seufzte theatralisch. »Ich dachte, es sei dir wichtig, Jennifer. Ehrlich, ich kaufe dir eine Karte für das Tsunami-Dinner, im Wissen, dass Bell Consulting auch einen Tisch hat, und dir ist es zu viel –«

»Dad kommt auch?«, unterbrach Jen sie und war augenblicklich ganz ernst.

»Nein, dein Vater nicht. Ich kann mir nicht vorstellen, dass er an einer Wohltätigkeitsveranstaltung teilnimmt. Aber ein paar seiner Berater gehen hin. Ich kenne die Veranstalter, musst du wissen. Und die haben mir freundlicherweise einen kleinen Blick auf die Gästeliste gestattet. Aber wenn dir deine privaten Verabredungen wichtiger sind, dann habe ich dafür vollstes Verständnis.«

»Ich glaube, ich sehe diese Woche mehr von Bell, als mit lieb ist«, meinte Jen widerwillig. Sie hörte schon jetzt diese kleine Stimme im Kopf, die ihr einflüsterte, nicht gleich kategorisch auszuschließen, vielleicht doch hinzugehen.

»Und ich dachte, dir lägen diese armen Menschen, deren Leben in Trümmern liegt, wirklich am Herzen«, jammerte Harriet mit einem leichten Kieksen in der Stimme. »Meinst du nicht, ein festliches Abendessen, bei dem Wein und Champagner in Strömen fließen, wäre eine gute Gelegenheit, die Leute in ihrer Feierlaune zu überrumpeln? Gespräche zu belauschen, die sie vielleicht auf dem Gang im Büro nicht führen würden?«

Jen seufzte. Wie ihre Mutter das bloß immer wieder schaffte, fragte sie sich. Einem das Neinsagen beinahe unmöglich zu ma chen.

»Wann geht es los?«, fragte sie resigniert.

»Halb acht oder acht. Ach, das wird bestimmt ein Spaß!«

Was ich irgendwie ernsthaft bezweifle, dachte Jen und legte den Hörer auf.

2

Jen betrachtete sich missgelaunt im Spiegel. Es war Freitagabend und eigentlich würde sie jetzt lieber tanzen gehen. Aber statt die Stadt unsicher zu machen, hatte man sie gezwungen, ein lächerliches Kleid anzuziehen und mit ihrer Mutter, Paul »der Nervensäge« Song und einem Haufen Green-Futures-Typen zu einem Dinner zu gehen. Sie stöhnte. Als sie sich von Gavin getrennt hatte und wieder nach London gezogen war, hatte sie sich ihr neues Leben nicht unbedingt so vorgestellt.

Jen drehte sich um und betrachtete ihre Rückansicht. Sie trug ein Kleid, das sie seit beinahe acht Jahren besaß – normalerweise hatte sie kaum Verwendung für ein Cocktailkleid, und unter keinen Umständen würde sie sich dazu hinreißen lassen, ihr schwer verdientes Geld für ein Kleidungsstück auszugeben, das sie vermutlich nie im Leben wieder anziehen würde. Irgendwie spannte es an allen Stellen, an denen es früher ihre Kurven schmeichelhaft betont hatte. Hatte sie wirklich zugenommen, fragte Jen sich, oder war das Kleid womöglich doch in der Reinigung eingelaufen?

Um die wahrscheinlichere der beiden Antworten zu ignorieren, kramte sie schnell einen alten Pashmina-Schal hervor und drapierte ihn um das Kleid. Dann schlüpfte sie in die hochhackigsten Schuhe, die sie finden konnte. Toll war zwar etwas anderes, aber es würde reichen. Schließlich ging sie ja nicht richtig aus, es war bloß ein Geschäftsessen. Da kam es nicht so drauf an, wie man aussah.

Sie schnappte sich ihre Handtasche, trat auf die Straße und hielt ein Taxi an.

»Was für ein hübsches Kleid!« Harriet strahlte Jen an und wandte sich dann gleich wieder Paul zu. »Hab ich nicht recht?«

»Du siehst bezaubernd aus«, stimmte Paul ihr zu und Jen zwang sich zu einem Lächeln. Das Kleid war entsetzlich, aber ihr war inzwischen alles egal. Das Dinner fand im Lanesborough Hotel nahe Hyde Park Corner statt und die betuchten Londoner waren in Scharen erschienen, zumindest die mit den grauen Haaren, wie Jen feststellte. Überall roch es nach Puder und schwerem, süßem Parfum.

Jen versuchte den Gedanken zu verdrängen, dass sie jetzt eigentlich mit Leuten in ihrem Alter in einer netten Bar sitzen sollte, und sah sich um. Es war ja für einen guten Zweck, sagte sie sich, obwohl sie genau wusste, dass Gavin sich totlachen würde, wenn er sie jetzt sähe. »Ja klar, dich in ein kleines Schwarzes zu zwängen wird garantiert die Welt retten«, würde er sarkastisch bemerken. »Ein Haufen alter aufgebrezelter Schachteln? Ich bitte dich ...«

Und er hätte sogar recht, musste Jen sich mit einem Seufzen eingestehen. Aber wo sie jetzt schon mal da war, konnte sie ja auch das Beste daraus machen.

Sie erspähte einen Kellner, der mit einem vollen Tablett Champagnergläser vorbeiging, und nahm sich dankbar eins herunter.

»Jen!«

Sie grinste. Es war Tim, der Leiter der Finanzabteilung von Green Futures. »Hi, Tim, wie geht's?«

Er lächelte gequält. Auch er hatte seine Hose offensichtlich bereits vor geraumer Zeit gekauft und darüber wölbte sich sein Bauch, passend zum Stiernacken, der aus dem Hemdkragen quoll. Bei diesem Anblick fiel Jen beunruhigt ihr enges Kleid wieder ein und sie zog den Pashmina-Schal enger.

»Ach, weißt du, eigentlich kann ich mich nicht beklagen«, erwiderte er leutselig. »Wusste gar nicht, dass du heute Abend auch hier bist. Aber andererseits, ich habe dich in letzter Zeit auch kaum gesehen. Warst du krank?«

Jen zuckte unbehaglich mit den Schultern. Anscheinend hatte Harriet tatsächlich niemandem gesagt, wo Jen die ganze Zeit gewesen war. Eigentlich war das ja gut, aber es hieß auch, dass sie sich nun schnellstens eine Erklärung für ihr plötzliches Verschwinden aus den Fingern saugen musste. »Nein, also, ich hatte bloß, du weißt schon, ein paar Dinge zu erledigen«, erklärte sie vage. »Und bis Montag wusste ich selbst nicht, dass ich heute Abend herkommen würde, aber du kennst ja meine Mutter.«

Tim grinste. »Das kannst du laut sagen. Seit zwei Wochen versuche ich, sie abzufangen, damit wir unsere Einnahmen und Ausgaben mal gemeinsam durchgehen können, aber sie hat ja immer so wahnsinnig viel zu tun. Aber man braucht nur ein Wort über eine Wohltätigkeitsgala fallen zu lassen und plötzlich hat sie alle Zeit der Welt ...«

Beide schauten hinüber zu Harriet, die Hof hielt und ein kleines Grüppchen mit ihren Geschichten fesselte. Ihr Blick fiel auf Jen und sie gab ihr ein Zeichen, herüberzukommen, doch Jen schüttelte den Kopf und winkte nur.

»Willst du dich nicht zu Ihrer Hoheit gesellen?«, fragte Tim und hob erstaunt eine Augenbraue.

Jen nahm einen großen Schluck Champagner. »Manchmal glaubt sie anscheinend, ich sei immer noch zwölf«, antwortete sie mit einem schiefen Lächeln. »Wenn ich rübergehe, muss ich befürchten, dass sie vor allen Anwesenden damit prahlt, was für einen tollen Schulabschluss ich gemacht habe oder so was in der Art ...«

Tim rief einen Kellner heran, der Miniwürstchen und Blinis anbot, griff gierig nach beidem und schlang in Sekundenschnelle alles herunter.

»Wünschst du dir schon, du hättest nicht angefangen, in ihrer Firma zu arbeiten?« Tim war offenbar in Plauderlaune.

Jen dachte kurz nach. »Weiß nicht so genau. Ich hab mir schon gedacht, dass es nicht gerade die Ideallösung ist, aber ich war froh, überhaupt irgendwas zu haben.«

Tim nickte. »Na ja, wenn du sie mal kurz erwischst, sag ihr bitte, dass wir ein paar kleine Problemchen mit unserem Bargeldumlauf haben, wärst du so gut? Ich hab's schon mit E-Mails versucht, aber ich glaube, wenn sie meinen Namen als Absender liest, löscht sie sie sofort.«

Jen schmunzelte. »So schlimm kann es aber doch nicht sein, oder?«

Tim legte die Stirn in besorgte Falten. »Deine Mutter«, sagte er und hielt kurz inne, um einen Schluck Champagner zu trinken, »ist die weltbeste Netzwerkerin, die weltbeste Verkäuferin und eine verdammt gute Geschichtenerzählerin. Aber wenn's um Zahlen geht ... Na ja, wie dem auch sei, sag ihr einfach, sie wird nicht drum herumkommen, sich mit mir hinzusetzen und sich alles genau erklären zu lassen, ja?«

Jen nickte, dann machte sich Tim auf die Suche nach noch mehr Essbarem und ließ eine stirnrunzelnde Jen zurück. Sie zuckte zusammen, als der Gong ertönte und alle gebeten wur den, sich zu Tisch zu begeben. Sie huschte hinüber zum Sitzplan, und ihre Laune hob sich nicht gerade, als sie sah, dass man sie zwischen Paul Song und Geoffrey platziert hatte, einem der Berater von Green Futures, der im Büro von allen nur »der bärtige Spinner« genannt wurde.

»Hübsches Kleid«, sagte Geoffrey dann auch noch mit einem breiten Lächeln, als sie sich setzte. »Meine Mutter hat genau das Gleiche.«

Jen lächelte dünn. Irgendwie hatte sie das Gefühl, es würde ein sehr langer Abend werden.

»Also habe ich ihn gefragt, ob er schon mal darüber nachgedacht hätte, Leute aus der Gegend anzuwerben. Und weißt du, was er da gesagt hat?«

Jen merkte irgendwie, dass Geoffrey aufgehört hatte zu reden und ihr vermutlich eine Frage gestellt hatte. Sie lächelte in der Hoffnung, er würde weitererzählen. Dieses Essen war ein einziger Witz gewesen und sie ärgerte sich über sich selbst, dass sie sich dazu hatte bequatschen lassen. Sie würde rein gar nichts über Bell oder Axiom in Erfahrung bringen und auch sonst nichts halbwegs Interessantes. Außerdem fühlte sie sich in ihrem Kleid wie eine Vogelscheuche und schämte sich gleichzeitig, dass sie so eitel war. Eigentlich sollte es ihr doch egal sein, wie sie aussah, das wusste sie. Aber irgendwie war es das natürlich nicht.

»Und, weißt du's?«

Mist. Wie war noch mal die Frage, überlegte Jen verzweifelt. Angestrengt kramte sie in ihrem Kurzzeitgedächtnis, über was um alles in der Welt Geoffrey in den vergangenen beiden Stunden schwadroniert hatte, oder wie lange es auch immer gedauert hatte, die drei Gänge herunterzuwürgen.

»Ich wette, du verrätst es mir gleich«, gab sie schließlich zurück und war sehr erleichtert, als sich auf Geoffreys Gesicht ein zufriedenes Grinsen ausbreitete.

»Nein haben sie gesagt!«, erklärte er triumphierend. »Und da ist ihnen auf einmal aufgegangen, was sie die ganze Zeit über falsch gemacht haben. Natürlich konnten sie mir gar nicht genug danken, aber ich habe gesagt ›Danken Sie nicht mir, danken Sie sich selbst für Ihren Weitblick ‹.«

»Weißt du was, ich ... hole mir mal schnell was zu trinken«, unterbrach Jen ihn mit einem kleinen Lächeln. »Kann ich ... ähm ... dir was mitbringen?«

Geoffrey schüttelte den Kopf. »Ich will wochentags lieber nicht so viel trinken!«, erklärte er verschwörerisch.

»Es ist doch Freitag«, wendete Jen ein.

»Trotzdem ...«

Jen zuckte die Achseln, schlenderte hinüber zur Bar und atmete erleichtert auf, dass sie seinem unaufhörlichen Redeschwall fürs Erste entkommen war. Im Grunde war er ein ganz netter Kerl, das war ihr schon klar. Und eigentlich, ganz tief im Innersten, mochte sie ihn ja auch. Allerdings nur, solange sie sich nicht allzu lange mit ihm im gleichen Raum aufhalten musste.

»Einen Wodka Tonic, bitte«, bestellte sie, als einer der Barkeeper zu ihr herüberkam. Mit dem Drink in der Hand kletterte sie dann auf einen der Barhocker, drehte sich um und ließ den Blick über die anwesenden Gäste schweifen. Da waren ungefähr zwanzig Tische, an jedem saßen zwölf Leute, machte ... Jen runzelte angestrengt die Stirn, während sie das schnell durchrechnete ... 240 Leute. Und an mindestens einem der Tische saßen die Bell-Mitarbeiter. Bloß an welchem?

Sie guckte starr geradeaus und fragte sich zum millionsten Mal, wo sie wohl unter normalen Umständen gerade mit Angel sein würde. Oder mit irgendwem, mit dem sie gerne ihre Zeit verbrachte.

»Und da sagt sie zu ihm, sie will ihn nicht mehr sehen, weil sie seit einem Jahr mit seinem besten Freund schläft.«

»Nein!«

Zwei Männer waren an die Bar getreten und unterhielten sich angeregt. Jen musterte sie flüchtig und wendete sich dann wieder ihrem Drink zu.

»Doch. Und da steht er nun in seiner Unterhose und guckt sie an und ... oh, 'tschuldigung ...«

Jen hörte ein Handy klingeln und der Typ ging dran und presste das Ding an sein Ohr.

»Mr Bell. Ja, ich bin gerade da. Nein, eigentlich nicht. Wir sind gerade dabei ... Sie wissen schon ... ein bisschen zu kontakten ... Da haben Sie recht. Jep. Jep. Okay dann. Bye.«

Jen erstarrte und klammerte sich an ihrem Glas fest. Das mussten die Bell-Berater sein. Und sie standen direkt neben ihr! Sie ließ ihr Haar ins Gesicht fallen und versuchte unauffällig, ein bisschen näher heranzurutschen, während sie gleichzeitig stur geradeaus blickte.

»Okay, der Typ marschiert also los zu seinem Freund«, fuhr der Mann fort und steckte das Handy wieder in die Tasche.

»Er geht zu seinem Freund? Im Ernst?«

»Im Ernst. Er beschließt, die Sache mit ihm persönlich auszumachen.«

»Und seine Frau ist auch da?«

»Ja. Aber nicht mit seinem Freund. Sondern mit der Frau seines Freundes, ihrer Geliebten.«

»Nein!«

Jen verdrehte sie Augen. So viel zum Thema etwas Nützliches herausfinden zu wollen, dachte sie, und versuchte sich einzureden, sie habe nicht das geringste Interesse an diesem Mann in der Unterhose.

»Wenn ich's dir sage. Er kommt also in seinem Mercedes angeschaukelt. Steigt aus und schließt das Auto ab. Die Haustür geht auf, und er erschrickt zu Tode. Also, der Typ ist ein einziges Nervenbündel. Wie dem auch sei, er lässt den Autoschlüssel fallen, beugt sich runter und will ihn aufheben, aber der Schlüssel ist in den Gully gefallen.«

»In den Gully?«

»So wahr mir Gott helfe.«

»Und er steht immer noch in Unterhose da?«

»Ich schwör's dir. Hör zu, ich muss mal pinkeln. Du besorgst was zu Trinken, und ich bin gleich wieder da.«

»Ich komme mit. Ich wollte dich doch auch noch nach dieser Geschichte mit Axiom fragen.«

Jen blickte zu den Männern hinüber und versenkte den Blick dann gleich wieder in ihrem Glas. Axiom? Das musste sie hören.

»Ach, das. Ja, ein echter Albtraum. Wo ist denn das Herrenklo?«

Der angesprochene Barkeeper wies zur anderen Seite des Saals. Als die beiden in diese Richtung davontrabten, schaute Jen sich verstohlen um, rutschte von ihrem

Hocker und schlich hinter ihnen her aus dem Ballsaal und den Korridor entlang. Sie beobachtete, wie die beiden in der Herrentoilette verschwanden, drückte die Tür vorsichtig ein Stück weit auf und versuchte weiter ihr Gespräch zu belauschen.

»Sein Autoschlüssel ist also futsch ...«

Sie verdrehte die Augen. Und was ist mit Axiom, hätte sie am liebsten gebrüllt. Wen interessierte schon der verdammte Kerl in Unterhose?

»... und er guckt hoch, und vor ihm steht ...«

»Hallo.«

Verdutzt sah Jen sich um. Da stand jemand direkt hinter ihr und wollte offensichtlich in die Herrentoilette, und sie versperrte ihm den Weg. Er musterte sie befremdet, und sie fragte sich, wie lange er wohl schon dort stand.

»Hallo!«, brachte sie heraus. Sie wusste, dass sie eigentlich Platz machen sollte, aber weil er so dicht hinter ihr stand, war das gar nicht so einfach – vorwärts in die Herrentoilette konnte sie kaum gehen, und jetzt war auch noch der Rückweg blockiert.

»Ist das hier die ... ähm, Begrüßungsparty?«, fragte er mit einem verschmitzten Lächeln. Jen wurde rot. Was sie hier gerade machte, sah ganz und gar nicht gut aus. Sie stand halb in der Herrentoilette, und als sei das noch nicht genug, drückte sie auch noch das Ohr gegen die Tür.

Sie drehte sich zu ihm und wäre am liebsten im Boden versunken. Natürlich sah er umwerfend gut aus. Hätte sie gerade irgendetwas Normales getan und ein optimal sitzendes Kleid getragen, hätte es sich vermutlich um irgendeinen komischen alten Kauz gehandelt, klar.

»Entschuldigung. Ich habe gerade ... ähm ... jemanden gesucht«, stammelte sie, zog den Pashmina-Schal enger und hätte dabei fast ihren Drink über dem Unbekannten ausgekippt.

»Kann ich Ihnen helfen?«

»Nein!«, widersprach Jen etwas zu heftig. »Ich meine, nein danke.«

Er schaute sie noch immer leicht irritiert, aber dabei offensichtlich ziemlich amüsiert an, und ihr schien es ratsam, ihn endlich durchzulassen. Sonst würde er sie noch für eine vollkommen durchgeknallte Person halten.

»Entschuldigung«, stotterte sie noch mal und wollte sich ganz schnell an ihm vorbeidrücken. Was nur dazu führte, dass sich ihr Gesicht in seiner Achselhöhle verfing. Sie wich zurück, und dabei hätte ihre Wange beinahe seine gestreift, woraufhin sie nur noch tiefer errötete.

Ihre Blicke trafen sich und er zwinkerte ein bisschen. Und gerade als sie schon dachte, es könne nicht schlimmer kommen, sah sie Geoffrey den Flur entlangtappen und in seinen ausgelatschten braunen Schuhen zu Smoking und schwarzer Hose wirkte er so gänzlich fehl am Platze, dass es schon fast wieder komisch war.

»Hallo, Jennifer«, sagte er, und die bizarre Situation – sie in einen fremden Mann verwickelt in der Tür zum Herrenklo – schien ihm vollkommen zu entgehen. »Ich habe dich schon an der Bar gesucht, so ein Zufall.« Nun sank Jens Laune vollends in den Keller, denn der Fremde machte nun augenblicklich Platz, um sie durchzulassen.

»Na, wie's aussieht, haben Sie die Gesuchte gerade gefunden«, bemerkte er mit einem schiefen Lächeln und verschwand in der Toilette. Jen schaute ihm nach und wandte sich dann zu Geoffrey, der dastand und albern grinste.

»Suchst du mich?«, fragte er strahlend. »Na, das war wohl ein kleines Missverständnis! Ich schlage vor, wir gehen zurück zu unserem Tisch, was meinst du? Es sei denn, du würdest lieber noch länger vor dem Männerklo herumstehen!«

Er lachte laut über seinen eigenen Witz, und Jen lächelte säuerlich. »Natürlich nicht«, antwortete sie lahm. »Warum um Himmels willen sollte ich das wollen?«

In Begleitung von Geoffrey ging Jen zum Tisch zurück und ließ sich auf ihren Stuhl sinken. Der heutige Abend würde als der schlimmste Freitagabend aller Zeiten in die Geschichte eingehen, dachte sie niedergeschlagen, starrte auf ihren Wodka Tonic und nippte dann daran. Sie hatte es total vermasselt, das Gespräch über Axiom verpasst und sich vor dem bestaussehendsten Mann im ganzen Raum bis auf die Knochen blamiert. Und jetzt war sie wieder da, wo sie eben schon mal gewesen war, gleich neben Geoffrey.

»Alles okay?«

Sie guckte hoch und erblickte Paul, der sie teilnahmsvoll ansah. Das hat mir gerade noch gefehlt, dachte sie mit einem gezwungenen Lächeln. Jemand, der mir erzählt, ich solle einen Spiegel in meine Wohnung hängen und mit einem Schlag wird alles gut.

»Alles bestens«, erwiderte sie höflich. »Nur ein bisschen müde.«

»Vielleicht brauchst du jemanden zum Reden«, meinte er.

Sie sah ihn misstrauisch an. »Besten Dank, aber mir geht's gut, wirklich. Eigentlich wollte ich heute Abend mit meinen Freunden ausgehen, das ist alles.«

Paul nickte mitfühlend. »Aber es ist gut, dass du deine Mutter unterstützt, oder nicht?«

»Vermutlich.« Jen zuckte gleichgültig die Achseln.

Paul runzelte die Stirn, und Jen dachte schon, er würde ihr eine Standpauke halten und ihr vorwerfen, sie zeige nicht genug Einsatz, um ihre Mutter zu unterstützen, aber er kramte bloß in seiner Tasche und zog ein Stückchen Papier hervor. Er lächelte entschuldigend, beugte den Kopf und stand auf.

»Entschuldige mich bitte«, sagte er, und Jen erwiderte sein Lächeln.

»Klar«, murmelte sie. »Wie auch immer ...«

Geoffrey versuchte Blickkontakt herzustellen, also schaute Jen schnell weg und suchte stattdessen den Saal nach den Bell-Beratern ab. Oder dem gutaussehenden Typen von eben. Um ehrlich zu sein, interessierte der sie wesentlich mehr als die Bell-Leute, aber das hätte sie nie zugegeben.

Und außerdem war es sowieso egal, denn weder er noch die anderen Männer waren zu sehen. Sie ließ den Blick über jeden einzelnen Tisch schweifen, aber keine Spur von ihnen.

Doch als sie sich dann wieder umdrehte, sah sie ihn plötzlich. Der schnuckelige Typ ging schnurstracks Richtung Ausgang und sie musste sich beherrschen, nicht gleich hinterherzustürzen.

Keine gute Idee, ermahnte sie sich, konnte dabei aber den Blick nicht von seinem Rücken losreißen. *Er hält mich ja jetzt schon für eine arme Irre, die vorm Herrenklo herumlungert.*

Sie zwang sich, sich wieder zum Tisch umzudrehen. Geoffrey lachte sie an. »Jen, ich habe Hannah gerade von dem neuartigen Recyclingpapier erzählt, das eine Firma entwickelt hat, mit der wir zusammenarbeiten. Wusstest du, dass es fünfzehn verschiedene Methoden gibt, die Tinte zu behandeln, damit man ...«

»Ich muss mal schnell aufs Klo«, unterbrach sie ihn rasch und sprang auf, ehe sie es sich wieder anders überlegen konnte. Sie flitzte aus dem Ballsaal, schlängelte sich an den Tischen vorbei, quetschte sich zwischen Stühlen hindurch und bahnte sich den Weg nach draußen. Aber als sie endlich den Ausgang erreicht hatte, war der Typ bereits verschwunden.

»Typisch«, schimpfte sie leise, lehnte sich gegen die steinerne Balustrade, die der Treppe folgend nach unten zur Straße führte, und guckte links und rechts, ob sie ihn nicht doch noch sah. Obwohl es ihr natürlich eigentlich egal war. Vermutlich ein gutes Zeichen, dass er nicht mehr da war. Was hätte sie auch sagen sollen, wenn sie ihn noch erwischt hätte? Wenigstens war sie erstmal dieser grässlichen Party entkommen.

Es war kühl, und sie zog ihren Pashmina-Schal fester um die Schultern, lauschte dem Verkehr um Hyde Park Corner und fragte sich, ob sie wirklich noch mal hineingehen musste. Sie könnte Kopfschmerzen vortäuschen und sich am nächsten Tag dafür entschuldigen, dass sie sich nicht verabschiedet hatte ...

Ihr fiel auf, wie seltsam der Portier sie beäugte, also drehte sie sich um, stützte die Ellbogen auf die Balustrade und überlegte angestrengt, ob man es ihr durchgehen lassen würde, wenn sie sich jetzt einfach aus dem Staub machte. Es war schließlich schon ziemlich spät. Und da sie von dem Axiom-Gespräch keinen Pieps mitbekommen hatte, war es eigentlich sinnlos, noch länger hierzubleiben.

Sie atmete tief ein und genoss diesen Moment der Ruhe. Bis sie plötzlich stutzte und etwas bemerkte. Oder vielmehr jemanden. Einen Mann, weit unten auf der Straße, der aufgeregt redete. Ob sich da ein Liebespärchen stritt? Oder zwei Freunde sich überwarfen?

Sie kniff die Augen zusammen und versuchte, etwas zu erkennen. Dann riss sie die Augen vor Erstaunen weit auf. Der Mann, den sie gesehen hatte, war Paul Song. Und da war noch ein anderer Mann. *Vielleicht ist er unzufrieden mit Pauls Auswahl der Kristalle*, dachte Jen stirnrunzelnd. *Obwohl er nicht wie jemand aussieht, der sich mit Kristallen abgibt.*

Dann sah sie, wie Paul dem älteren Mann etwas übergab, das wie ein Briefumschlag aussah, woraufhin die beiden auseinandergingen. Was bedeutete, dass Paul wieder auf dem Weg zurück zur Party war, fiel Jen ein, und wenn sie weiter wie angewurzelt dort stehen blieb, dann würde sie mit ihm hineingehen müssen.

Mit einem Lächeln in Richtung Portier rannte Jen die Treppe hinunter, bog um die Ecke und verschwand in die U-Bahn-Station Hyde Park Corner.

3

»Lass doch die Schultern nicht so hängen, Jen. Ehrlich, sonst ist dein Rücken nachher im oberen Bereich total verspannt. Pass auf, wir machen zusammen eine kleine Dehnübung.«

Jen verzog das Gesicht und schaute ihrer besten Freundin Angel dabei zu, wie diese den Körper mit einer gekonnten Armbewegung verrenkte, die Jen beim besten Willen nicht nachmachen konnte. Die hatte leicht reden, dachte Jen und überlegte kurz, es doch zu versuchen, ließ es aber dann lieber bleiben. Angel machte Yoga, seit sie zwei war. Ihre Mutter, eine Inderin, hatte ihr den »Hund« beigebracht, ehe sie überhaupt laufen konnte.

Sie nippte an ihrem Kaffee und schob die Sonntagszeitung beiseite, die vor ihr auf dem Tisch lag. »Ich bin schon mit hängenden Schultern zur Welt gekommen«, murmelte sie mit einem schiefen Lächeln. Sie wusste zwar nicht so genau, was Angel unter »hängenden Schultern« verstand, war aber überzeugt, dass es nur ihre Art war, sie zu ermahnen, gerade zu sitzen. »Das verdanke ich meinen angelsächsischen Vorfahren.«

Angel grinste. »Du meinst, ihr seid so etwas wie das fehlende Glied der Evolution?«, fragte sie schelmisch. »Habt ihr Engländer den aufrechten Gang erst viel später gelernt?«

Angel saß immer kerzengerade. Sie gehörte zu diesen Leuten, die stark sind und grazil zugleich, mit Pfirsichhaut und strahlenden Augen, die stundenlang im Lotussitz verharren können. So guckte sie auch fern, vollkommen unter Spannung und gleichzeitig entspannt.

»Und, wie läuft's mit deinem Yoga?«, wollte Jen wissen. Angel bot seit kurzem einen Yoga-Kurs im Gemeindezentrum um die Ecke an.

»Ziemlich gut. Ich meine, du weißt schon, ganz okay. Es dauert eben eine Weile, bis genug Leute kommen, oder? Ich meine, ich muss einfach ein bisschen Geduld haben, bis es sich herumgesprochen hat. Aber es ist toll. Du solltest auch mal vorbeikommen.«

»Mache ich, bestimmt«, versprach Jen und trank, mit einem schuldbewussten Seitenblick auf Angels Kräutertee, noch einen Schluck Kaffee. »Ich weiß nur nicht, ob Yoga was für mich ist.«

»Yoga ist für jeden was!«, rief Angel, und ihre sonst so glatte Stirn legte sich in empörte Falten. »Jen, es tut einfach so unglaublich gut. Damit dehnst du sämtliche Muskeln und stärkst die Kraft der Körpermitte und bringst deinen Kreislauf in Schwung ...«

»Ich weiß, ich weiß«, meinte Jen und grinste. Leute wie Angel verstanden einfach nicht, dass es nicht allen anderen genauso leichtfiel wie ihr, das linke Bein um den ganzen Körper zu schlingen, den rechten Arm in die Luft zu strecken und dabei auch noch auf Zehenspitzen zu balancieren. Es war ja nicht so, dass Jen etwas gegen Yoga hatte. Aber jedes Mal, wenn sie sich daran versuchte, kam sie sich so ungeschickt und ungelenkig vor, dass sie schnell kein weiteres Mal mehr hingehen wollte. »Aber ich muss erst ein bisschen üben. Vielleicht sollte ich einen Yoga-Vorbereitungskurs besuchen«, erklärte sie mit einem schiefen Lächeln.

Angel schüttelte den Kopf. »Du ziehst immer alles ins Lächerliche«, erklärte sie ernst.

»Warum auch nicht?«

»Das ist doch alles bloß Tarnung! Das Leben ist nun mal nicht immer zum Lachen, weißt du. Manchmal tut es auch ganz schön weh. Man muss sich bewusst mit dem Schmerz befassen, ehe man mit etwas abschließen kann.«

Jen runzelte die Stirn. »Da ist kein Schmerz, Angel, ehrlich nicht.«

Angel zuckte die Achseln. »Ich weiß. Ich bin bloß ein bisschen stinkig. Gestern sind nur zwei Leute zu meinem Kurs gekommen.«

»Ach.« Mitfühlend legte Jen die Hand auf den Arm ihrer Freundin und drückte ihn sanft. »Tut mir leid. Die kommen schon noch, da bin ich ganz sicher.«

»Vielleicht brauchen die alle noch einen Yoga-Vorbereitungskurs«, sagte Angel seufzend. »Und wie steht's bei dir? Wie war das Dinner am Freitag? Du hast mir gefehlt, als ich von einem Haufen gutaussehender Typen umzingelt die ganze Nacht durchgetanzt habe.«

»Du hast's gut«, meinte Jen neidisch. »Hat dich einer nach deiner Telefonnummer gefragt?«

Angel zog herablassend die Augenbrauen hoch und schüttelte den Kopf. »So gutaussehend waren sie nun auch wieder nicht«, erklärte sie mit einem schwachen Lächeln. Angel ging liebend gerne aus, um Männer kennenzulernen – ganz besonders solche, die keine Inder waren. Allein die Vorstellung, in einem Laden abzutanzen, bei dessen bloßem Anblick ihre Mutter vor Entsetzen aufschreien würde, bereitete Angel ein diebisches Vergnügen. Aber das war auch schon alles – soweit Jen wusste, hatte sie sich noch nie auch nur ein einziges Mal mit einem der zahlreichen Männer getroffen, die ihr in den Bars und Clubs hinterherliefen.

»Also, erzähl mal von diesem Dinner«, bohrte Angel nach und lenkte damit das Gespräch geschickt auf ein anderes Thema. Sie hatte ein ausgelassenes Funkeln in den Augen und Jen schüttelte den Kopf.

»Frag mich bloß nicht«, knurrte sie finster. »Ich hab gleich gewusst, ich hätte mich nicht breitschlagen lassen sollten.«

»Keine netten jungen Männer bei dieser großartigen Gala?« Angel, die sich irgendwie immer noch dafür verantwortlich fühlte, dass Jen und Gavin sich kennengelernt und ein paar Jahre später ja dann auch wieder getrennt hatten, war wild entschlossen, Jen möglichst bald wieder an den Mann zu bringen – aber diesmal sollte es ein wirklich netter sein. Jen verdrehte die Augen.

»Nein, aber deswegen war ich ja auch nicht da. Ich war so blöd zu glauben, ich könne tatsächlich etwas über Axiom in Erfahrung bringen. Von wegen.«

»Ach ja, der Krieg gegen deinen Vater. Hatte ich ganz vergessen.«

Jen guckte finster. »Ich führe keinen Krieg gegen meinen Vater. Ich versuche bloß, einer Korruptionsaffäre auf den Grund zu gehen. Das ist eine ernste Sache.«

»Eine Korruptionsaffäre, in die dein Vater möglicherweise verwickelt ist.«

»Na und?« Jen ging innerlich schon mal in Verteidigungsstellung.

»Und du hoffst, wenn du die Wahrheit herausbekommst, wird er dich endlich beachten.«

Angel schaute Jen direkt in die Augen, und Jen fuhr zusammen. *Warum konnte Angel die Dinge nicht mal gelegentlich durch die Blume sagen?*, fragte sich Jen. Die meisten Leute waren höflich und ausweichend und stimmten einem immer zu, selbst wenn man totalen Blödsinn erzählte. Angel hingegen schaute immer gleich hinter die Fassade aus Worten und fand zielsicher den wunden Punkt, den man nach Kräften zu ignorieren versucht hatte. Das war wieder mal typisch, dass gerade sie die einzige beste Freundin der Welt hatte, die einem nichts durchgehen ließ, nicht mal unterbewusst.

»Nein«, widersprach sie, bemüht, nicht nur Angel, sondern auch sich selbst davon zu überzeugen, »das hat damit nichts zu tun.«

Angel tat das mit einem Schulterzucken ab. »Ich hoffe nur, du weißt, was du tust. Ich will nicht, dass dir etwas passiert, okay?«

Jen trank ihren Kaffee aus, »Selbstverständlich weiß ich, was ich tue. Und mir passiert schon nichts«, hielt sie trotzig dagegen.

»Und wenn doch, kannst du ja immer noch ein paar Witzchen darüber reißen«, fügte Angel nachdenklich hinzu. »Und jetzt reich mir mal die Modebeilage. Ich will etwas mit meinen Haaren anstellen, aber ich weiß noch nicht, was.«

Am nächsten Morgen stand Jen ziemlich angespannt in einem kleinen Zimmer und starrte einen Mann Anfang vierzig an, der Socken zu seinen Sandalen trug. Sie musste bloß noch dieses Gespräch mit ihrem persönlichen Tutor hinter sich bringen und dann eine Vorlesung über irgendein todlangweiliges Thema über sich ergehen lassen, bevor sie sich endlich ihrer Mission widmen konnte, diese Firma auszuspionieren.

Irgendwie hatte Angel es mal wieder geschafft, mit den Bemerkungen über ihren Vater bei ihr eine sehr empfindliche Stelle zu treffen. Was sie natürlich nie zugegeben hätte. Angel hatte die Theorie, wenn man sich über etwas aufregte, dann deshalb, weil ein Körnchen Wahrheit darin war, man dies aber nicht wahrhaben wollte. Und unter gar keinen Umständen wollte sie Angel Grund zur Annahme geben, sie hätte ins Schwarze getroffen. Obwohl es natürlich stimmte, und je mehr Jen darüber nachdachte, desto dringender wollte sie beweisen, dass die ganze Sache rein gar nichts mit ihrem Vater zu tun hatte. Und mit Gavin schon gar nicht.

Nachdem sie also vom Brunch zurückgekommen war, hatte sie sofort eine Liste gemacht mit allen Dingen, die noch zu tun waren – herausfinden, wo die Leute zusammenstanden und quatschten, herausfinden, wo die wichtigsten Leute arbeiteten, herausfinden, wer für die Betreuung von Axiom zuständig war. Jetzt musste sie das alles nur noch in die Tat umsetzen. Sie würde allen beweisen, dass es ihr todernst war.

»Okay, Jennifer Bellman. Stimmt's?«

Ungeduldig sah Jen den Mann an. Damit hatte sie so gar nicht gerechnet. Es war ihr erstes Treffen mit ihrem Tutor, und sie hatte jemanden im Anzug erwartet, jemanden, der zumindest entfernt wie ein Berater von Bell aussah, jemanden, der sie zu Unternehmensstrategie und interner Analyse befragen und sich nach den Noten ihrer Studienarbeiten erkundigen würde.

Dieser Mann hingegen hatte ziemlich lange, zottelige Haare, denen ein ordentlicher Schnitt nicht geschadet hätte, und saß im Schneidersitz auf seinem Stuhl. *Ob der wohl Yoga macht*, fragte Jen sich gedankenverloren. *Vielleicht hätte er ja Interesse an Angels Kurs.*

»Super. Also, ich bin Bill. Offiziell heiße ich Dr. Williams, aber ›Bill‹ und ›du‹ sind mir lieber, wenn du nichts dagegen hast. Ich bevorzuge informellere Umgangsformen, wenn du verstehst?«

Jen merkte, dass er tatsächlich eine Antwort auf diese Fragen erwartete, also nickte sie noch einmal und fügte hinzu: »Ja, von mir aus gerne.« Sie hatte es mittlerweile ziemlich gut drauf, so zu tun, als sei sie eine Eins-A-MBA-Studentin, dachte sie zufrieden. Vielleicht könnte sie ja dann nächstes Jahr vorgeben, ihren Doktor zu machen ...

»Super. Ganz super. Also, Jennifer. Was kann ich für dich tun?«

Jen schaute ihn von der Seite an. Warum sollte er etwas für sie tun? Sie hatte schließlich nicht um dieses Treffen gebeten. Es stand einfach auf ihrem Stundenplan, weiter nichts.

Vielleicht sollte sie ihn nach der hemmungslosen Profitgier vieler Unternehmen fragen, dachte sie mit einem schiefen Grinsen. Sie könnte ihn fragen, ob seine tolle Firma vielleicht in die Korruptionsaffäre in Indonesien verwickelt war.

Aber vielleicht auch lieber nicht.

»Nichts. Ich meine, weißt du, ich weiß eigentlich gar nicht, was ein Tutor so macht«, gestand sie nach kurzem Zögern. Bill lächelte.

»Alles und nichts. Alles, außer dich mit Drogen versorgen!«, erklärte er fröhlich. Jen rang sich ein kleines Lächeln ab.

»Diese Bücherregale hier«, fuhr er fort und wies auf eine Reihe eingebauter Regalbretter, »diese Bücher sind unverzichtbar, wenn man diesen MBA-Kurs macht. Und die kannst du dir hier bei mir ausleihen und brauchst nicht zur Bibliothek zu gehen. Was dir eine Menge Zeit sparen wird, glaub mir.«

Prüfend betrachtete Jen die Bücher. Es gab ein paar Ratgeber wie beispielsweise *9 Dinge, um sich selbst und die Welt zu verbessern* oder *Wie man effektiver wird und die Welt rettet*, aber gleich daneben standen auch so gruselige Titel wie *Wirtschaftswachstum: Eine epistemologische Untersuchung* und *Das strategiefixierte Unternehmen: Anpassung der Zielsetzungen zur Steigerung des Endgewinns.*

»Ich hätte nicht gedacht, dass Bell großes Interesse daran hat, die Welt zu verbessern«, bemerkte sie beißend mit einem Blick auf die Titel.

Bill runzelte die Stirn. »Ach, da wäre ich mir nicht so sicher. Die soziale Verantwortung der Unternehmen wird heutzutage großgeschrieben.«

»Ist gut fürs Marketing, was?«, fragte Jen zuckersüß.

Bill zog empört die Augenbrauen hoch. »Auch das, aber ich bin zufälligerweise davon überzeugt, dass es insgesamt sehr wichtig ist, und zwar nicht hauptsächlich fürs Image.« Er grinste schon wieder. »Na, dann wäre da zum Beispiel dein Arbeitspensum«, sagte er und hockte sich auf die Schreibtischkante. »Ich bin seit über zehn Jahren Tutor«, fuhr er fort, »und ich habe ein Psychologiediplom, bin zugelassener Coach und habe einen schwarzen Gürtel in Karate. Wenn du das Gefühl hast, dir wächst alles über den Kopf, dann kommst du zu mir. Wenn du eine Verlängerung für einen Abgabetermin brauchst, sagst du mir Bescheid, und ich sehe zu, was ich tun kann. Kapito?«

Jen konnte sich das Grinsen nicht verkneifen. *Kapito?* Redete heutzutage tatsächlich noch jemand so?

»Und wenn du irgendwelche Probleme hast, über die du reden möchtest, meine Tür steht dir jederzeit offen«, sagte Bill und kam offenbar jetzt erst richtig in Fahrt. Seine Augen funkelten und er wirkte, als würde er keine Ruhe geben, bis er sich irgendwie für Jen eingesetzt hatte. »Hast du Schwierigkeiten mit einem Dozenten oder einem Fach, komm zu mir. Und wenn du deinen MBA-Abschluss in der Tasche hast, lädst du mich auf ein paar Bier ein. Klingt das gut?«

Jen entspannte sich und grinste zurück. »Und wenn ich einen Mistjob kriege, bezahlst du das Bier?«

»Das wird nicht passieren«, widersprach Bill ernst. »Wenn du dich auf dein Ziel konzentrierst und dein Leben danach ausrichtest, bekommst du auch das, was du dir wünschst.«

»Okay«, lenkte Jen schnell ein. Bill hatte recht, sie durfte ihre Ziele nicht aus den Augen verlieren. Erstes Ziel: an die Informationen kommen, die sie brauchte, damit sie sich schnellstens wieder vom Acker machen konnte. Zweites Ziel: überlegen, was sie als Nächstes tun sollte. Sie verzog das Gesicht. Vielleicht war ein Ziel genug fürs Erste.

»Und was ist, wenn ich weder eine Fristverlängerung brauche noch irgendwelche Probleme habe?«, fragte sie neugierig. »Was, wenn alles glattläuft?«

Bill sah nun etwas beunruhigt aus. »Jeder hat mal Probleme«, meinte er stirnrunzelnd. »Wenn du den

Kurs völlig ohne Probleme hinter dich bringst, machst du mich arbeitslos.«

Jen zog verdutzt die Augenbrauen hoch und Bill schlug mit der Faust auf den Schreibtisch.

»War ein Scherz! War nur ein Scherz! Null Probleme wären fantastisch. Der Hammer, weißt du?«

»Okay. Na dann, danke. Ich meine, gut zu wissen, dass du da bist«, bedankte sich Jen so ernst sie konnte, und Bill zuckte linkisch mit den Schultern.

»Ich mache nur meine Arbeit«, sagte er strahlend. »Du kannst jederzeit vorbeikommen. Abgemacht?«

»Abgemacht«, erwiderte Jen und stand auf. *Wenn der wüsste*, dachte sie. Sie ging hinaus und merkte plötzlich, dass sie zu spät zu ihrer Vorlesung kommen würde.

Jen sah, wie die Aufzugtüren sich öffneten, sprintete los und streckte die Hand in den Spalt, damit sie nicht wieder zugingen. Schnell musterte sie die Insassen und stieg dann mit einem erleichterten Lächeln ein. Vor ein paar Wochen noch, als sie ganz frisch bei Bell war, hatte es sie in Angst und Schrecken versetzt, in den Fahrstuhl zu steigen, weil sie immer befürchtet hatte, ihr Vater könne hereinkommen. Aber dann hatte sie herausgefunden, dass George Bell den achten Stock nur höchst selten verließ, wenn er denn überhaupt da war. Und das war er nur einen halben Tag pro Woche, also war sie selbstbewusster geworden. Fast schon überheblich.

»Na Gott sei Dank.« Sie seufzte und übersah geflissentlich die kritischen Gesichter der Fahrstuhlinsassen, drei ernst wirkende Berater. »Ich dachte schon, ich müsste die drei Stockwerke zu Fuß hochlaufen!«

Die drei musterten sie befremdet, und als sie den Blick wieder abwendeten, ging Jen auf, dass sie den einen schon mal gesehen hatte. Es war einer der Typen von der Wohltätigkeitsgala.

»Also«, sagte er zu einem der beiden anderen, einem älteren Herrn, »diese verdammten Umweltschützer sind wieder aufgetaucht. Derentwegen wurden bereits zwei Bauanträge von Milton Supermarkets abgewiesen – die organisieren Demos und halten Mahnwachen an den Bäumen ab. Ein echter Albtraum.«

Jen sah schweigend zu, wie der ältere Mann nickte.

»Gut, Jack. Danke, dass Sie mich auf dem Laufenden halten. Was schlagen Sie also vor?«

»Die ganze Sache noch ein paar Monate hinauszögern. Sobald es wieder kalt wird, wird den meisten von denen die Lust vergehen. Die Studenten müssen zurück zur Uni. Und außerdem wissen die sowieso, dass sie einen aussichtslosen Kampf führen. Wenn Milton es nicht macht, macht's eine andere Supermarktkette.«

»Und Milton ist einverstanden, noch ein bisschen zu warten?«

»Nein, eigentlich nicht«, erwiderte der junge Mann. »Aber ihnen bleibt keine andere Wahl.« Er grinste süffisant und Jen ballte die Hände zu Fäusten, weil sie spürte, dass wieder die altbekannte Wut in ihr aufstieg. Ihre und Gavins Freunde hatten gegen Milton demonstriert. Die bauten nämlich wahllos überall Supermärkte in die Landschaft und ihrer Meinung nach brauchte die Welt weiß Gott nicht noch mehr davon. Aber das hier war nicht der richtige Zeitpunkt, ein Streitgespräch anzufangen. *Halt die Klappe*, sagte sie sich streng. *Lass es einfach sein.*

Aber ehe sie sich bremsen konnte, hatte sie schon den Mund aufgemacht.

»Ich wette, die Demonstranten werden nicht so einfach verschwinden«, hörte sie sich sagen. Es wurde totenstill im Aufzug, als alle sich zu ihr umdrehten und sie anstarrten.

Der junge Mann beäugte sie unsicher. »Ähm, doch, ganz bestimmt«, erklärte er herablassend. »Entschuldigen Sie, kennen wir uns?«

Jen schaute zu Boden und ermahnte sich erneut, besser nichts zu sagen. Dann seufzte sie und schaute die drei an. Es hatte keinen Zweck – sie schaffte es einfach nicht, sich auf die Zunge zu beißen, wenn sie etwas Schlimmes sah oder etwas hörte, mit dem sie nicht einverstanden war. Durch diese Eigenschaft war sie bereits in der Schule immer wieder in Raufereien geraten, es waren daran zwei vielversprechende Beziehungen zu Unizeiten gescheitert, und es hatte ihr den Ruf eingebracht, »schwierig« zu sein. Und wenn sie nicht aufpasste, würde diese Unfähigkeit, im entscheidenden Moment auch mal den Mund zu halten, sie im hohen Bogen aus dem Kurs katapultieren.

»Nein, wir kennen uns nicht«, erwiderte sie wahrheitsgemäß. »Aber wenn Sie annehmen, etwas unfreundlicheres Wetter werde die Demonstranten vertreiben, dann sind sie, wenn Sie mich fragen, auf dem Holzweg.« Der junge Mann starrte sie ungläubig an.

Okay, das war gar nicht gut, dachte sie und ärgerte sich über sich selbst, war aber gleichzeitig ziemlich erfreut über die Reaktion der Anwesenden. *Welchen Teil von »den Ball flach halten« hat mein Hirn eigentlich nicht verstanden?*

Der ältere Herr lächelte dem jüngeren Mann kurz zu, als wolle er sagen, »Nicht aufregen, es lohnt sich nicht.« Das machte Jen zwar noch wütender, aber da er nichts gesagt hatte, blieb sie stumm. Und so standen sie schweigend nebeneinander, bis die Türen sich im siebten Stock mit einem »Ping« öffneten, Jens Stichwort, den Aufzug zu verlassen.

Sie ging hinaus, aber als die Türen gerade wieder dabei waren, sich zu schließen, steckte sie die Hand dazwischen und hielt sie auf.

»Nur damit Sie im Bilde sind«, erklärte sie schnell. »Es wäre vielleicht keine schlechte Idee, mit den Demonstranten zu reden. Das sind nämlich auch Menschen, und wenn Sie die ein bisschen respektvoller behandeln und ihnen zu verstehen geben würden, dass sie nicht zu arrogant oder verbohrt sind, mit ihnen über ihre Ideen zu reden, wer weiß, vielleicht könnte man sich ja tatsächlich einigen. Wenn die Demonstranten unbebaute Flächen wollen, vielleicht würde Milton ja anbieten, mehr Land aufzukaufen, als sie brauchen, und den Rest als Spielplatz oder Park anzulegen. Vielleicht könnten sie versuchen zu verstehen, dass Bürger außer

Tiefpreismilch und Billigbrot auch gerne ein bisschen Platz hätten.«

Die drei Männer starrten sie mit heruntergeklappter Kinnlade an und sie lächelte zuckersüß. »Aber ich bin mir sicher, darauf sind Sie längst auch schon von selbst gekommen, stimmt's?«, fügte sie mit kaum verhohlenem Sarkasmus hinzu. »Einfach alles hinauszuzögern und darauf zu hoffen, dass die Demonstranten irgendwann die Lust am Demonstrieren verlieren, hört sich ja auch sehr vielversprechend an.«

Und damit trat Jen einen Schritt zurück und sah zu, wie die Aufzugtüren sich schlossen. Dann warf sie einen Blick auf die Uhr und stöhnte. Deine verfluchte große Klappe, beschimpfte sie sich. Aber sie konnte sich das Grinsen nicht verkneifen, als sie an das Gesicht des jüngeren Typen dachte, wie er mit hängendem Unterkiefer hinter der Tür verschwunden war.

»Wer zum Teufel war denn das?«

Erstaunt schaute George die beiden Männer an, die gerade aus dem Lift stiegen. »Probleme, Jack?«, fragte er neugierig.

»Irgendeine Verrückte, die meinte, wir sollten mit den Demonstranten reden und sie am besten mal zum Kaffeetrinken einladen«, erklärte Jack mit einem wütenden Funkeln in den Augen.

George lachte. »Klingt wie meine Frau. Oder vielmehr meine Exfrau. Also, haben Sie die Unterlagen von Ihrem Treffen mit Axiom?«

Jack nickte, und der andere Berater machte einen Schritt auf George zu, um ihn zu begrüßen.

»Ein bisschen komplizierter, als wir dachten«, murmelte er leise. »Ich versorge Sie nachher mit allen wichtigen Informationen, einverstanden?«

4

»Noch einmal herzlich willkommen, Leute. Also, wir befinden uns mittlerweile in der zweiten Woche unseres Kurses und das heißt, dass wir uns in den kommenden sechs bis acht Wochen mit innerbetrieblichen Vorgängen befassen werden. Heute haben wir das Glück, einen Gastdozenten begrüßen zu dürfen, der weiß, wovon er spricht...«

Während Jay, der Studienleiter des Kurses, Daniel Peterson vorstellte, ihren Dozenten für interne Analyse, schlüpfte Jen durch die Flügeltür des Hörsaals, schlich sich unauffällig über den Seitengang nach hinten und quetschte sich auf den Platz neben Lara, die sie neugierig ansah.

Sie wollte sich möglichst leise hinsetzen, stieß dabei aber versehentlich Laras Federmappe vom Tisch, und sämtliche Bleistifte fielen laut klappernd zu Boden.

Mit einem entschuldigenden Lächeln in Richtung Lara bückte Jen sich rasch, um die Stifte wieder einzusammeln, und erst als sie sich wieder hinsetzte, fiel ihr auf, dass es verdächtig still geworden war.

Nervös drehte sie sich nach vorne um, wo der neue Dozent stand und sie unverwandt ansah. Prompt ließ sie ihren Block fallen, sehr zur Belustigung der übrigen Anwesenden. Sie wurde puterrot und starrte ihn ungläubig an. Er war es. Der Mann vorm Herrenklo bei der Gala.

»Entschuldigung, ich wollte, ähm ...«

Jetzt starrte er sie ebenfalls an. Offensichtlich erinnerte auch er sich noch an sie.

»Ja?«, fragte er.

Jetzt lächelte er schon beinahe, und Jen spürte, wie die Röte noch heftiger ins Gesicht stieg. Oh Gott, er musste ja denken, sie liefe herum und tue nichts anderes, als sich zu entschuldigen und rot zu werden. Aber immerhin stand sie diesmal nicht mit dem Ohr an der Tür zur Herrentoilette. Immerhin ließ sie diesmal bloß Bleistifte und Blöcke fallen.

»Entschuldigung«, stammelte sie noch einmal.

»Nun denn.« Daniel warf einen Blick in seine Notizen und schaute dann wieder zu Jen hinüber. Plötzlich schlug ihr Herz schneller und sie schaute weg, nahm rasch ihren Block und vergrub den Kopf in ihren Notizen. Dann war er eben Dozent bei Bell!

Er setzte seinen Vortrag fort und sie beobachtete ihn, registrierte seine dunklen Haare, seine Augen – hellbraun oder grün, auf die Entfernung war das schwer zu sagen –, seinen lebhaften Gesichtsausdruck. Obwohl sie sich natürlich nicht die Bohne für ihn interessierte, klar. Sie interessierte sich ausschließlich für den Unterrichtsstoff. Dann verzog sie das Gesicht. Der Unterrichtsstoff könnte ihr überhaupt nicht gleichgültiger sein. Also musste es wohl doch an ihm liegen.

»Wenn wir also eine interne Analyse vornehmen, fangen wir ganz vorne an, und zwar mit einer AZST-Analyse, das steht für Auftrag, Zielsetzungen, Strategie und Taktik, und diese vier Aspekte sollten aufeinander aufbauen.«

Jen schüttelte sich und begann mitzuschreiben. *Auftrag*, schrieb sie. *Zielsetzungen. Daniel Peterson. Daniel. Dan.*

»Der Auftrag kann so weit gefasst sein, wie Sie es möchten, aber er muss die Richtung vorgeben«, erläuterte Daniel gerade. »Würde einer von Ihnen mir bitte eine Branche nennen, damit das Ganze ein bisschen anschaulicher wird?«

Niemand sagte etwas.

»Wie wär's mit Ihnen?« Er sah sie direkt an. Oh Gott, er sah sie an und ihr wollte einfach keine Branche einfallen.

»Wie wär's mit einem Kondomhersteller?«, flüsterte Lara mit einem Blick auf Jens Notizen kichernd. »Oder Motels ...«

Jen warf ihr einen vernichtenden Blick zu und deckte unauffällig ihre Notizen ab. Ihr Kopf war plötzlich vollkommen leer.

»Kommen Sie, irgendeine Branche«, meinte Daniel aufmunternd.

»Ähm ...«, stotterte Jen verzweifelt. Sie musste unbedingt etwas sagen. »Ähm ... ein Kondomhersteller?«

Lachen kam auf und Daniel wirkte ziemlich verdutzt.

»Gut«, meinte er, immer noch etwas ungläubig. »Also gut, ein Kondomhersteller. Also, ähm ...«

Wieder warf er einen Blick in seine Notizen, fuhr sich dann mit der Hand durch die Haare und schaute auf.

»Also gut. Ein Kondomhersteller könnte also beschließen, der weltgrößte Kondomhersteller zu werden, wenn er sich auf Wachstum und Marktanteile konzentrieren möchte, oder er könnte sich für den Schutz vor Geschlechtskrankheiten einsetzen, wenn er sich als engagierter, sozialer Anbieter darstellen möchte. Die erste Vorgabe würde bedeuten, aggressiv neue Märkte zu erschließen, die zweite, sich beispielsweise mit Organisationen wie der WHO zusammenzuschließen, um das Bewusstsein für sexuell übertragbare Krankheiten zu schärfen und die Marke als Produkt der Wahl für aufgeklärte Verbraucher zu etablieren. Wie dem auch sei, das gewünschte Ergebnis wäre stets, mehr Kondome zu verkaufen und die Gewinnspanne zu vergrößern.«

»Ein Kondomhersteller müsste doch darauf aus sein, in neue Märkte einzudringen, oder?«, rief jemand von ganz hinten und erntete leises Gelächter.

»Und harte Konkurrenten zu verdrängen«, brüllte jemand von der anderen Seite des Saals, gefolgt von stürmischem Applaus.

Jen vergrub das Gesicht in den Händen und wünschte, die Erde würde sich auftun und sie verschlucken.

Daniel Peterson zwang sich, irgendwo anders hinzusehen als zu der jungen Frau von der Wohltätigkeitsgala. Die Frau, an die er seitdem immer wieder hatte denken müssen, und jedes Mal, wenn er an sie gedacht hatte, hatte er gelächelt. Er hatte sich auf ein langweiliges Dinner mit lauter Schlipsträgern eingestellt – hatte nicht mal hingehen wollen, und wäre es auch nicht, hätte sein Vorstand nicht einen Tisch reservieren lassen –, und er hatte Recht behalten. Bis auf sie. Sie war alles andere als langweilig gewesen.

Nicht hingucken, sagte er sich immer wieder wie ein Mantra. *Du bist Dozent. Konzentriere dich auf deine Aufgabe.*

Er wusste nicht, warum ihm diese Doziererei so schwerfiel. Klar, er war kein Akademiker, er hatte keine Lehrausbildung, aber in seinem Job gab es ständig irgendwelche Präsentationen, und die absolvierte er mit links. Aber dass sie ausgerechnet hier wieder auftauchen musste ...

Zum dritten Mal innerhalb von fünf Minuten fuhr er sich mit der Hand durch die Haare, eine Angewohnheit, die immer dann zutage trat, wenn er nervös war, und wegen der er sich manchmal zweimal am Tag die Haare waschen musste, vor allem, wenn er unter Stress stand.

Okay, sagte er sich, *du musst einfach das Beste draus machen.* Er schaute sich im Hörsaal um und erblickte einen ziemlich übergewichtigen jungen Mann in der ersten Reihe. *Perfekt*, dachte er. *Konzentrier dich auf den Dicken.*

Er bereute es bereits, sie aufgefordert zu haben, eine Branche zu nennen. Aber irgendwie hatte er sich nicht bremsen können. Das ganze Wochenende hatte er an sie gedacht und plötzlich war sie da, direkt vor ihm, und er konnte einfach den Blick nicht von ihr abwenden. Aber Herrgott, warum hatte sie ausgerechnet einen Kondomhersteller ausgesucht? War es denn so offensichtlich, dass er sie anstarrte? Na klar. Sie machte sich über ihn lustig, und wahrscheinlich wollte sie ihm damit zu verstehen geben, dass er sie in Ruhe lassen sollte.

Oder flirtete sie etwa mit ihm?

Der Dicke guckte ihn an. Er sah aus, als hätte er gerade etwas gesagt. Mist.

»Tolle Argumente, sehr präzise vorgetragen«, murmelte er rasch. Er musste weg von den Kondomen und zurück zur Formulierung des Auftrags. Sein Blick schweifte ab und er zwang sich, seine Aufmerksamkeit wieder auf die erste Reihe zu richten. »Aber was ich eigentlich erklären möchte, ist, dass die Formulierung des Auftrags mehr beinhaltet, als ein paar Wörter zusammenzuflicken, die irgendwie gut klingen. Sie legt die Strategie fest. Und wenn im Auftrag die Vorgabe formuliert wurde, in die Welt hinauszugehen und Gutes zu tun, die Taktik aber vorsieht, das Produkt in Fabriken fertigen zu lassen, in denen unter schlimmsten Bedingungen zu einem Hungerlohn geschuftet wird, dann ergibt sich daraus offensichtlich ein Problem. Entweder der Auftrag muss sich ändern oder die Taktik.«

»Die Wirtschaft ist doch aber gewiss nicht dazu da, Gutes zu tun«, meinte der Dicke. »Die Wirtschaft ist doch dazu da, Geld zu verdienen.«

Daniel runzelte die Stirn und fuhr sich automatisch wieder mit der Hand durch die Haare. »Tja, nun ja«, sagte er ernst, »ethische Grundsätze sind ein ziemlich weites Feld, das kann man nicht auf die Schnelle mal eben so abhandeln. Aber es gibt durchaus Unternehmen, deren Hauptverkaufsargument es ist, dass sie moralisch einwandfrei oder umweltfreundlich oder was auch immer sind. Nehmen Sie zum Beispiel die Verkaufszahlen von Fair-Trade-Kaffee. Das kann ein recht durchschlagendes Argument für die Käufer sein.« Er bemerkte, wie Jen ihn verstohlen musterte, und schaute schnell weg.

»Aber der Beweggrund dafür ist doch immer noch der, Geld zu verdienen. Bloß dass man es auch damit verdient, Gutes zu tun«, fuhr der Dicke fort. »Würden die Leute keinen fair gehandelten Kaffee mehr wollen, würden die Firmen ihn auch nicht mehr verkaufen, oder? Sie würden auf das umsteigen, was die Leute haben wollen. Unternehmen müssen profitabel sein, um zu überleben.«

»Blödsinn!«

Wie vom Blitz getroffen schaute Daniel hoch. Es war wieder dieses Mädchen. Erstaunt hob er die Augenbrauen.

»Wie bitte?«, fragte er und bemühte sich, keine Miene zu verziehen und sich ganz normal zu verhalten – was auch immer normal sein mochte. Das war ihm nämlich gerade entfallen.

»Er redet bloß totalen Quatsch«, ergänzte Jen leidenschaftlich mit dunkelroten Lippen, in die vor Aufregung das Blut schoss.

Daniel überlegte kurz, wie es wohl wäre, sie zu küssen, dann rief er sich zur Ordnung und schüttelte sich ganz leicht. »Unternehmen müssen Verantwortung übernehmen – sie können nicht einfach tun und lassen, was sie wollen, so als hätte ihr Verhalten keine Auswirkungen auf den Rest der Welt. Sonst könnte man ja auch sagen, gegen Korruption sei nichts einzuwenden, solange die Kunden ...«

»Na ja, so ist es ja auch«, fiel der Dicke ihr schlagfertig ins Wort. »Schutzprogramme der Regierung könnte man auch als korrupt bezeichnen, je nachdem, auf welcher Seite man steht.«

Daniel hob die Hand. »Okay, Leute, danke für eure Beiträge«, ging er rasch dazwischen. *Immer an die Arbeit denken,* ermahnte er sich energisch. *Konzentrier dich auf die Sache.* »Das ist ein wichtiges Thema«, hörte er sich sagen. »Und in vielerlei Hinsicht haben Sie beide recht ...« Er dachte angestrengt nach. Das hier war nicht gerade sein Fachgebiet. »Man kann das so und so sehen«, fuhr er fort und bemühte sich, selbstsicher und souverän zu wirken. »Man könnte beispielsweise behaupten, wenn ein Kondomhersteller die Millionen Afrikaner, die jedes Jahr an AIDS sterben, einfach ignoriert, dann wird er bald keinen Absatzmarkt für seine Produkte mehr haben. Wenn Ölfirmen ihre Kunden nicht zum

Energiesparen anhalten, sind sie nachher selbst schuld, wenn die letzten Ölquellen ausgebeutet sind und entsprechend ihre Profitquellen versiegen. Oder man könnte argumentieren, lobenswerte Ziele wie den Welthunger zu besiegen oder allen Kindern in den Entwicklungsländern Lesen und Schreiben beizubringen seien ja schön und gut, aber wenn sie keinen Profit abwerfen, dann hätte ein Unternehmen keinen Anreiz, sie umzusetzen. Aber in der heutigen Zeit sind Ethik und Moral sicher wichtige Themen. Krawalle aus Protest gegen die Globalisierung beispielsweise und Boykotte gegen Firmen, die unter menschenunwürdigen Bedingungen produzieren lassen, üben großen Druck auf die Unternehmen aus und bewirken tatsächlich etwas.«

Jen ertappte sich dabei, dass sie Daniel schon wieder anstarrte. Er war nicht nur der schönste Mann, den sie je gesehen hatte, er war auch noch klug.

Lara stieß Jen mit dem Ellbogen an und die zuckte kurz zusammen. »Frag ihn, ob er mit dir Essen geht«, flüsterte sie mit einem kleinen Lächeln. »Du könntest sogar behaupten, du machst Hausaufgaben.«

Jen wurde rot und erwiderte das Lächeln. »Ich glaube, er steht mehr auf den Typ in der ersten Reihe«, gab sie mit einem leichten Schulterzucken zurück, während Daniel weiterredete und den Rest seines Vortrags mit fest auf die erste Reihe geheftetem Blick hinter sich brachte.

In der Mittagspause schaute Jen kurz in Bills Büro vorbei, um einen schnellen Blick auf seine Bücher zu werfen.

»Hey, Jen!« Er grinste. »Was kann ich für dich tun? *Grundlagen der Unternehmensführung? Alles, was Sie schon immer über die Wirtschaft wissen wollten, aber nie zu fragen wagten?*«

Jen lächelte ihn unsicher an. »Hast du irgendetwas von einem Daniel Peterson?«

Bill guckte ganz verdutzt und Jen bereute gleich, überhaupt gefragt zu haben. Genauso gut hätte sie fragen können: »Weißt du zufällig, ob Daniel Peterson eine Freundin hat?« Sie fragte sich, ob er eine Freundin hatte. Oder eine Frau.

»Ich glaube nicht«, erwiderte Bill mit gerunzelter Stirn. »Daniel Peterson sagst du? Tut mir leid, der Name sagt mir nichts.«

»Er, ähm, arbeitet hier«, erklärte Jen, ehe sie sich bremsen konnte. »Er lehrt interne Analyse ...«

Bill überlegte kurz, dann machte sich ein Grinsen auf seinem Gesicht breit. »Dan? Dan ist kein Wissenschaftler! Er ist das, was wir einen Praktiker nennen. Soweit ich weiß, arbeitete er im Buchhandel. Er gibt nur hin und wieder mal ein paar Vorlesungen.«

Jen nickte und versuchte sich ihre Aufregung nicht anmerken zu lassen. Ein Buchhändler! Dann war er also doch kein Bell Mitarbeiter – er verkaufte Bücher. So ein toller Beruf. Normalerweise stellte sie sich unter einem Buchhändler keinen Unternehmensstrategen vor, der in einem MBA-Studiengang von Bell Vorlesungen hielt, aber das machte ihn nur noch interessanter. Er war kein Sesselpupser. Und das Beste war, dass er nicht für ihren Vater arbeitete, zumindest nicht ausschließlich , sondern irgendwo in einem netten, kuscheligen kleinen Buchladen, wo er liebevoll die Auslage dekorierte ...

Sie runzelte die Stirn. Und wenn es eine Fachbuchhandlung war? Jemand, der in einem kleinen unabhängigen Buchladen arbeitete, würde doch wohl kaum Vorlesungen bei Bell Consulting halten, nicht mal als Gastdozent. Am liebsten hätte sie Bill gefragt, in welcher Buchhandlung er arbeitete, aber das verkniff sie sich dann doch. Wer weiß, vielleicht kannte er Daniel ja persönlich und sie wollte auf keinen Fall, dass Bill sie für eine liebes kranke Irre hielt, die Tag und Nacht ihre Opfer verfolgte.

»Also«, meinte Bill, »vielleicht etwas über Informationssysteme?«

Jen sah ihn ernst an und ihr fiel wieder Tims Warnung bezüglich der Finanzen von Green Futures ein.

»Hast du irgendetwas über Finanzverwaltung?«, fragte sie zögernd. Nie hätte sie gedacht, dass sie einmal irgendwem diese Frage stellen würde, und so war es kein Wunder, dass sie ihr nicht gerade leicht über die Lippen ging.

»Für Anfänger oder fortgeschrittene Anfänger?«, fragte Bill mit einem breiten Lächeln.

»Beides«, gab Jen entschlossen zurück. »Wenn das in Ordnung ist?«

»Ein bisschen Ehrgeiz hat noch niemandem geschadet.« Bill grinste. »Und du kannst dir ruhig Zeit lassen. Die Nachfrage nach diesen Büchern hält sich in Grenzen.«

»Warum nur ...?« Jen zwinkerte ihm beim Rausgehen zu, drückte die Bücher an die Brust und fragte sich, ob sie wohl in ihre Tasche passen würden. Nie im Leben würde sie mit der U-Bahn nach Hause fahren, ohne die Dinger zu verstecken.

Daniel Peterson saß an seinem Schreibtisch und schaute gedankenverloren aus dem Fenster. Es gab doch ganz bestimmt Regeln, was die Beziehungen zu Studenten betraf.

Er legte die Stirn in Falten. War sie überhaupt eine richtige Studentin? Und war er überhaupt ein richtiger Dozent? Eigentlich nicht, es war schließlich bloß ein Nebenjob. Das war jetzt sein zweites Jahr als Gastdozent. Und eigentlich war es nur ein Gefallen. Und natürlich machte es sich gut in seinem Lebenslauf.

Aber so oder so war die Idee bescheuert. Sie interessierte sich ohnehin nicht für ihn.

Die Falten auf Daniels Stirn vertieften sich. Wie sie ihn angesehen hatte und zartrosa angelaufen war ... und dann dauernd dieses »Entschuldigung«, das war einfach bezaubernd.

Aber es war lächerlich. Das sah doch ein Blinder. Er suchte bloß eine Ablenkung. Er wusste nicht mal, wie sie hieß, und »das Mädchen vom Herrenklo« war zweifellos kein guter Spitzname. Nein, hier ging es nicht um sie, ermahnte er sich, es ging darum, dass ihn sein Beruf langweilte. Er musste das Übel an der Wurzel packen, statt wegen eines Mädchens den Kopf zu verlieren, ganz gleich, wie toll es auch sein mochte.

Er griff zum Telefon. »Jane, könntest du für heute Nachmittag einen Termin mit Frank arrangieren? Danke.«

Das sollte reichen. Ein Treffen mit dem Leiter der Finanzabteilung sollte ihm sämtliche romantischen Anwandlungen gründlich austreiben.

5

Jen starrte das Buch vor ihrer Nase finster an. So weit war es also schon gekommen. Da saß sie nun tatsächlich in einer Bibliothek, und zwar ausgerechnet in der von Bell Consulting, und las ein Buch mit dem Titel *Grundlagen der Finanzverwaltung* – das war nicht gerade das, was sie sich unter verdeckten Ermittlungen vorgestellt hatte.

Sie legte das Buch mit der aufgeschlagenen Seite nach unten auf den Tisch und schob den Stuhl zurück. Klar, sie wollte nichts überstürzen. Natürlich musste sie alles sorgfältig planen und sich unauffällig verhalten, damit sie nicht aufflog, ehe sie irgendwas von Bedeutung entdeckt hatte. Aber es war ein schmaler Grat zwischen dem Warten auf eine günstige Gelegenheit und völliger Untätigkeit aus Angst, erwischt zu werden. Und momentan tendierte sie eindeutig zum Garnichtstun. Man könnte fast denken, sie befürchtete, ihrem Vater zu begegnen oder so etwas in der Art. Als hätte sie Angst davor, was sie entdecken könnte. Diese Vermutung legte nahe, Angel habe tatsächlich recht. Entweder das oder man könnte annehmen, Jen strebe eine Karriere als Buchhalterin an.

Jen klappte das Buch zu und seufzte. Wenn sie nicht bald etwas unternahm, würde sie noch vergessen, warum sie hier war. Sie stand auf und wanderte zu der Abteilung der Bibliothek mit dem Namen *Lieferkette*. Dort war es wohltuend leer, langsam schlenderte sie den Gang zwischen den Regalen entlang und begann, sich einen Plan zurechtzulegen.

Es war genau, wie Daniel gesagt hatte, dachte sie. Sie musste ihren Auftrag und ihre Zielsetzungen formulieren. Eine Strategie entwickeln.

Sie ging zurück zu ihrem Tisch, nahm Block und Stift und konzentrierte sich.

Auftrag: Die Korruption in Indonesien stoppen und die Täter ihrer gerechten Strafe zuführen.

Einen Augenblick schwelgte sie in der Vorstellung, einen so hehren Auftrag zu haben, doch dann schüttelte sie den Kopf. Das war nicht ihr Auftrag, überlegte sie stirnrunzelnd. Das war ihre Strategie. Ihr Auftrag bestand darin, die Menschen zu schützen, deren Häuser eingestürzt waren. Und das gleich zwei Mal. Menschen, die Firmen wie Axiom vertraut hatten. Und die musste sie dazu bringen, auch das zu tun, was sie versprochen hatten. Ihr Auftrag bestand darin, dafür zu sorgen, dass die Häuser diesmal anständig gebaut wurden, von Firmen, die den Auftrag aufgrund ihrer guten Referenzen bekamen, und nicht durch Schmiergeldzahlungen. Aber wie wollte sie Einfluss auf eine derart gewaltige Sache nehmen? Genauso gut hätte sie sich

»Weltfrieden und Kampf dem Hunger« auf die Fahnen schreiben können.

Das wäre doch mal eine Idee.

Sie legte die Stirn in Falten und beschloss dann, gleich zum nächsten Punkt überzugehen. *Strategie: herausfinden, inwiefern Bell in diese Korruption verwickelt ist – vor allem, was ein gewisser George Bell damit zu tun hat – und dann die zuständigen Behörden informieren.*

Jen lehnte sich zurück und stellte sich vor, wie sie ihren Vater der Polizei übergab, wie in einem Scooby-Doo-Cartoon. Er würde sie wütend angucken und lamentieren, er wäre damit durchge kommen, wenn dieses ungezogene Kind sich nicht eingemischt hätte ...

Nur dass sie bisher noch weit davon entfernt war, irgendetwas aufzudecken. Sie wusste nicht mehr als vorher. Und sie war auch kein ungezogenes Kind mehr.

Was Gavin wohl tun würde, fragte sie sich und versuchte sich ihren Exfreund an ihrer Stelle vorzustellen. So ungern sie das auch zugab, so etwas hatte er wirklich drauf. Er schien immer genau zu wissen, was zu tun war, und brachte alle dazu, ihn zu unterstützen. Vielleicht lag ja da auch der Hase im Pfeffer – sie hatte sich so daran gewöhnt, hinterherzulaufen und Anweisungen zu befolgen, dass sie überhaupt nicht wusste, wo sie anfangen sollte, wenn keiner ihr sagte, was zu tun war.

Sie runzelte die Stirn. Sie wollte niemand sein, der nur Befehle ausführte. Vor allem nicht die von Gavin. Sie würde das schon schaffen. Sie musste bloß irgendwo anfangen. Irgendwie reinkommen.

Jen schaute auf ihre Liste und merkte, wie lächerlich sie wirkte. Wie lächerlich sie selbst wirkte. Angel hatte doch recht – das Ganze war eine blöde Idee. Wenn sie nicht ins Büro ihres Vaters marschierte und in seinen Akten rumschnüffelte, welchen Sinn hatte es dann, überhaupt hier zu sein? Keinen, das war's doch. Es war bloß mal wieder eine der verrückten Ideen ihrer Mutter, und sie war dumm genug gewesen, dabei auch noch mitzumachen.

Sie legte den Block hin und verließ die Bibliothek. Vielleicht sollte sie einfach alles hinschmeißen, dachte sie mutlos. Vielleicht sollte sie irgendetwas ganz anderes mit ihrem Leben anfangen, etwas, womit sie wirklich etwas erreichen konnte. Es war von Anfang an eine Schnapsidee gewesen und jetzt weiterzumachen würde wahrscheinlich alles nur noch schlimmer machen.

Aber was sollte sie stattdessen tun? Zu Green Futures zurückgehen?

Scheinbar wie in Zeitlupe ging sie den Gang entlang. *So schlimm wäre das doch nicht*, sagte sie sich. Wenigstens könnte sie es sich dann sparen, die Abhandlung über interne Analyse zu schreiben.

Sie trödelte zum Aufzug und während sie wartete, betrachtete sie ihr Bild in den reflektierenden Türen, die wie ein Zerrspiegel wirkten.

Ich spaziere einfach zur Tür hinaus, überlegte sie. *Ich gehe ein bisschen spazieren und versuche, einen klaren Kopf zu bekommen. Und wenn ich mich dann dazu*

entschließe, alles hinzuschmeißen, dann tue ich das auch.
Dann muss Mum eben damit leben.

Sie hörte schnelle Schritte auf dem Korridor, die immer näher kamen, und als sie aufschaute, sah sie Jack, den Berater vom Galadinner, Richtung Aufzug kommen, mit einem Kollegen, den sie nicht kannte. Sie verdrehte die Augen. Das hatte ihr gerade noch gefehlt – noch so ein verklemmter Berater, der sich über demonstrierende Studenten ausließ.

Aber die beiden schienen sie gar nicht zu bemerken, als sie mit ihr auf den Fahrstuhl warteten.

»Er will Tickets nach Indonesien?«, fragte der eine verschwörerisch.

»Ja«, erwiderte der andere. Das war der, mit dem sie sich im Aufzug gestritten hatte. »Weiß der Teufel, warum. Will sie höchstpersönlich ausgehändigt bekommen.«

Jen guckte missbilligend und wendete dann den Blick wieder ab. Sie hatte beschlossen zu gehen, ermahnte sie sich. Es interessierte sie überhaupt nicht mehr.

»Bist du auf dem Weg nach oben?«

»Wonach sieht's denn aus?«

»Meinst du, das hat was mit Axiom zu tun?«

Der Typ, mit dem Jen sich den kleinen Disput geliefert hatte, sah seinen Kollegen verächtlich an. »Darauf wäre ich nie gekom men«, bemerkte er sarkastisch. In diesem Moment kam der Lift und mit einem »Ping« öffneten sich die Türen.

»Der fährt nach unten«, sagte der Streitbare und sah dann zu Jen hinüber. »Möchten Sie den nehmen?«

Jen legte die Stirn in Falten.

»Ehrlich gesagt, nein«, sagte sie schließlich mit einem nervö sen Lächeln. »Ich schätze, ich will auch nach oben.«

Oben angekommen verließen die beiden Berater zielstrebig den Aufzug, ohne Jen eines Blickes zu würdigen. Sie stieg vorsichtig aus und versuchte, sich zu orientieren. Das war also der achte Stock. Hier arbeitete ihr Vater, hier fanden die Vorstandssitzungen statt. Sie war schon einmal hier gewesen, vor vielen Jahren, aber das kam ihr jetzt vor, als sei es in einem anderen Leben gewesen. Es sah ganz anders aus als damals, kleiner, und sie wusste nicht, wo sie war.

Sie drückte sich den Gang entlang und bemühte sich, ganz lässig und natürlich zu tun, als sei es ihr gutes Recht, dort herumzuspazieren. Sollte jemand sie ansprechen, würde sie einfach behaupten, sie habe sich verlaufen, entschied sie. Sie suche die Bibliothek. Oder ihren Tutor. Oder …

»Hallo. Kann ich Ihnen helfen?«

Eine Dame Mitte fünfzig lächelte Jen an. Sie lächelte zurück. »Ich, ähm, suche die Toilette, um ehrlich zu sein«, antwortete sie wie aus der Pistole geschossen.

»Da drüben. In der Ecke.«

Jen guckte rüber, sah das riesige Schild DAMEN und grinste verlegen. Sie schlenderte in Richtung Klo, aber kurz vorher schaute sie sich verstohlen um und sah die beiden Berater in ein riesiges gläsernes Büro am anderen Ende des Korridors gehen. Ein Raum, der ihr bekannt vorkam. Sie sah einen Mann, der aufstand, um die beiden zu begrüßen. Und der Mann, erkannte sie mit Schrecken, war ihr Vater.

»Wir haben die Tickets, Mr Bell. Also, für wen sind die denn eigentlich?«

So, wie George Jack anstarrte, wurde diesem augenblicklich klar, dass er sich diese Frage besser hätte verkneifen sollen. Peinlich berührt schaute er zur Seite.

»Peter erzählte gerade, bei dem Galadinner neulich Abend seien massenweise Leute von Green Futures gewesen«, warf sein Kollege rasch ein. »Offenbar hat Ihre, ähm .. Harriet ... Ms Keller ... sie hat mit vielen Leuten über Axiom geredet. Und hat dabei angedeutet, Bell habe möglicherweise etwas mit dem ... ähm ... angeblichen Korruptionsskandal zu tun. Nur ... damit Sie Bescheid wissen.«

George funkelte erst ihn finster an, dann wieder Jack, und beide wurden zusehends kleinlauter.

»Ich danke Ihnen, Ihnen beiden«, knurrte er. »Und nur nebenbei, der Tag, an dem Bell Consulting anfängt, sich um Klatschgeschichten zu kümmern, ist der Tag, an dem Weihnachten und Ostern zusammenfallen. Habe ich mich klar ausgedrückt?«

»Durchaus, Mr Bell.«

Die beiden Berater verschwanden wieder, und George ging langsam zurück zu seinem Schreibtisch. Ob Harriet etwas ausheckte? Ob er sich Sorgen machen musste? Er zuckte die Achseln. Sie heckte immer irgendwas aus. Kein Grund zur Beunruhigung. Harriet liebte Klatsch und Tratsch über alles, für eine gute Geschichte würde sie ihre Großmutter verkaufen. Sie wusste nichts und er war sich sicher, dass es auch dabei bleiben würde.

Es war ihm immer ein Rätsel geblieben, wie ein so intelligenter Mensch wie Harriet gleichzeitig so dumm sein konnte. Er konnte sich noch genau daran erinnern, wie sie eines Tages in sein Büro marschiert war – damals war sie bloß eine Sekretärin – und ihm gesagt hatte, das, was sie da gerade für ihn tippte, sei von vorne bis hinten Blödsinn und sie habe eine viel bessere Idee. Er hatte sich auf der Stelle Hals über Kopf in sie verliebt, war ganz hin und weg angesichts ihres Selbstbewusstseins, ihrer Sorglosigkeit und selbstverständlich auch begeistert von ihrer Idee, die, wie sich noch herausstellen sollte, wirklich absolut genial war. Aber am nächsten Tag hatte er gehört, wie sie jemandem ebenso eindringlich erzählte, Bäume seien spirituellere Wesen als Menschen. Sie war zerstreut, ein kopfloses Huhn, dachte George. Sie konnte sich nie lange genug auf eine Sache konzentrieren, um sie auch zu Ende zu bringen. Sie stellte wohl kaum eine echte Gefahr dar.

Es war erstaunlich, überlegte George, dass sie es geschafft hatte, so lange eine eigene Firma zu führen. Erstaunlich, dass ihre Mitarbeiter es mit ihren wechselnden Launen und ihrer mangelnden Konzentrationsfähigkeit aushielten.

Na ja, wenigstens war das nicht mehr sein Problem. Wenigstens waren sie nicht mehr verheiratet. Was war das für eine Ehe gewesen, dachte er melancholisch. So anstrengend.

Aber trotzdem ... manches war auch sehr schön gewesen. Hauptsächlich die Zeit mit Jen. Jennifer Bell, seine Tochter. Er war so stolz auf sie gewesen, hatte so große Hoffnungen in sie gesetzt.

Er drehte sich um und starrte aus dem Fenster. Das Leben war ein einziger Kompromiss, dachte er traurig. Überall gab es Tauschgeschäfte und Handel nach dem Motto »Eine Hand wäscht die andere«. Bekam heutzutage überhaupt noch jemand mit, was er sich wünschte? Hatte er das? Selbst als sie noch eine Familie waren, hatte er Jen kaum gesehen. Er hatte immer so viel zu tun gehabt, hatte sein Imperium ausbauen, eine Zukunft aufbauen müssen. Und dann war sie weg, und ihm war klargeworden, dass er sie eigentlich kaum kannte.

Trotzdem, sagte er sich und ging wieder zurück zum Schreibtisch. Man sollte die Vergangenheit ruhen lassen und nicht darüber nachgrübeln, was gewesen wäre wenn. Stattdessen sollte man sich um die anstehenden Aufgaben kümmern.

George seufzte. Manchmal fragte er sich, ob er ein besserer Vater gewesen wäre, hätte er einen Sohn gehabt. Jemand, mit dem man übers Geschäft reden, mit dem man zum Sport gehen konnte. Frauen waren so ... kompliziert. Selbst jetzt, in seinem Alter, waren Frauen für ihn immer noch ein Buch mit sieben Siegeln. Dauernd wollten sie reden und fingen wegen der kleinsten Kleinigkeit gleich einen Streit an. Für George war die Welt ganz einfach schwarz und weiß. Aber sämtliche Frauen, die er kannte, schienen versessen darauf, das

Ganze in eine undefinierbare verschwommene graue Masse zu verwandeln. Er stand auf, ging zur Tür und lehnte sich hinaus.

»Emily, warum sind Frauen so kompliziert?«, fragte er seine Assistentin.

Wie üblich ignorierte sie ihn. »Mr Bell, Sir, Mr Gates ist am Telefon. Er möchte wissen, ob sie irgendwann im Laufe der Woche mal vorbeischauen könnten.«

»Okay. Stellen Sie ihn durch, wären Sie so nett? Und, Emily, ein Kaffee wäre wunderbar. Könnten Sie mir einen Latte Macchiato besorgen?«

»Sie meinen, einen koffeinfreien Latte Macchiato«, bemerkte Emily sachlich und ignorierte auch die Grimasse, die er zog.

George marschierte zu seinem Schreibtisch, griff nach dem Hörer und vertrieb alle Gedanken an Jennifer energisch aus seinem Kopf.

Vom anderen Ende des Korridors beobachtete Jen ihn mit feuchten Augen, dann drehte sie sich langsam um und machte sich auf den Weg zurück in den siebten Stock.

Harriet Keller sah sich besorgt um. Irgendwie musste sie den Enthusiasmus der guten alten Zeiten wieder aufleben lassen. Green Futures wieder zu neuem Ansehen verhelfen. Was ihr mit dieser Präsentation hoffentlich gelingen würde, damit wollte sie alle wieder begeistern.

»Ihr seht also, wir müssen mit Leidenschaft arbeiten«, erklärte sie voller Energie den ungefähr fünfzig Mitarbeitern von Green Futures, die sich im Konferenzraum um sie geschart hatten. »Mit Verständnis. Landauf, landab merken Unternehmen, dass sie die Menschen nicht einfach weiter ignorieren können, dass sie die Erderwärmung und die wachsende Armut nicht unter den Tisch kehren können. Wir werden weiterhin für Anstand und Liebe einstehen. Und dadurch werden wir die Welt verändern.«

Sie setzte sich und lauschte nervös dem Applaus. Harriet brauchte den Applaus, sie brauchte Lob und Anerkennung, und das wusste sie auch. Besonders stolz war sie darauf nicht. Ihr war durchaus bewusst, dass es eine Schwäche war und dass sie eigentlich nichts darauf geben sollte, was die anderen dachten. Tatsache war jedoch, dass es ihr eine Menge ausmachte. Nichts motivierte sie so sehr, wie die Bewunderung der anderen zu spüren, nichts spornte sie mehr an, als die Gelegenheit, sich zu beweisen – oder, was häufig vorkam, anderen zu beweisen, dass sie im Unrecht waren. Ihre Firma hatte sie bloß gegründet, um ihrem Exmann zu beweisen, dass sie es auch allein schaffte, und was war das für ein Triumph gewesen. Aber ihr Ehrgeiz in dieser Hinsicht hatte deutlich nachgelassen. Und auch für die Presse schien sie kaum noch von Interesse zu sein. Sie seufzte und lächelte dann, als sie Paul auf sich zukommen sah.

»Wie hat es dir gefallen?«, fragte sie umgehend und bemühte sich, fröhlich und zuversichtlich zu klingen.

Er sah sie ernst an. »Sehr, sehr gut«, antwortete er. »Ich fand es sehr ... inspirierend.«

Harriets Augen strahlten und sie lächelte dankbar. »Ach, du bist so liebenswürdig, Paul, wirklich. Du meinst also, es war okay?«

»Okay ist untertrieben«, erwiderte er sofort. »Du darfst nicht so sehr an dir zweifeln.«

»Ach, ich weiß«, entgegnete Harriet seufzend. »Aber die Luft ganz oben ist sehr dünn. Wirklich. Ständig will jemand etwas von dir. Und ich versuche, für jeden Zeit zu haben – aber das ist so anstrengend. Vor allem, weil Tim mir dauernd im Nacken sitzt und mir sagt, wir sollen nicht so viel Geld ausgeben. Ich kann keine Firma führen, wenn ich kein Geld ausgeben darf, Paul. Das geht einfach nicht.«

»Alles wird gut«, versicherte Paul beruhigend. »Du machst dir immer zu viel Sorgen, Harriet. Vertrau doch ein bisschen mehr auf deine Fähigkeiten.«

Harriet nahm Pauls Hand. »Ach, Paul, ich weiß nicht, was ich ohne dich machen würde. Du bist der Einzige, der mich wirklich versteht, weißt du. Der einzige Mensch, der anerkennt, was ich zu erreichen versuche, der die Dimensionen erfassen kann, in denen ich arbeite.«

Paul lächelte und wirkte ein wenig verlegen. »Ich tue mein Bestes«, meinte er bescheiden.

»Nächste Woche«, sagte Harriet unvermittelt, »sollten wir eine Party veranstalten. Etwas machen, das die Leute wieder begeistert. Was meinst du?«

Paul nickte ernst. »Ich halte das für eine tolle Idee. Ich werde allerdings leider nicht da sein. Ich muss zu einem Kunden in Schottland.«

Harriet wirkte geknickt. »Du musst weg? Aber was soll ich denn ohne dich tun?«

»Ich bin nur ein paar Tage weg. Ich glaube, du wirst sehr gut ohne mich zurechtkommen. Davon bin ich überzeugt.«

Harriet nickte ergeben. »Ja, das werde ich«, murmelte sie mit einem dünnen Lächeln. »Mit deiner Unterstützung, Paul, bin ich mir dessen sicher.«

Sie ging zurück zu ihrem Büro, summte leise vor sich hin und fing im Geiste schon mal an, eine Party für Pauls Rückkehr zu planen. Sie wollte alle Journalisten einladen, die sie im Laufe der vielen Jahre bisher interviewt hatten.

Sie würde wieder eine kleine Ansprache halten. Vielleicht ein paar Anspielungen auf Bell und die Korruptionsvorwürfe einflechten. Der Welt zeigen, wie wichtig sie und ihre Firma waren, um Wahrheit und Gerechtigkeit zu schützen und ... Harriet hörte abrupt auf zu summen, als sie Tim, den Zahlenschieber, sah, der offenbar auf sie wartete.

»Harriet, ich muss dich bitten, mit mir die Abrechnungen durchzugehen«, sagte er bestimmt.

Harriet winkte ab. »Tim, ich habe im Augenblick wirklich keine Zeit. Ich dachte, ich hätte dich eingestellt, damit du dich um meine Finanzen kümmerst?«

Tim seufzte. »Ich bin Buchhalter und kein Zauberer, Harriet. Fakt ist, dass wir momentan Geld verlieren, und das müssen wir anderswo wieder einsparen.«

Harriet runzelte die Stirn, dann fielen ihr Pauls Worte wieder ein. Sie musste mehr auf ihre

Fähigkeiten vertrauen. Wie recht er hatte. Wenn Tim die Dinge doch nur genauso sehen würde.

»Tim, was ist die Aufgabe von Green Futures?«, fragte sie und musterte ihn aufmerksam.

Er guckte finster. »Ganzheitliches Arbeiten, ganzheitliche Gewinne«, nuschelte er.

»Ganz genau. Und Wachstum erfordert Investitionen, Tim, das weißt du. Vielleicht geht momentan wirklich mehr Geld raus, als wir einnehmen, aber ich bin davon überzeugt, dass wir das Richtige tun. Glaubst du das nicht auch, Tim?«

Tim schaute sie unsicher an. »Natürlich glaube ich das, aber wenn wir noch mehr Geld verlieren ...«

Harriet legte den Finger auf die Lippen, und Tim verstummte. »Wir müssen investieren, wenn wir wachsen wollen«, erklärte sie sanft und erinnerte sich an die Worte, die sie in ihrem ersten Interview mit der Financial Times gebraucht hatte. »Gerade weil den Unternehmen Profit und Endgewinn so wichtig sind, kommt es immer wieder zu Desastern mit Großkonzernen. Vertrau mir, Tim.«

Tim nickte und verließ das Büro, und Harriet setzte sich an ihren Schreibtisch. Er hatte ihr schon drei E-Mails geschickt, sämtliche mit einem WICHTIG schreienden Fähnchen versehen, die sie eine nach der anderen gelöscht hatte.

Konzentrier dich, ermahnte sie sich. *Tim soll sich um die Zahlen kümmern – ich muss mich auf das große Ganze konzentrieren*. Hochzufrieden mit ihrem Schlachtplan lächelte sie und griff zum Telefonhörer.

Matt trottete Tim zurück in sein Büro.

»Kein gutes Gespräch?«, erkundigte sich sein Assistent Mick tonlos.

»Was glaubst du denn?«, fragte Tim mit der Stimme eines geschlagenen Mannes.

»Sie war also nicht der Ansicht, dass ein Schwarzes Loch mit einem Umfang von eineinhalb Millionen Pfund ein bisschen besorgniserregend ist?«

»Ich hatte nicht mal die Gelegenheit, ihr das zu sagen«, bemerkte Tim. »Sie hat mir gesagt, die Fixierung auf den Endgewinn leiste der ungezügelten Gier der Unternehmen Vorschub.«

Mick zog befremdet die Augenbrauen hoch. »Dann leisten wir uns also ein nettes teures Mittagessen auf Firmenkosten, hm?«

Tim seufzte. »Ich wüsste nicht, was uns daran hindern sollte«, sagte er und legte seine Akten ab. »Wenn alle anderen Geld ausgeben, als wüchse es auf Bäumen, dann wüsste ich nicht, warum wir das nicht auch tun sollten.«

6

Jen zog den Mantel enger und schaute zu, wie ihr Atem in kleinen Wölkchen in die kalte Herbstluft aufstieg. *Wenn das nicht wirklich wichtig ist*, dachte sie entnervt und guckte zum zweiten Mal auf die Uhr. Ihre Mutter hatte auf ein Gespräch bestanden und dann ein geheimes Treffen im Park vorgeschlagen. Als arbeiteten sie für den Geheimdienst oder so etwas.

Sie runzelte die Stirn. Vielleicht war sie ja auch unfair. Vielleicht war ihre Mutter ja wirklich an wichtige Informationen gelangt und wurde nun verfolgt. Große Konzerne ließen sich nicht gerne erwischen. Möglicherweise waren sie beide in Gefahr.

Jen lachte sich selbst aus. *Zu viele Spätfilme im Fernsehen gesehen*, tadelte sie sich kopfschüttelnd, denn offensichtlich ließ sie sich ja von der Hysterie ihrer Mutter anstecken. Harriet liebte Aufregung, den Anschein von Gefahr und Geheimnissen. Was sie allerdings tun würde, müsste sie sich tatsächlich mal einer echten Gefahr stellen, konnte Jen sich beim besten Willen nicht vorstellen.

Wieder schaute sie auf die Uhr. Heute Nachmittag hatte sie eine Vorlesung bei Daniel und sie wollte sich einen der besten Plätze ganz vorne sichern. Käme sie zu spät, nur weil ihre Mutter ihre Verabredung nicht einhielt, würde ihn das sicher nicht sonderlich beeindrucken.

»Liebes, da bist du ja!« Harriet war ganz außer Atem und umklammerte einen Becher Kaffee, um ihre Hände zu wärmen.

»Ich bin erstaunt, dass du mich ›Liebes‹ nennst. Sollten wir nicht lieber Codenamen benutzen?«, gab Jen mit einem verschmitzten Lächeln zurück.

Harriet sah kurz so aus, als denke sie tatsächlich ernsthaft über diesen Vorschlag nach, doch dann bemerkte sie Jens Grinsen und seufzte.

»Also wirklich, Liebes, ich verstehe nicht, warum du so schwierig bist. Na, ist es nicht schön hier?« Sie setzte sich auf die Bank neben Jen und schaute sich um. »Ich mag den Herbst in London, du nicht?«

Jen schaute sie befremdet an. »Sind wir hergekommen, um über das Wetter zu reden?«

Harriet schüttelte den Kopf und drehte sich mit glänzenden Augen zu Jen. »Nein. Ich habe Neuigkeiten.«

Jen lief ein kleiner Schauer über den Rücken. »Ich auch. Ich war neulich im achten Stock und ein paar Typen haben Dad Flugtickets nach Indonesien gebracht.«

»Er fliegt nach Indonesien? Wann?«

»Weiß ich nicht«, musste Jen gestehen. »Aber ich werde versuchen, es herauszufinden. Und was hast du für Neuigkeiten?«

»Ich gebe eine Party!«

Jen blitzte sie böse an. »Was, mehr nicht? Du bestellst mich auf eine Parkbank, um mir mitzuteilen, dass du eine Party veranstaltest?«

Harriet sah ihre Tochter verzweifelt an. »Eine Party der Neuanfänge. Das ist sehr wichtig, Jen. Ich habe mich mit Paul unter halten, und er hat mir klarge- macht, dass ich mich zu sehr ins Alltagsgeschäft der Firma verstrickt habe. Ich muss den Blick nach vorne richten und mich wieder meiner Hauptaufgabe wid- men. Ein leuchtendes Vorbild sein! Ich will die Presse einladen. Ich will Green Futures wieder zu neuem An- sehen verhelfen!«

»Mit einer Party?«, fragte Jen ungläubig. *Warum wun- dert mich das eigentlich?*, fragte sie sich gereizt.

Harriets Augen wurden ganz schmal. »Ja, Jen. Mit ei- ner Party.«

»Tim hat gesagt, ihr hättet ein Problem mit euren Fi- nanzen. Kannst du dir überhaupt eine große Party leis- ten?«

»Tim sollte lieber erst nachdenken, ehe er den Mund aufmacht. Sieh mal, Jen, ich brauche keine guten Rat- schläge, wie ich meine Firma leiten soll, vor allem nicht von jemandem, für den die Welt nur aus Tabellen be- steht. Ich dachte, gerade du würdest mich verstehen ... Paul fährt nächste Woche nach Schottland, und ich dachte, du würdest mir vielleicht helfen ...«

Fassungslos blickte Jen ihre Mutter an. »Du hast mich doch nicht im Ernst den ganzen Weg hierherkommen lassen, um mit mir über eine Party zu reden, oder? Weil deinem wunderbaren Paul plötzlich eingefallen ist, dass er leider etwas noch Wichtigeres zu tun hat? Mum, schau dich doch mal an! Das ist doch völlig verrückt. Ich sollte jetzt in meiner Vorlesung sitzen. Und ich dachte, du hättest mir etwas Wichtiges zu sagen.«

Harriet sah Jen mit großen Augen an. »Verstehe. Green Futures ist dir also nicht wichtig genug? Vermutlich bist du zu beschäftigt damit, deinen MBA-Abschluss zu machen.«

»Ich möchte dich daran erinnern, dass ich den ohne dich und deine tollen Ideen gar nicht machen würde.«

»Tja, wenn dich meine tollen Ideen nicht interessieren, dann weiß ich nicht, was ich hier noch mache«, bemerkte Harriet spitz. »Es tut mir leid, wenn ich dich enttäuscht habe, Jennifer. Ich tue bloß mein Bestes, weißt du. Versuche, alles zusammenzuhalten, wie immer ...«

Sie stand auf, und Jen seufzte. Das war Harriets Lieblingstak tik, die sie immer dann einsetzte, wenn sie ohne weitere Diskussion einen Streit für sich entscheiden wollte – die »Ich bin eine alleinerziehende Mutter und einsame Unternehmerin und versuche, im Alleingang die Welt zu retten«-Trumpfkarte, der einfach nichts entgegenzusetzen war.

»Du tust mehr als nur dein Bestes«, meinte Jen versöhnlich. Es lohnte sich einfach nicht, mit Harriet zu streiten und die lange Funkstille, die zitternde Unterlippe und die schier endlosen Versöhnungstreffen auf sich zu nehmen, bei denen ihre Mutter üblicherweise nicht nur das letzte Wort haben wollte, sondern auch sämtliche Worte vorher. Und außerdem war es eigentlich nicht Harriets Schuld. Dass Jen so gereizt war, lag nicht nur an ihr.

»Ich bin bloß frustriert, dass ich selbst auch nicht mehr vorzuweisen habe«, erklärte sie achselzuckend. »Ich bin nicht sicher, ob ich die beste Spionin aller Zeiten bin.«

»Wir alle tun, was wir können, und mehr kann auch niemand von uns verlangen«, entgegnete Harriet mit einem schwachen Lächeln und klang dabei schon bedeutend fröhlicher. »So, ich gehe dann jetzt besser und fange schon mal an, die Party vorzubereiten, wenn ich doch alles allein machen muss. Das wird eine Heidenarbeit, aber ich bin mir sicher, es wird alle vom Hocker reißen. Sag mir Bescheid, wenn du etwas über den Ausflug deines Vaters nach Indonesien herausbekommst, wärst du so lieb?«

Jen nickte und hielt still, als Harriet ihr einen Kuss auf die Stirn drückte und quer durch den Park davonmarschierte.

Der arme Tim tut mir leid, dachte Jen, während sie ihrer Mutter hinterher sah. *Wir alle tun mir leid.*

Sie blieb noch einen Moment sitzen, beobachtete die Leute, die durch den Park spazierten, und genoss die Ruhe und den Frieden. Dann nahm sie ihre Tasche. Zeit, sich auf den Weg zu machen.

Jemand setzte sich neben sie, was Jen, ohne hinzuschauen, zum Anlass nahm aufzustehen. Aber als sie ihre Tasche über die Schulter warf, sprach die Person sie an.

»Und, machen Sie hier Ihre eigene interne Analyse?«

Verdutzt schaute sie hin, und ihr Magen schlug einen Purzelbaum. Es war Daniel.

»Ich ... ähm ... na ja, sozusagen«, stotterte sie und war froh, dass die kalte Luft verhinderte, dass sie wieder knallrot wurde. Von nahem sah er noch besser aus. Er hatte kleine Löckchen, die sein Gesicht umrahmten, und die längsten Wimpern, die Jen je an einem Mann gesehen hatte.

»Und ... arbeiten Sie hier in der Nähe?«, fragte sie nach kurzem Schweigen. »Sie arbeiten im Buchhandel, stimmt's? Ich bin übrigens Jen.«

Daniel lachte. »Nett, Sie kennenzulernen, Jen. Ich bin Daniel.«

Jen zog belustigt die Augenbrauen hoch, und er wirkte etwas verlegen. »Tja, na gut, das wussten Sie vermutlich schon.«

Schnell schaute er weg, wie um die Situation wieder unter Kontrolle und in eine lockere Bahn zu bringen. »Egal, Sie fragten eben nach meiner Arbeit. Man könnte es wohl Buchhandel nennen«, sagte er leichthin. »Obwohl ich heute kaum noch dazu komme, tatsächlich Bücher zu verkaufen. Haben Sie schon mal von Wyman's gehört?«

Jen nickte. Wyman's gehörte zu den größeren Buchhandelsketten und hatte überall in London Filialen.

»Da war ich neulich noch!«

»Na denn, dann wissen Sie ja, für wen ich arbeite.«

Jen überlegte fieberhaft, was sie jetzt sagen sollte. Übers Bücherverkaufen wusste sie nicht viel – nur übers Bücherkaufen, und das war wohl nicht unbedingt das Gleiche.

»Ich fand es sehr interessant, was Sie in der letzten Vorlesung gesagt haben«, meinte sie nach einer weiteren Pause. »Über die Wahl zwischen Moral und Profit, meine ich. Über diese Problematik habe ich schon oft nachgedacht.«

Daniel sah sie interessiert an und unvermittelt schaute Jen ihm wieder direkt in die Augen – die, wie sich nun herausstellte, hellgrünbraun waren – und konnte den Blick nicht mehr abwenden.

»Wo haben Sie denn vorher gearbeitet?«, fragte er, und erst da gelang es Jen wegzugucken, aber gleich wanderte ihr Blick wieder zurück zu seinen Augen.

»Green Futures«, antwortete sie. »Die Unternehmensberatung.«

»Ich kenne Green Futures«, entgegnete Daniel rasch. »Harriet Keller, der Sturmtrupp moralischer Geschäftemacherei. Haben Sie eng mit ihr zusammengearbeitet?«

Jen nickte nur.

»Tja, dann verstehe ich, warum sie sich so für Ethik und Moral interessieren. Um ehrlich zu sein, ist das nicht gerade mein Spezialgebiet – Sie wissen sicher viel mehr darüber als ich, wenn sie bei Harriet Keller gearbeitet haben. Ich wollte bloß klarmachen, dass man wissen muss, was man will, sonst hat man nicht die geringste Chance, es auch zu bekommen. So, ich glaube, wir sollten uns besser auf den Weg zu den Bell Towers machen, oder? Soll ich Sie nicht alle um drei Uhr zu Tode langweilen mit meiner Vorlesung?«

Jen grinste und stand auf. Auf ihrem Mantel bildeten sich kleine Eisperlen, aber ihr war wohlig warm, als sie gemeinsam in Richtung Bell Towers schlenderten.

Jetzt wusste sie ganz sicher, was sie wollte. Nun musste sie sich nur noch überlegen, wie es zu bekommen war. Vielleicht hatte ihre Mutter ja doch recht, dachte sie bei sich, während sie auf dem Weg ins Büro hin und wieder heimlich zu Daniel hinüberlinste. Vielleicht ging es ja jetzt endlich wieder bergauf.

Am folgenden Wochenende saß Jen an ihrem Küchentisch und kämpfte mit ihrer Arbeit über interne Analyse. Jedes Mal, wenn sie irgendetwas geschrieben hatte, versuchte sie es mit Daniels Augen zu lesen und löschte es dann gleich wieder. Zu naiv, zu abgehoben, zu langweilig. Sie wollte eine Arbeit schreiben, mit der sie sich seinen Respekt verdienen würde. Eine Arbeit, die ihn absolut umhauen würde, über die er mit ihr reden wollen würde, vielleicht sogar bei einem gemeinsamen Abendessen ...

Sie schüttelte sich. *In eine Arbeit hat sich noch niemand verliebt*, ermahnte sie sich streng. Und wenn doch, da war sie sich ziemlich sicher, dann bestimmt nicht in eine über interne Analyse.

Sie las die Fragestellung noch einmal durch. »Führen Sie anhand eines Unternehmens oder einer Branche ihrer Wahl eine interne Analyse durch, und zwar unter Verwendung der im Kurs besprochenen Modelle und Theorien.« Das war zumindest eindeutig. Keine

Fangfrage. Aber auch in etwa so inspirierend wie ... tja, wie etwas sehr Uninspirierendes eben. Jen seufzte.

Es sei denn ... sie runzelte die Stirn. Wenn sie eine interne Analyse einer Buchhandlung vornahm, dann müsste das doch seine Aufmerksamkeit fesseln, oder nicht? Wenn Sie mit etwas aufwarten könnte, woran Daniel nicht mal im Traum gedacht hatte ... Okay, das war wohl eher unwahrscheinlich, wenn man bedachte, dass sie sich erst seit etwa einer Woche mit interner Analyse befasste und er ihr Lehrer war. Aber trotzdem, vielleicht fände er es zumindest interessant. Vielleicht wäre er sogar geschmeichelt.

Lächelnd stand Jen auf und kochte sich eine Tasse Tee. Dann machte sie sich an die Arbeit.

»Ich habe für dich das Übliche bestellt.«

Jen strahlte Angel an. »Danke.«

»Du hast also gestern den ganzen Abend gearbeitet? So richtig eine Arbeit geschrieben? Ich dachte, du machst den Kurs nur unter Protest?« Angel konnte es kaum glauben.

»Ich weiß, ich habe mich ja auch selbst überrascht. Aber da gibt es einen Typen, der bei uns Vorlesungen hält, Daniel. Ich ... na ja, ich wollte bloß, dass die Arbeit auch richtig gut wird.«

Angel lachte. »Du hängst dich so richtig rein in diesen MBA-Kurs, oder? Nachher landest du bestimmt noch bei Bell Consulting oder so. Das ist so herrlich ironisch ...«

Jen verzog das Gesicht. »Ich werde ganz bestimmt keine Bell-Beraterin. Und ich bin immer noch der

Ansicht, dass dieser MBA-Kurs total ätzend ist. Aber wenn ich ihn schon mache, dann kann ich mich genauso gut auch reinknien. Kenne deinen Feind, oder wie war das noch?«

»Dieser Daniel ist also der Feind?«

Jen errötete und Angel runzelte die Stirn.

»Nicht ganz.«

»Ich kenne niemanden, der so kompliziert ist wie du, Jen. Ehrlich, manchmal weiß ich echt nicht, wie du das immer schaffst.«

Jen sah Angel erstaunt an. »Ich bin überhaupt nicht kompliziert. Ich bin völlig unkompliziert.«

Angel rührte in ihrem Kräutertee. »Jen, du verbringst dein ganzes Leben damit, gegen irgendwelche Dinge zu rebellieren, um im nächsten Moment dann wieder das genaue Gegenteil zu tun. Dein Vater, deine Mutter, Gavin. Da komme selbst ich nicht mehr mit!«

»Aber du bist vollkommen unkompliziert?«, fragte Jen herausfordernd. »Du sagst, du willst keine arrangierte Ehe und willst keine indische Ehefrau sein, aber du hast auch nie einen festen Freund. Du trinkst keinen Kaffee wegen der Giftstoffe, aber ich wette, gestern Abend hast du wie immer wieder jede Menge Wodka gekippt ...«

Angels Augen funkelten, und sie setzte ihr Braves-Mädchen-Gesicht auf. »Wodka ist ganz rein, weißt du. Aber okay, es reicht. Ich habe ja nicht gesagt, dass es schlecht ist, kompliziert zu sein. Hätte auch ein Kompliment sein können.«

»War es das denn?«

Angel lachte. »Ja und nein. Also, dieser Daniel. Ist das ein anständiger Kerl? Hat er Geld?«

Jen nickte, während ihr Müsli, Joghurt und ein Bagel mit Marmelade serviert wurden. Dafür, dass Angel immer behauptete, die Einstellung ihrer Mutter bezüglich Männern und Ehe hinge ihr zum Halse heraus, klang sie doch verblüffenderweise oft genau wie sie. »Du würdest ihn bestimmt mögen«, sagte sie lächelnd. »Er ist so gar nicht wie Gavin.«

»Dann mag ich ihn jetzt schon. Aber er ist dein Lehrer, richtig? Also wird nichts weiter passieren?«

Jen zuckte die Achseln und begann zu essen. »Wahrscheinlich ist er verheiratet und hat fünf Kinder. Aber man wird doch noch mal träumen dürfen, oder?«

7

»Die externe Analyse ist der wohlmöglich interessanteste Aspekt der Strategie.« Der Dozent machte eine effektheischende Pause und musterte jeden Einzelnen im Hörsaal, um sicherzugehen, dass ihm auch alle Anwesenden ihre vollste Aufmerksamkeit schenkten.

Jen sah ihn entrüstet an. *Wo ist denn Daniel*, hätte sie am liebsten gefragt. *Warum wurde die interne Analyse so schnell abgehakt? Es wurde doch gerade erst spannend ...*

In den letzten beiden Wochen hatte sie wie verrückt gebüffelt, sich mit unternehmensinternen Stärken und Schwächen befasst, eindeutig zu viel Kaffee mit Lara und Alan getrunken und ziemlich häufig in Fluren herumgelungert. Aus den Gesprächen, die sie dabei belauscht hatte, hatte sie insgesamt viel zu wenig erfahren, sich aber trotzdem gewissenhaft Notizen gemacht. Inzwischen war sie über das Liebesleben der – wie es ihr schien – halben Belegschaft von Bell Consulting im Bilde, außerdem wusste sie, wer sich gerade nach einem neuen Job umsah und wie wenig Bruce Gainsborough, wer immer er sein mochte, von seinen

Kollegen geschätzt wurde. Über die Indonesien-Reise ihres Vaters wusste sie allerdings nach wie vor gleich null.

Nebenbei hatte sie ihre Arbeit für Daniel geschrieben und fand sie gar nicht mal so schlecht, ohne sich natürlich selbst über den grünen Klee loben zu wollen. Sie stellte sich vor, wie er die Arbeit las, stellte sich vor, wie er beim Lesen an sie dachte, und bei dem Gedanken erschauerte sie leicht.

»Die interne Analyse bringt uns nur bis zu einem gewissen Punkt und nicht weiter«, erläuterte der Dozent gerade. »Genau wie bei einem Menschen, dem der nach innen gerichtete Blick nicht unbedingt dabei hilft, zukunftsweisende Entscheidungen zu treffen. Nein, sich seiner selbst bewusst zu sein mag zwar zu den Voraussetzungen dazu gehören, doch darüber hinaus muss man den Blick öffnen und nach Möglichkeiten und Gefahren am Horizont Ausschau halten, bevor man anfängt, sich seinen Platz in der Welt zu erarbeiten. Und genauso ist das auch bei Unternehmen. Man muss das Umfeld des jeweiligen Unternehmens in seine Überlegungen mit einbeziehen – wer sind die Kunden, was wollen sie, wo wohnen sie? Man muss an die Konkurrenz denken – wie stark ist sie und kann man ihren nächsten Schachzug voraussehen? Was ist mit den Zulieferern? Sind sie effizient? Billig? Mit welchen Problemen sehen sie sich konfrontiert? Und dann muss man das Ganze im großen Zusammenhang sehen – was passiert in der Welt außerhalb des Unternehmens? Überflutungen, Hungersnöte, Aufschwung, Flaute,

Abwanderung qualifizierter Arbeitskräfte, Einwanderung – das alles hat Auswirkungen auf unser Unternehmen. Ihre Aufgabe ist es, diese Faktoren aufzuzeigen und eine Strategie zu entwickeln, um das Beste aus den sich bietenden Möglichkeiten zu machen und eventuelle Risiken zu minimieren.«

Das Beste aus den sich bietenden Möglichkeiten machen und eventuelle Risiken minimieren, sinnierte Jen. Genau das musste sie auch bei Bell machen. Zu ihren Möglichkeiten gehörte, rein zufällig mit voller Absicht Daniel über den Weg zu laufen, ihren Vater auszuspionieren und weitere Gespräche im Aufzug zu belauschen. Zu den Risiken zählte, in den Verdacht zu geraten, Daniel zu verfolgen, von ihrem Vater erwischt und gefragt zu werden, warum um Himmels willen sie den ganzen Tag im Aufzug herumhing.

»So, damit sind wir mit der Einführung durch, also widmen wir uns jetzt ein paar grundlegenden Modellen«, kündigte der Professor an. »Die PÖST-Methode ist immer sehr empfehlenswert – das heißt politische, ökonomische, soziale und technologische Einflüsse. Möchte jemand vielleicht ein Unternehmen vorschlagen, und wir gehen dann die PÖST mit ihm durch?«

Die Hand eines jungen Mannes in der ersten Reihe schoss blitzartig in die Höhe. »Wie wäre es mit einem Kondomhersteller?«, fragte er mit kaum verhohlenem Grinsen und alle Anwesenden stimmten eifrig zu. Jen wand sich vor Unbehagen – das würde sie vermutlich bis an ihr Lebensende verfolgen.

Der Dozent wirkte etwas verdutzt. »Ein Kondomhersteller, sagen Sie?«

»Wir haben kein Problem mit Kondomen«, gab der junge Mann so ernst er konnte zurück. »Sie sind so flexibel, dass man sie wirklich effektiv untersuchen kann, und man kann damit die ... wirklich, ähm, relevanten Faktoren auffangen.«

Gelächter hallte durch den Saal und der Dozent seufzte.

»Also gut. Politische Einflüsse auf einen Kondomhersteller.« Schweigen im Walde.

Jens Blick schweifte nur ganz kurz den Professor, allerdings genau in dem Augenblick, als dieser gerade in ihre Richtung sah, und sofort wünschte sie sich, sie hätte es nicht getan.

»Wie wäre es mit Ihnen«, meinte er prompt. »Nennen Sie mir einen politischen Einfluss, der für einen Kondomhersteller von Bedeutung ist.«

Jen dachte angestrengt nach. »Ähm, wie wäre es mit dem Ent schluss einer Regierung, die Zahl ungewollter Schwangerschaften bei Teenagern drastisch zu reduzieren?«, schlug sie vor.

»Gut!«, rief ihr Dozent lächelnd. »Das wäre schon mal einer. Das ist ein Faktor, der in zwei Richtungen wirken könnte – entweder die Regierung teilt kostenlos Kondome aus, in dem Fall müsste der Hersteller dann sicherstellen, dass es seine sind, oder die Regierung predigt Abstinenz, was sich in niedrigeren Verkaufszahlen niederschlagen könnte. Wenn es eine wichtige Marke ist und es geht dabei hauptsächlich um den Spaßfaktor, wie bei Billy Boy, dann könnte sie sich sogar aktiv von der Austeil-Aktion distanzieren, weil die als »verantwortungsbewusst« angesehen wird. Also, das sind doch schon mal jede Menge gute Ideen. Wem fällt noch etwas ein?«

Ein kleines Lächeln schlich sich angesichts dieses Kompliments auf Jens Lippen.

»AIDS-Aufklärung«, sagte ein anderer.

»Ja, aber das hat nichts mit Politik zu tun. Hier ist nämlich die Einstellung der Regierung gegenüber AIDS das Politische – räumt sie ein, dass AIDS ein Problem darstellt, und geht es an oder ignoriert sie es? Beides hat Auswirkungen auf unser Unternehmen. Okay, wirtschaftliche Faktoren?«

Lara hob die Hand. »Der Gummipreis«, sagte sie grinsend. »Haargenau. Sehr wichtiger Faktor«, lobte der Dozent, während um ihn herum jede Menge Gekicher laut wurde.

Er kniff die Augen zusammen. »Soziale Einflüsse?«

»Wie viele Leute überhaupt vögeln«, rief jemand ganz hinten, und das Kichern wurde noch heftiger.

Der Dozent seufzte. Es war ganz gleich, wie alt die Leute waren – steckte man einen Haufen Studenten in einen Hörsaal, mutierten sie unter Garantie zu albernen Teenagern.

»Würde jemand das bitte in einen echten sozialen Faktor umwandeln?«, stöhnte er. »Wie wär's noch mal mit Ihnen?«

Er sah Jen an, und die wurde gleich wieder rot.

»Ähm, was ist mit der Zahl der Eheschließungen?«, meinte sie zaghaft. »Und der Demografie – wie viele Menschen wann wie viele Kinder bekommen, so etwas in der Art.«

»Gut. Warum?«

»Weil, äh, wenn viele Leute verheiratet sind oder in Beziehungen leben, aber keine Kinder wollen, dann nimmt der Kondomverbrauch zu.«

»Ausgezeichnet. Ich danke Ihnen. Und zu guter Letzt, technologische Einflüsse. Irgendjemand?«

Alan zeigte auf. »Neue Entwicklungen wie beispielsweise die Pille für den Mann.«

»Gut. Sonst noch was?«

»Vibratoren«, warf Lara rasch ein.

»Erklären Sie das.«

»Nun ja, wenn die gut genug sind, brauchen Frauen vielleicht den Sex mit Männern nicht mehr ...« Dafür erntete sie von einigen der anwesenden Damen Beifall.

»Interessante Idee«, meinte der Dozent, »auf die wir jetzt aber nicht näher eingehen werden – das überlasse ich Ihnen, einverstanden? So, wenn Sie mit Ihrer PÖST fertig sind, müssen Sie –« Er wurde unterbrochen, weil die Tür aufging. Jen sah auf und erstarrte. Ihr Herz fing an zu hämmern, und sie spürte, wie das Blut aus ihrem Gesicht wich.

»Mr Bell!«, rief der Dozent, richtete sich kerzengerade auf und wirkte gleich viel förmlicher als noch vor ein paar Sekunden. »So eine nette Überraschung. Möchten Sie ... ähm ... sich vielleicht setzen?«

George strahlte übers ganze Gesicht. »Machen Sie einfach weiter, Julian«, entgegnete er leutselig. »Ich wollte nur mal schnell einen Blick auf die diesjährige Auswahl werfen, wenn es Sie nicht stört.«

»Oh nein, überhaupt nicht. Ja. Wir befassen uns gerade mit der PÖST-Analyse«, erklärte der Dozent, »am Beispiel eines ... einer Herstellerfirma.«

George nickte und ging langsam in Richtung der letzten Reihe durch den Hörsaal.

Jen sah sich verzweifelt um und ließ dann ihren Kuli auf den Boden fallen. Das war ein Risiko, das sie bisher nicht bedacht hatte. Sie warf Lara noch einen Blick zu, dann tauchte sie unter dem Tisch ab, blieb dort unten hocken und hielt die Luft an.

Lara guckte neugierig zu ihr hinunter und war offensichtlich völlig perplex, woraufhin Jen verzweifelt versuchte ihr pantomimisch zu erklären, dass sie sich versteckte, und zwar mit einer Abfolge von Handbewegungen, die genauso gut hätten bedeuten können, sie hoffe, eines Tages zum Mond zu reisen. Aber nichtsdestotrotz schien Lara die Botschaft zu verstehen und warf rasch ihren Mantel über Jen.

»Mr Bell?«, fragte sie zuckersüß und drehte sich zu ihm um. »Was meinen Sie zur wunderbaren Welt der Kondome?«

Daniel lächelte, als er durch Jens Arbeit blätterte. Buchhandel. Sie hatte über den Buchhandel geschrieben. Ob sie ihm damit etwas sagen wollte?

Und die Arbeit war gar nicht so schlecht, dachte er. Auf jeden Fall viel interessanter als so manch andere

Abhandlung, die er an diesem Tag gelesen hatte. Berichte über Unternehmensführung, Jahresbilanzen, Strategien für Lieferketten ... warum war es bloß so, grübelte er, dass man, je besser man etwas konnte, umso seltener dazu kam, es auch zu tun?

Er war ein hervorragender Buchhändler gewesen. Und was war passiert? Er war befördert worden, immer wieder, so lange, bis er keine Bücher mehr verkaufte. Bis er bei Beförderungen, bei Einkaufsentscheidungen, bei gar nichts mehr mit einbezogen wurde. Er durfte nur herumsitzen und mit seinen Vorstandschefs über Kosteneinsparungen diskutieren und mit dem Leiter der Finanzabteilung darüber, ob man einen Buchladen in Einkaufsmeile A oder B eröffnen sollte.

Was sollte er bloß schreiben, fragte er sich. »Sehr interessante Arbeit mit einigen guten originellen Ideen«? Nein, das wäre sehr viel schmeichelhafter als alles, was er unter die anderen Abhandlungen geschrieben hatte, die er bisher benotet hatte. Er musste konstant und konsequent bleiben. Aber »Gut, interessante Ideen« klang doch irgendwie zu barsch.

Sie war klug, das war offensichtlich. Und ihre Ideen waren wirklich interessant. Vielleicht sollte er im Laufe der Woche einfach mal bei Bell vorbeischauen, ihr zufällig über den Weg laufen und ihr eine persönliche Rückmeldung geben. Bei einem Kaffee vielleicht ...

Er runzelte die Stirn. Wahrscheinlich würde er sie zu Tode erschrecken. Mist, vielleicht interessierte sie sich ja wirklich für den Buchhandel. Vielleicht hatte sie deshalb so gerne mit ihm reden wollen und so interessiert nachgefragt, was er genau machte. Für ihn selbst interessierte sie sich wahrscheinlich nicht die Bohne.

Er lächelte schief. *Mach dir nichts draus, Daniel*, sagte er sich. *Man darf ruhig mal optimistisch sein.*

Dann schrieb er, ganz sorgfältig: »1-. Sehr gute Arbeit.«

Lara starrte Jen mit hochgezogenen Augenbrauen an. Jen ihrerseits starrte in ihre Kaffeetasse und suchte nach einer plausiblen Erklärung für ihr seltsames Verhalten während der Vorlesung.

»Also, was ist? Hast du Angst vor Autoritätspersonen?«, stocherte Lara neckisch weiter. »Oder bist du eine verurteilte Schwerverbrecherin auf der Flucht?«

Jen zog den Kopf ein. Dann sah sie Lara ernst an und holte tief Luft. »Lara«, setzte sie nervös an, »ich muss dir etwas beichten.«

Lara kniff die Augen zusammen. »Hast du mir meine Notizen über ausgewogene Wertungsbögen geklaut?«

Empört schüttelte Jen den Kopf. »Nein, natürlich nicht. Nichts dergleichen.«

»Okay, dann schieß los.«

Jen schluckte und faltete nervös die Hände. »Weißt du, dieser Kurs. Diese Beratungsfirma.«

Lara nickte so geduldig, als unterhielte sie sich gerade mit einer Fünfjährigen. »Ja, Jen. Das wäre wohl Bell Consulting. Ich kenne den Laden.«

Jen knuffte sie leicht in den Arm. Ihr blieb nichts anderes übrig – sie musste einfach mit der Sprache herausrücken.

»Du musst mir versprechen – hoch und heilig versprechen –, dass du es niemandem verrätst. Niemandem. Niemals.«

Laras Augen funkelten. »Oho, ein Geheimnis. Okay, meine Lippen sind versiegelt. Her mit dem Klatsch!«

»Ich ... also ...«, begann Jen, und ihr. Herz pochte heftig. »Ja?«, fragte Lara, nun ungeduldig.

»Ich bin die Tochter von George Bell. Er weiß nicht, dass ich hier bin, und dementsprechend auch nicht, dass ich den Kurs mache, und er darf es auch nicht erfahren.«

»Du bist was? Seine Tochter?«, prustete sie ungläubig und spuckte dabei Kaffeetröpfchen über den ganzen Tisch. Jen wischte sich einige davon von der Hand und nickte.

»Und er weiß nicht, dass du hier bist?« Wieder nickte Jen. »Aber du heißt doch Bellman.«

Jen sah sie spöttisch an.

»Ach, richtig, stimmt sicher gar nicht. Mal ehrlich, du bist Jennifer Bell? Du bist seine Tochter?«

Jen nickte bedrückt.

»Dann habe ich eine Frage.«

»Okay«, murmelte Jen unsicher.

»Was zum Geier! Warum sagst du es ihm nicht? Herrgott noch mal, in ein paar Jahren könntest du hier den ganzen Laden schmeißen. Ich verstehe das nicht.«

»Er ist eigentlich gar nicht mein Vater.«

Jetzt schaute Lara sie misstrauisch an. »Pass auf, wenn das jetzt ein Witz sein soll, dann finde ich ihn nicht besonders komisch.«

»Nein, ich meine doch nicht ... hör zu, er hat uns verlassen, als ich dreizehn war. Seitdem habe ich ihn nicht mehr gesehen. Und das will ich auch eigentlich nicht. Ihn sehen, meine ich.«

»Du machst also den MBA-Kurs, weil ...?«

»Weil ... okay, aber das muss wirklich, ehrlich unter uns bleiben.«

Lara verdrehte die Augen. »Himmel, jetzt reicht's aber an Melodramatik, okay?«

»Gut. Ich ... ich versuche gerade herauszubekommen, ob Bell Consulting in einen Korruptionsfall in Indonesien verwickelt ist. Weißt du, die Sache mit dem Geld der Tsunami-Not hilfe und den Bauvorhaben dort? Na ja, es werden da anscheinend ziemlich krumme Dinger gedreht. Und krumme Häuser gebaut.«

»Und warum meinst du, Bell Consulting hat was damit zu tun?«

»Weil eines der betroffenen Unternehmen, das einige der besten Aufträge ergattert hat, Axiom ist, ein Kunde von Bell. Bell hat zufälligerweise Büros in Indonesien und zu den Kunden dort unten gehören auch etliche Ministerien. Und« – sie beugte sie zu Lara hinüber und flüsterte – »mein Dad fliegt nächste Woche nach Indonesien.«

»Heilige Scheiße«, murmelte Lara erschrocken. »Und was willst du jetzt unternehmen?«

Jen guckte sie schief von der Seite an. »Ich muss irgendwie in sein Büro kommen. Seine Unterlagen durchschnüffeln.«

Lara fiel fast vom Stuhl. »Du willst in das Büro von George Bell ... entschuldige, in das Büro deines Vaters einbrechen?« Jen lächelte nervös.

»Im Ernst?«

Jen nickte und Lara schien darüber nachzudenken.

»Dann willst du vermutlich, dass ich dir dabei helfe, was?«

Jen schüttelte den Kopf, doch dann zögerte sie. »Ehrlich?«, fragte sie leise. »Ich meine, würdest du das tun?«

»Na hör mal, wir sind doch verdammt noch mal ein Team, oder?«, antwortete Lara bestimmt.

Jen grinste dankbar. »Heißt das, ich muss Alan auch einladen mitzukommen?«

Lara lachte. »Oh, das wäre köstlich«, kicherte sie mit funkelnden Augen. »Allein sein Gesichtsausdruck wäre es schon wert, ihn zu fragen!«

Beide mussten grinsen und sagten eine ganze Weile nichts mehr.

»Und wann genau wolltest du einbrechen?«, fragte Lara schließlich.

Jen wirkte nachdenklich. »Ich dachte, nächste Woche. Wenn er in Indonesien ist.«

»Gut«, meinte Lara und gab sich große Mühe, vollkommen unbeeindruckt zu tun. »Dann also nächste Woche.«

Bill trug eine gestreifte Strickjacke zu einer Army-Hose und hatte die Haare zu einem losen Pferdeschwanz zusammengebunden. Jen hätte ihn am liebsten gefragt, wie er es hinbekam, dass sie so glatt und glänzend waren, aber dann trat sie sich gedanklich in den Hintern und ließ es bleiben.

»Also, Jennifer, wie geht's, wie steht's?«

Jen lächelte schwach. »Ach, wie immer«, murmelte sie vage.

Er gab ihr ein Zeichen, sich zu setzen. »So, du bist also schon im zweiten Modul, hm? Alles in Ordnung mit deinen Kursarbeiten?«

Jen nickte. Sie wusste, dass sie sich etwas einfallen lassen musste, weil Bill sonst gezwungen wäre, ihr haufenweise Fragen zu stellen und alles aus der Nase zu ziehen und dann würde er sich schlecht fühlen und ihr wäre es unangenehm. Immerhin war er ihr als Tutor zugeteilt worden und sie sollten schließlich ein harmonisches Verhältnis zueinander aufbauen.

Das Problem war nur, dass ihr beim besten Willen nichts einfiel, worüber sie mit ihm reden sollte. Lara war am selben Morgen bei ihrer Tutorin gewesen, und die beiden hatten sich geschlagene zwei Stunden lang unterhalten, unter anderem (in keiner besonderen Reihenfolge) über Kursarbeiten, die Frage, ob es eine gute Idee sei, mit jemandem aus dem Kurs zu schlafen – eine rein theoretische Frage, da weit und breit kein potenzielles Objekt der Begierde in Sicht war –, die Mietpreise in London, Karrierechancen und nicht zuletzt die Frage, ob der Mann der Tutorin diese betrog oder nicht (Laras Meinung nach lautete die Antwort darauf eindeutig ja, aber das behielt sie der Tutorin gegenüber für sich). *Wieso also*, fragte Jen sich, *fällt mir einfach nichts ein?*

»Wir haben gerade mit externer Analyse angefangen«, bemerkte sie schließlich. »Umwelteinflüsse. Positionierung am Markt, diese Dinge.«

Bill nickte interessiert. »Mann, das ist mein Lieblingsthema«, meinte er eifrig. »Endlich kann man mit der Nabelschau aufhören und hinausgehen und gucken, was wirklich in der Welt passiert. Stimmt's oder habe ich recht?«

Jen nickte unsicher. Sie konnte an nichts anderes denken als daran, in das Büro ihres Vaters einzubrechen, was sie gleichermaßen aufregend wie beängstigend fand.

»Bestimmt«, murmelte sie zurückhaltend. »Ich meine, irgendwie schon. Allerdings gehen wir ja eigentlich gar nicht wirklich raus.« Jetzt, wo Daniel keine Vorlesungen mehr hielt, hatte Jen ihre anfänglich aufkeimende Begeisterung für ihr Studienfach bereits wieder ziemlich verloren.

»Warum schaust du dir dann nicht auf eigene Faust ein paar Unternehmen an?«, schlug Bill aufmunternd vor. »Und hospitierst bei ein paar richtigen Managern? Die würden sich ganz bestimmt gerne mit dir unterhalten. Du musst dir sowieso eine Branche aussuchen, über die du deine Abschlussarbeit schreiben willst, es könnte also Teil deiner Recherche sein.«

Jen sah ihn nachdenklich an. »Du meinst, ich soll einfach bei irgendeiner Firma anrufen und fragen, ob ich mal vorbeikommen und mit ihnen reden kann?«

Bill nickte. »Warum nicht? Fragen kostet nichts.«

Jen überlegte kurz. Natürlich wusste sie schon ganz genau, für welches Unternehmen sie sich entscheiden würde, wenn sie die freie Auswahl hätte. Sie stellte sich vor, bei Wyman's zu sein, an Daniels Seite, und sich mit ihm über ihre Abhandlung zu unterhalten. Auf den Buchhandel mussten doch von außen alle möglichen Faktoren einwirken und dazu kam, dass es eine sehr sympathische Branche war. Kaum Umweltverschmutzung, keine unmoralischen Praktiken – na ja, abgesehen von dieser Unzahl entsetzlicher Popstar-Biografien von Leuten, die gerade mal neunzehn waren und wohl schwerlich bereits so viel erlebt haben konnten, um damit ein Buch zu füllen, aber daran waren ja auch eher die Verleger schuld als die Buchhändler. Gewaltsam riss sie sich aus ihren Tagträumen, gerade rechtzeitig, um noch mitzubekommen, wie Bill sie nach ihrem Leben außerhalb des Kurses fragte.

»Du weißt schon, Beziehungen, Freundeskreis, so etwas in der Art?«, fragte er und machte dabei auf einmal so ein »betroffenes« Lebensberatergesicht.

Abweisend schaute Jen zur Seite. »Gut, danke, alles gut«, murmelte sie ausweichend, um nicht nur ihn, sondern auch sich selbst zu überzeugen.

»Freut mich zu hören, Und wenn irgendwelche Probleme auftauchen, kommst du zu mir – dafür hast du schließlich deinen Tutor. Damit er dir in schweren Zeiten zur Seite steht.«

»Danke, Bill. Ich weiß das zu schätzen.«

»Nichts zu danken! Also, lass einfach alle Probleme auf dich zukommen, und dann lässt du dir von mir helfen. Abgemacht?«

Jen grinste. Es ging ihr tatsächlich schon besser. »Okay, Bill!«, erwiderte sie ernst. »Abgemacht.«

8

Jen saß vor ihrem Computer, kramte ihr Handy hervor und wählte die Nummer. Dann drückte sie BEENDEN und legte das Handy wieder hin. Und das nun schon zum fünften Mal.

Tu es doch einfach, sagte sie sich. *Nimm dir das Telefon und ruf ihn an. Deine Arbeit hat ihm gefallen. Er hat dir eine Eins minus gegeben. Jetzt musst du ihn bloß noch fragen, ob er ein bisschen Zeit für dich und deine Recherchen hat. Los jetzt!*

Aber Moment – wie sah es mit Risiken aus?, überlegte sie besorgt. *Was, wenn er mich auslacht, Nein sagt, mir erzählt, er hätte zu viel zu tun? Wahrscheinlich weiß er nicht mal mehr, wer ich bin.*

Wieder warf sie einen Blick auf ihre Arbeit, Daniels Bemerkung am Ende und den offiziellen Stempel, der Namen und Nummer des Benotenden angab. Daniel Petersons Durchwahl.

Bestimmt hatte er viel zu viel zu tun, um sich mit ihr zu treffen. Und überhaupt war es eine blöde Idee.

Aber andererseits, wenn sie es nicht versuchte, würde sie es nie erfahren ...

Sie schloss die Augen und holte tief Luft, dann drückte sie WÄHLEN und hörte zu, wie automatisch die zuletzt gewählte Nummer angerufen wurde. Nach zweimal Klingeln ging jemand dran.

»Hallo?«

»Hi!«, stotterte Jen rasch. »Ich ... ich würde gerne mit Daniel sprechen. Daniel Peterson.«

»Na, da haben Sie aber Glück. Der ist schon dran.«

Jen runzelte die Stirn. »Ich ... oh Gott, sind Sie das?«, fragte sie dann unvermittelt. »Ich hatte Ihre Sekretärin oder so etwas erwartet.«

»Die ist gerade zu Tisch«, erwiderte Daniel freundlich. »Also, was kann ich für Sie tun?«

Jen wurde es plötzlich ganz heiß. »Hier ist Jennifer. Wir ... wir haben uns bei Bell Consulting kennengelernt und ...«

»Jennifer vom Herrenklo?«

Jen wurde es noch heißer. »Ja. Es geht darum ...«

»Und die Jennifer von der Parkbank?«

»Ja.« Irgendwie merkte sie sogar durchs Telefon, dass Daniel lächelte, und das machte sie ganz kribbelig. Sie schaute auf das Blatt Papier, das vor ihr lag. Dort hatte sie haarklein aufgeschrieben, was sie sagen wollte, aber sie konnte nicht mal mehr richtig klarsehen.

»Ich wollte Sie nur etwas fragen«, setzte sie zögernd an, »also, es ist so, wir beschäftigen uns im Moment gerade mit externer Analyse und mein Tutor war der Meinung ... ich meine, ich dachte ... ich meine, also, wir beiden haben uns gedacht, es wäre gut, ein bisschen in die Welt hinauszugehen, ins richtige Leben, sozusagen. Mit jemandem über echte Probleme und Belange eines Unternehmens zu sprechen ...«

»Klingt doch richtig gut«, warf Daniel ein. »An welches Unternehmen haben Sie denn gedacht?«

Jen wurde rot. »Na ja, ähm, an Ihres, um ehrlich zu sein.« Es herrschte kurzes Schweigen, und Jen hielt den Atem an.

»Verstehe! Nun, da ließe sich sicher etwas machen«, sagte er.

Bestimmt schlägt er jetzt vor, ich soll in einem seiner Buchläden arbeiten, dachte sie ganz verzweifelt. *Er hält mich für eine Verrückte, die ihn verfolgt. Bestimmt legt er gleich auf. Bestimmt ...*

»Ich sage Ihnen was«, meinte Daniel dann verschwörerisch. »Ich habe schon seit einer halben Ewigkeit vor, mal ein bisschen hinauszugehen und mich umzuschauen, aber immer hat mir die Zeit gefehlt. Wenn Sie mögen, kommen Sie doch mit – angewandte externe Analyse, sozusagen.«

Jen war sprachlos. »Hinausgehen, wohin?«

»In Buchläden natürlich. Um die großen Massen der bücherkaufenden Öffentlichkeit bei ihren Einkäufen zu beobachten. Ich hätte Sonntag Zeit, wenn Sie da auch könnten. Und ich würde auch ein Mittagessen springen lassen.«

»Wirklich?«, fragte Jen ungläubig. »Ich meine, wirklich gerne. Nein, das klingt sehr interessant. Das würde ich gerne. Wenn das in Ordnung wäre ...«

»Super. Treffen wir uns um eins vor Book City in der Oxford Street?«

»Okay«, stimmte Jen schnell zu. Ihr Herz schien plötzlich federleicht zu sein, so leicht, dass es schwebte. »Eins ist wunderbar!«

»Ihre Arbeit hat mir übrigens gut gefallen.«

Jen grinste. »Das hatte ich gehofft.« Dann runzelte sie die Stirn. Hatte sie sich vielleicht zu sehr aus dem Fenster gelehnt? »Also dann, um eins.«

»Um eins.«

Und damit legte Jen auf und sie fühlte sich plötzlich wieder wie ein Teenager.

Jen beugte sich zu Lara hinüber, die in der Bibliothek saß und auf einen Computerschirm starrte.

»Okay«, flüsterte sie. »Aufklärungsbericht wie folgt: Um ein Uhr macht seine Sekretärin Mittagspause. Um ein Uhr fünfzehn machen die beiden Verwaltungsassistentinnen Mittagspause. Um halb zwei kommt seine Sekretärin mit einem Sandwich zurück, das sie die Times lesend an ihrem Schreibtisch isst.«

»Und er ist ganz sicher in Indonesien?«

Jen sah Lara von der Seite an. »Ziemlich sicher«, erwiderte sie. »Ich war diese Woche drei Mal oben im achten Stock, und nie war er da, nicht mal sein Mantel, gar nichts. Und einer seiner Berater sprach neulich drüben am Wasserspender ganz bestimmt von dieser Woche.«

»Okay, dann weiter im Text.«

»Also, wir müssen um Punkt Viertel nach eins reingehen, damit seine Sekretärin uns nicht in die Quere kommt. Wenn du Schmiere stehst, brauche ich höchstens fünf bis zehn Minuten, um das zu finden, was ich suche, ganz bestimmt. Und ich will versuchen, mich in seinen Computer einzuloggen.«

Lara wandte sich um und verdrehte die Augen. »Hast du dir das auch gut überlegt?«, fragte sie schließlich. »Ich meine, zuerst klang die Sache ja ganz aufregend. Und, na ja, ist sie ja auch immer noch. Irgendwie. Aber ich hatte eigentlich gehofft, hier meinen MBA-Abschluss zu machen, und weniger wegen Einbruchdiebstahls verknackt zu werden.«

»Du begehst weder Einbruch noch Diebstahl. Dich könnten sie höchstens wegen Beihilfe zu einer Straftat drankriegen und außerdem, ich habe dir doch gesagt, wenn irgendwas schiefgeht, schiebst du alles auf mich.«

»Damit sie dann dich rausschmeißen?«

»Ich will den Abschluss ja eigentlich gar nicht. Ehrlich, wenn's brenzlig wird, haust du einfach ab und tust, als hättest du mich noch nie gesehen.«

Lara zuckte die Achseln. »Na dann, okay. Wollen wir mal hoffen, dass es nicht so weit kommt, oder?«

Sie lächelte Jen aufmunternd an und Jen versuchte strahlend zurückzulächeln, obwohl sich ihr der Magen umdrehte.

»Dann treffen wir uns also um eins im Restaurant?«, fragte sie Lara, die schweigend nickte.

Jen klappte ein Buch auf und versuchte, die Zeit bis dahin irgendwie totzuschlagen.

Um ein Uhr standen Jen und Lara vor den Toiletten im achten Stock gleich neben dem Aufzug. Jen hatte freie Sicht auf Emilys Schreibtisch und konnte auch eine der beiden Verwaltungsassistentinnen sehen. Lara trug umständlich Lippenstift auf und redete über erfundene Beziehungsprobleme – zumindest nahm Jen an, dass sie erfunden waren.

Sie waren übereingekommen, wenn sie sich über Beziehungen und Sex unterhielten, würde niemand sie aufhalten oder fragen, was sie hier zu suchen hatten.

»Sie kommt«, zischte Jen, als Emily aufstand, ihren Mantel anzog und in Richtung Aufzug spazierte. Als sie an den beiden Mädchen vorbeiging, stutzte sie, und es sah schon so aus, als wolle sie stehen bleiben und sie ansprechen, doch dann überlegte sie es sich offenbar anders, drückte den Knopf, um den Aufzug zu rufen, und verschwand ein paar Sekunden später hinter den grauen Metalltüren.

Jen atmete erleichtert aus und wischte sich ein paar kleine Schweißperlen von der Stirn. Das Ganze wurde langsam etwas zu real, dachte sie.

»Warum mache ich das bloß?«, grummelte sie kaum hörbar. Lara sah sie fragend an.

»Für Wahrheit, Gerechtigkeit und Weltfrieden, so sagtest du doch?«, erwiderte sie mit einem schiefen Lächeln und Jen schnitt eine Grimasse.

Zehn Minuten vergingen, langsamer, als Jen es je für möglich gehalten hätte, und dann, endlich, sah sie, wie die eine Assistentin aufstand. Ein paar Sekunden später ging auch sie zum Aufzug, gefolgt von ihrer Kollegin. Nun hieß es jetzt oder nie.

Blitzschnell schritten Jen und Lara zur Tat. So lässig und selbstverständlich wie möglich schlenderten sie hinüber zu Georges Büro. Dort angekommen, schlüpfte Jen hinein, während Lara draußen Schmiere stand.

Es war ein komisches Gefühl für Jen, im Büro ihres Vaters zu stehen. In diesem Raum war sie das letzte Mal vor sechzehn, vielleicht siebzehn Jahren gewesen. Es roch immer noch genauso wie damals – nach teurem Leder und frischen Blumen –, und da war auch die Obstschale, auf die er immer bestand. Sie wurde jeden Morgen frisch geliefert, aber nie aß er etwas davon.

An den Wänden hingen Fotos – George mit Bill Gates, mit Richard Branson, beim Segeln, Skilaufen, Tennisspielen. Und auf allen Fotos zog sein Gesicht die ganze Aufmerksamkeit des Betrachters auf sich – lebhaft, stark, charismatisch, mächtig. *Und egoistisch*, dachte Jen. *So viel Spaß hast du gehabt – hast du da je an mich gedacht? Dich je gefragt, was aus mir geworden ist?*

Sie schüttelte sich. Kein guter Zeitpunkt für Schuldzuweisungen. Dafür würde sie später noch genug Zeit haben.

Sie ging schnurstracks zum Aktenschrank ihres Vaters, einem riesigen Holzschrank, in dem er, wie sie nun feststellte, nicht nur seinen Papierkram aufbewahrte, sondern auch seine Golfschläger und seine Smokings. Sie runzelte die Stirn und suchte die Regale ab.

»Kann ich Ihnen helfen?«

Jen erstarrte. Die Stimme kam ihr bekannt vor, auch wenn sie sie nicht gleich einordnen konnte. Sie drehte sich um und hörte Lara antworten.

»Oh, hallo! Ich hatte gehofft, die Sekretärin von Mr Bell wäre hier. Ich wollte ihr für meine Recherchen ein paar Fragen stellen. Sie wissen nicht zufällig, wo ich sie finden kann?«

Lautlos atmete Jen aus und drehte sich wieder um. Jetzt wusste sie auch, wer das war – einer der Typen, die sie bei diesem Wohltätigkeitsdinner bis zur Toilette verfolgt hatte. Gott sei Dank hatte er nur Lara gesehen.

»Ich würde mal annehmen, sie ist in der Mittagspause«, hörte Jen ihn sagen. »Aber sie ist sicher gleich wieder da. Muss sie auch – der große Boss kann jeden Augenblick wiederkommen.«

Jen schluckte. Er konnte doch unmöglich ihren Vater meinen. Der war doch in Indonesien. Oder etwa nicht?

»Umso besser!«, zwitscherte Lara und klang tatsächlich, als meinte sie es auch so. »Ich dachte, er sei außer Landes.«

»Wie kommen Sie denn darauf?« Es klang etwas misstrauisch, und Jen hielt den Atem an.

»Ach, hab ich nur so im Vorbeigehen mitbekommen. Da muss ich mich wohl verhört haben ...«

Jen ging die Unterlagen im Aktenschrank systematisch durch. Alpha, AT&T, Barclays, Barton's, BOC Group, House of Fraser, Verteidigungsministerium. Nichts zu Axiom. Jen runzelte die Stirn. Wo war bloß diese verdammte Akte? Irgendwo musste sie doch sein, dachte sie verzweifelt und suchte die langen

Aktenreihen sorgfältig ab, für den Fall, dass jemand sie falsch eingeordnet hatte, aber als sie bei Xerox ankam, hatte sie immer noch nichts gefunden.

Sie machte ein finsteres Gesicht und guckte sich schnell in dem Büro um, ob noch anderswo irgendwelche Akten lagen. Da stand ein runder Tisch mit sechs Stühlen, aber darauf befanden sich nur der obligatorische Obstkorb und eine Karaffe mit Wasser. Es gab auch noch zwei weitere Aktenschränke, aber die waren abgeschlossen. Jen biss sich auf die Lippen – kaum zu fassen, dass sie so weit gekommen war, und doch war alles umsonst.

Dann fiel ihr auf einem niedrigen Regal etwas ins Auge. Ein Stapel Papier, ganz obenauf eine handschriftliche Notiz. Sie nahm das Blatt, und ihr Herz machte einen Satz, als ihr klarwurde, was sie da in der Hand hielt.

George,

bezüglich unseres Telefonats – vielen Dank, dass Du uns aus der Patsche geholfen hast. Die Verträge werden nächste Woche unterzeichnet und ich sorge dafür, dass Du auf dem Laufenden bist.
Gruß,

Malcolm

Malcolm? Etwa Malcolm Bray?, dachte Jen. Malcolm Bray war der Vorstandsvorsitzende von Axiom. Was der wohl mit Patsche meinte?

Schnell faltete sie den Zettel zusammen und stopfte ihn in die Tasche. Sie hörte den Typen weggehen, mit dem Lara geredet hatte, und sie seufzte erleichtert.

»Schnell«, flüsterte Lara und steckte den Kopf durch die Tür ins Büro. »Komm da raus.«

»Ich brauche noch ein bisschen Zeit«, erwiderte Jen schnell. »Bloß noch ein paar Minuten.«

»Wir haben aber keine Zeit mehr. Dein Vater ist nicht in Indonesien! Er ist hier, verdammt noch mal!«

»Okay, dann kommt er eben bald wieder, na und? Ich brauche nur noch ein kleines bisschen Zeit ...«, erwiderte Jen hektisch. Nur noch eine Minute, sie war so kurz davor, noch mehr zu finden.

Lara warf ihr einen bitterbösen Blick zu. »Nein, Jen, er ist hier, und mit hier meine ich jetzt«, zischte Lara eindringlich. Jen schaute sie entgeistert an und rannte zur Tür. Von der anderen Seite des Gangs steuerte ihr Vater mit zwei Beratern im Schlepptau zielstrebig auf sein Büro zu. Und in der Hand hatte er etwas, das verdächtig nach der Axiom-Akte aussah.

»Lauf«, wisperte sie Lara zu, die hilflos mit den Schultern zuckte und dann schnell zu Emilys Schreibtisch flitzte und tat, als legte sie etwas in ihren Posteingang.

Jen sah sich verzweifelt um. Es gab keinen Ausweg. Und kein Versteck.

Außer ... Schnell riss sie die Türen des großen Aktenschranks auf. Könnte gerade so passen, schätzte sie.

Wenn sie die Golfschläger ein bisschen zur Seite schob. Ohne weiteres Zögern schlüpfte sie hinein und zog die Türen hinter sich zu, und im gleichen Augenblick kam auch schon ihr Vater hereinspaziert.

Lautlos wandte sich Jen im Schrank herum, bis sie durch den Schlitz zwischen den Türen hinausspähen konnte. Ihr Vater setzte sich an den Konferenztisch, dann kamen zwei jüngere Männer herein. Einer von den beiden hatte Lara vorhin angesprochen. »Also, Jack, verraten Sie mir mal, was das alles soll.«

»Es geht um die Sache mit Axiom. Ich glaube, wir sollten eine Erklärung abgeben. Uns nachdrücklich von der Firma distanzieren. Und ihnen mitteilen, dass wir nicht mehr mit ihnen zusammenarbeiten wollen.«

Eine kurze Stille trat ein.

»Sie meinen, Bell Consulting soll einen seiner größten Kunden im Regen stehen lassen? Der Presse erzählen, wir wollten nichts mehr mit ihnen zu tun haben?«

Betretenes Schweigen machte sich breit, bis Jack wieder ansetzte. »Die ganze Geschichte wird langsam zu heiß. Wir gehen am Ende noch mit baden.«

George runzelte die Stirn. »Sie glauben also, wir könnten baden gehen?«

»Ja, Sir.«

George wirkte sehr ernst, doch dann lachte er. »Jack, Sie sind ein großartiger Unternehmensberater. Ich arbeite sehr gerne mit Ihnen. Aber ich finde, Sie sollten lieber bei Ihren Warenwirtschaftssystemen bleiben, okay? Und die Presseerklärungen und das Parteiergreifen überlassen Sie mir. Verstanden?«

»Aber ...«

»Nichts aber, Jack. Ich will, dass Sie das mir überlassen. Habe ich mich klar ausgedrückt?«

Jack und sein Kollege standen auf. »Glasklar. Danke, Mr Bell.«

Jen sah, wie sie das Büro verließen, und bewegte ihre eingeschlafenen Füße. Ihre angezogenen Beine taten höllisch weh, und sie fürchtete, in dieser Position nicht mehr lange ausharren zu können. *Wie lange ich wohl noch hier drinbleiben muss?*, fragte sie sich. Was, wenn ihr Vater heute Überstunden machte? Was, wenn er das Büro nicht vor acht Uhr abends verließ?

»Emily, wären Sie so gut und würden mir ein Sandwich besorgen?«, hörte Jen ihn sagen und betete im Stillen, er möge nicht den ganzen Nachmittag im Büro verbringen. »Am liebsten irgendetwas mit Käse. Oder Wurst.«

Sie hörte Emily ins Büro kommen. »Und Salat, Mr Bell?« Schweigen.

»Meinetwegen. Tomate. Tomate wäre in Ordnung.«

»Wie Sie wünschen.«

Jen rührte sich nicht, als Emily ging. Sie hörte, wie ihr Vater in seinen Unterlagen herumkramte und dann aufstand.

»Tja, ich frage mich, was ich jetzt wohl mache«, sagte er laut. »Vielleicht gehe ich ein bisschen an die frische Luft.«

Jen lächelte erleichtert. Allerdings klang er irgendwie ein bisschen seltsam. Aber zumindest würde er gleich gehen, und dann konnte sie verschwinden. Ihre Beine brachten sie noch um.

»Nur noch eins, bevor ich gehe«, meinte ihr Vater gerade, »und zwar herausfinden, wer sich da eigentlich in meinem Aktenschrank versteckt und was zum Teufel er da drinnen macht.«

Noch ehe Jen kapiert hatte, was er da sagte, wurden die Schranktüren aufgerissen, und vor ihr stand ihr Vater. Und er machte ein mindestens so überraschtes Gesicht wie sie.

9

»Du!«, rief ihr Vater entgeistert. Hatte er erst ganz empört geguckt, wirkte er nun zunächst ungläubig und dann schlichtweg erschrocken. Auf jeden Fall erkennt er mich, dachte Jen und wunderte sich, wie erleichtert sie darüber war. Hätte er sie nicht erkannt, wäre sie sich nicht sicher gewesen, ob sie ihm das je hätte verzeihen können.

Obwohl sie ihm natürlich sowieso niemals verzeihen würde. »Das kann doch nicht sein. Oder doch? Du siehst ganz anders aus. Du bist so groß geworden ...«

Seine Stimme klang dünn und brüchig, ganz anders als die selbstbewusste, sonore Stimme, die Jen von ihrem Versteck aus gehört hatte, und das brachte sie ganz aus der Fassung. Er war ein menschenfressendes Ungeheuer, ermahnte sie sich. Ein betrügerisches, egoistisches, unmoralisches Monster.

Er streckte ihr die Hände entgegen, und Jen kletterte unbeholfen aus dem Schrank. Ihre Beine gaben nach, während sie noch überlegte, was sie jetzt sagen sollte.

Sie stützte sich an seinem Schreibtisch ab und er musterte sie eingehend mit großem Erstaunen.

»Du bist es, oder nicht?«

Sie nickte und ehe sie noch etwas sagen konnte, hatte er sie gepackt und fest umarmt. »Ach, meine kleine Jen. Ach, mein liebes kleines Mädchen.«

Sie wand sich aus seiner Umarmung. »Ich bin nicht dein liebes kleines Mädchen«, knurrte sie, bemüht, sich ihre eigene Rührung nicht anmerken zu lassen. »Ich bin nicht deine kleine Jen. Nicht mehr.«

»Du hast recht. Lass dich anschauen. Mein Gott, du bist eine erwachsene Frau. Was ... was machst du hier? Es ist so wunderbar, dich wiederzusehen, aber warum ausgerechnet jetzt? Und warum ... warum sitzt du im Schrank? Ich dachte schon, ich hätte einen Dieb gestellt.«

Sie schaute betreten zu Boden, und George sah sie erwartungsvoll an.

»Jen?«

»Vielleicht hast du ja tatsächlich einen Dieb erwischt.«

Sie biss sich auf die Lippen. Möglicherweise hatte Angel recht: Sie spielte ein gefährliches Spiel. Wäre dieser Mann nicht ihr Vater, würde sie sich einfach herausreden, die ganze Sache ins Lächerliche ziehen und alles tun, um den Verdacht von sich abzuwenden. Aber das hier war ihr Vater. Und sie wollte, dass er sie beachtete.

»Wie meinst du das?« George wirkte verwirrt. »Willst du Geld? Ich verstehe das nicht.«

Jen hob den Kopf und sah ihn an. »Ich will die Wahrheit. Über Axiom in Indonesien. Über die Schmiergelder, durch die letzten Monat Menschen gestorben sind ...« Ihre Stimme zitterte.

Georges Augen wurden ganz schmal. »Axiom? Was zum Teufel geht denn das dich an?«

Das sah ihm schon ähnlicher, dachte Jen dankbar. Es war viel einfacher, trotzig und wütend zu sein, wenn der Mann ihr gegenüber nicht wirkte, als wolle er ihr jeden Moment um den Hals fallen.

»Das geht mich eine ganze Menge an. Und die armen Men schen in Indonesien, die dachten, man würde ihnen ein richtiges, anständiges Haus bauen. Und die Menschen rund um den Globus, die Geld gespendet haben, weil sie dachten, es würde für einen guten Zweck verwendet ...«

George zögerte und setzte sich an seinen Konferenztisch. Er bat Jen, Platz zu nehmen, also setzte sie sich, wenn auch etwas widerstrebend. Das Adrenalin pulsierte noch immer durch ihre Adern.

»Und du denkst wirklich, dein Vater könnte in so eine ekelhafte Geschichte verwickelt sein, ja?« Er wirkte enttäuscht und traurig und Jen zwang sich wegzuschauen.

»Ich kann nicht behaupten, dass ich meinen Vater gut genug kenne, um das beurteilen zu können«, entgegnete sie dumpf.

»Nein«, seufzte George. »Das stimmt wohl. Aber trotzdem, irgendwo müssen diese Verdächtigungen doch herkommen.«

Sie sah ihn kurz an und dann schnell wieder weg. Er musste plötzlich lächeln. »Ach, natürlich. Deine Mutter.«

Jen wurde rot. Bis zu diesem Augenblick hatte sie sich ziemlich stark gefühlt. Und jetzt kam sie sich auf einmal vor wie ein jammernder Teenager.

»Vielleicht.«

»Harriet«, bemerkte er vorsichtig, »hat eine sehr lebhafte Fantasie, weißt du.«

»Du hast dir letzte Woche Flugtickets nach Indonesien besorgen lassen. Wofür waren die denn bitte?«

Jen wurde jetzt doch wieder langsam wütend und wollte das Gespräch unbedingt von ihrer Mutter und allzu persönlichen Themen weglenken.

George runzelte die Stirn. »Woher um Himmels willen weißt du das?«, fragte er. Dann zuckte er die Achseln. »Die waren für einen Kollegen, wenn du's genau wissen willst. Wir haben da drüben Büros. Ich habe gerade einen neuen Leiter der Abteilung *Professionelle Dienstleistungen* berufen, und der fliegt nächste Woche hin, um die Leute vor Ort kennenzulernen, ehe er dann im Januar anfängt. Aber das wusstest du sicher auch schon. Stimmt's?«

Jen rutschte verlegen auf ihrem Stuhl herum.

»Nie hast du mich besucht«, platzte sie unvermittelt heraus, leise, aber tief gekränkt. »Nicht ein einziges Mal.«

Ihre Unterlippe zitterte und sie konnte sich gerade noch so weit beherrschen, dass sie nicht in Tränen ausbrach. *Reife Leistung, Jen*, schimpfte sie bitterböse mit sich. *So nimmt er dir ganz bestimmt ab, dass er dir schnurzpiepegal ist.*

»Du hast mir doch eindeutig zu verstehen gegeben, dass ich aus deinem Leben verschwinden soll«, entgegnete George tonlos. »Es hat mir das Herz gebrochen, dich zu verlassen, aber mir blieb doch keine andere Wahl!«

Verdutzt sah Jen ihn an. »Du hattest jede Menge anderer Möglichkeiten. Du hättest mich jederzeit besuchen können. Nicht mal zu meiner Abschlussprüfung hast du mir ein Kärtchen geschickt und mir Glück gewünscht. Und das, nachdem du so viel mit mir gelernt hattest.«

»Aber du hast mir doch gesagt, du wolltest mich nie wiedersehen.«

Jen verdrehte die Augen. »Nein, das habe ich nicht. Wage es ja nicht, mir das in die Schuhe zu schieben. Schließlich hast du mit einer anderen Frau geschlafen. Du hast uns sitzen lassen. Wahrscheinlich habe ich dir gesagt, dass ich dich hasse, und wahrscheinlich habe ich das auch so gemeint, aber das heißt noch lange nicht, dass du mich einfach aus deinem Leben ausschließen darfst.«

»Dich ausschließen? Herrgott, Jennifer, ich war es doch, der ausgeschlossen wurde. Deine Mutter hat mir verboten, mit dir zu sprechen, und sie hat mir gesagt, du wolltest mich nie wiedersehen. Du würdest dich nur aufregen, sollte ich es versuchen. Und nur, um das ein für alle Male festzuhalten: Ich habe nicht, wie du dich ausdrückst, ›mit einer anderen Frau geschlafen‹. Ich glaube, in dieser Hinsicht hat deine Mutter die Geschichte ein wenig umgeschrieben.«

Jen starrte ihn an. In diese Richtung hatte das Gespräch sich eigentlich nicht entwickeln sollen.

»Was soll das heißen?«

»Das soll heißen, dass sie es war, die mit einem anderen geschlafen hat. Obwohl das jetzt keine Rolle mehr spielt. Es ist ja mittlerweile eine Ewigkeit her.«

»Sie hat dich betrogen?« Jen war aufgesprungen, und ihre Stimme war kaum mehr als ein Flüstern. »Du lügst. Das würde sie niemals tun. Sie ...«

»Es war nicht allein ihre Schuld«, erklärte ihr Vater leise. »Wir hatten damals gerade ein ziemliches Tief. Ich war kaum zu Hause. Sie ... Ich glaube, sie sehnte sich nach Aufmerksamkeit.« George wirkte ziemlich bedrückt, als sei ihm das alles sehr unangenehm.

»Also war sie es, die eine Affäre hatte? Ist das dein Ernst?«

Er nickte.

Jen setzte sich wieder. Ihr war schwindelig. Das stellte alles auf den Kopf. Ihre Mutter hatte sie angelogen. Hatte ihr den Vater vorenthalten. Harriet, ihre hochmoralische und hochanständige Mutter, war eine Lügnerin und Betrügerin.

Aber hieß das auch gleich, dass ihr Vater durch und durch der Gute war? Irgendwie bezweifelte sie das dann doch.

»Jen, denk bitte nicht schlecht über deine Mutter«, bemerkte George mit rauer Stimme. »Das ist lange her, und ich war alles andere als ein perfekter Ehemann. Es tut mir bloß leid, dass ... na ja, es tut mir so leid, was damals passiert ist. Dass ich dich so lange nicht besucht oder angerufen habe. Das ist ... das ist unverzeihlich.« Er sah sie inständig bittend an. »Und ich könnte es verstehen, wenn du nichts mit mir zu tun haben willst. Ich habe alle Brücken hinter mir abgebrochen, damit muss ich leben. Aber bitte sag mir Bescheid, wenn ich dir irgendwie helfen kann – mit Geld, einem Job, du weißt schon. Ich wäre dir gerne ein Vater ... irgendwie.«

Jen sah ihn an, den Vater, der ihr so lange gefehlt hatte, der Vater, von dem sie geträumt hatte, er würde sie suchen und zu ihr kommen und ihr sagen, wie schrecklich leid ihm das alles tat. Und nun stand er direkt vor ihr und wollte wieder ein Teil ihres Lebens werden, und sie hatte keine Ahnung, wie sie reagieren sollte. Ihre Wut verrauchte und sie seufzte. »Dad, an dem Tag, an dem du gegangen bist, habe ich sicher viel gesagt, das ich nicht meinte. Ich war wütend. Ich wollte nicht, dass du gehst.«

Es war seltsam, ihn nach so langer Zeit wieder Dad zu nennen. So einen vertrauten, alltäglichen Namen zu benutzen für einen Menschen, von dem sie eben noch gedacht hatte, er würde ihr für immer fremd bleiben und ihr nie wieder nah sein. Der Mann, den sie eigentlich aufs Kreuz legen wollte.

»Ich dachte, es sei die richtige Entscheidung. Ich wollte es dir so leicht wie möglich machen. Ach Jen, es tut mir ja so leid.«

Er stand auf und ging unsicher auf sie zu. Er wirkte nicht mehr arrogant und stolz, sondern klein und demütig.

»Gibt es in deinem Leben noch Platz für einen Vater?«, fragte er vorsichtig.

Jen schüttelte den Kopf. Dann nickte sie. Dann schüttelte sie wieder den Kopf.

»Würdest du mir eventuell die Ehre erweisen, dich heute Abend von mir zum Essen ausführen zu lassen?«, fragte er, nahm ihre Hand und drückte sie.

Jen nickte. »Und du schwörst, dass du nichts mit den Schmiergeldern zu tun hast?«

George lächelte. »Jen, was glaubst du, wie viel Bell Consulting jedes Jahr an Profit erzielt?«

Jen zuckte die Achseln.

»Dann sag ich es dir. Unser jährlicher Gewinn bewegt sich um 20 Millionen Pfund. In den letzten zehn Jahren ist der Profit jedes Jahr um etwa fünf Prozent gestiegen. Das ist ein Haufen Geld. Kannst du dir vorstellen, dass ich das alles aufs Spiel setze, indem ich Schmiergelder für irgendwelche Geschäfte zahle, auf die die Augen der ganzen Welt gerichtet sind?«

»Aber ... aber Axiom hat die fettesten Aufträge bekommen und die Häuser wurden nicht ordnungsgemäß gebaut, und anscheinend wird versucht, die Sache zu vertuschen, also können die Behörden gar nicht herausfinden, was wirklich passiert ist ...«

»Ich kenne mich weder mit Bauvorschriften noch mit Regierungen aus. Andere Leute allerdings schon, und ich bin mir sicher, dass die indonesische Regierung die

Häuser, die Axiom gebaut hat, und den dazugehörigen Papierkram rund um die Baugenehmigungen genau unter die Lupe nehmen wird. Aber wenn dich das interessiert, solltest du lieber in Indonesien herumschnüffeln statt in meinem Büro.«

Jen verschränkte die Arme. Irgendwie fühlte sie sich unbehaglich. »Sind sie immer noch eure Kunden?«, wollte sie schließlich wissen.

George runzelte die Stirn. »Hast du schon mal etwas davon gehört, dass man so lange als unschuldig gilt, bis die Schuld bewiesen ist, Jen?«

Sie nickte.

»Keine schlechte Einstellung, wenn du mich fragst. Also lautet die Antwort ja. Noch irgendwelche Fragen?«

»Der Brief, in dem sich dieser Malcolm für deine Hilfe bedankt. Worum ging es da?«

Lächelnd schüttelte George den Kopf. »Du bist aber auch ein hartnäckiges kleines Ding. Da ging es um unsere Beratungen wegen der anstehenden Verhandlungen. Das ist bei uns üblich.«

»›Verhandlungen‹ im Sinne von Bestechungsgeldern?«, drehte Jen ihm das Wort im Mund herum.

»›Verhandlungen‹ im Sinne von Verhandlungen.«

Ernüchtert zuckte Jen mit den Schultern. »Und warum sollte ich dir glauben?«

George sah ihr in die Augen. »Menschen glauben nur, was sie glauben wollen, und ich würde wagen zu behaupten, dass es bei dir auch nicht anders ist. Ich kann dir nur die Wahrheit sagen und du kannst entscheiden, ob du mir glaubst. Deiner Mutter hast du schließlich auch geglaubt, weißt du noch?«

Jen wurde rot. »Ich weiß.«

»Und, gehst du mit mir essen?«

»Ich denke schon«, murmelte sie. In ihrem Kopf drehte sich alles so heftig, dass sie kaum zu sprechen wagte.

»Gut«, erklärte George schon etwas fröhlicher. »Und dann kannst du mir ja vielleicht auch erzählen, wie zum Kuckuck du dich an unserem Betriebsschutz vorbei bis in mein Büro geschlichen hast.«

»Im Ernst? Er hat dich in seinem Schrank entdeckt?«

Angel hatte die Augen weit aufgerissen. Jen nickte mit einem breiten Grinsen, das schon seit zwei Tagen ununterbrochen in ihrem Gesicht klebte. Ihr Vater war ein guter Mensch. Nun ja, zumindest kein schlechter. Er hatte ihr zugehört, ihr über sein Leben erzählt, sich gefreut, dass sie einen MBA-Abschluss machen wollte. Er war ihr Vater und sie hatte ihn wieder.

»Und jetzt ist zwischen euch alles wieder in Ordnung? Ich meine, nach nur einem Abendessen?«

»Ein Abendessen und ein Mittagessen am Tag darauf«, korrigierte Jen.

»Und du meinst nicht, dass du das alles ein bisschen überstürzt? Wo er vor einer Woche noch der Staatsfeind Nummer eins war?«

Jen guckte Angel entnervt an. »Da kannte ich die Wahrheit ja auch noch nicht. Meine Mum hat mich angelogen. Himmel, und ich habe ihr immer jedes Wort geglaubt. Ich bin so was von wütend.«

»Hast du schon mit ihr gesprochen?«

Jen schüttelte den Kopf. »Ich weiß nicht ... Dad meint, ich soll es lieber lassen. Er findet, schlafende Hund sollte man nicht wecken oder so ähnlich. Ich glaube ehrlich gesagt, er will einfach keinen Ärger.«

»Und du? Was willst du?«

Jen zuckte hilflos die Achseln. »Ich weiß nicht, warum sie mich angelogen hat. Aber ich will nicht, dass sie sich wieder einmischt. Ich lerne Dad gerade erst wieder kennen, und das ist ... na ja, das ist ein tolles Gefühl. Ich fürchte, wenn ich Mum davon erzähle, dann geht alles schief.«

»Also hältst du die Klappe? Obwohl du weißt, dass sie dich angelogen hat?«

Jen schüttelte den Kopf. »Natürlich nicht. Ich will bloß erst mal nicht dran rühren. Nur für eine kleine Weile, verstehst du?«

»Und bis dahin denkt sie immer noch, du spionierst ihn aus?«

Jen brachte ein schiefes Lächeln zustande und Angel sah sie empört an. »Und was wird aus deinem MBA-Kurs? Das ist doch wohl vorbei, oder? Ich meine, jetzt, wo du nicht mehr herumschnüffelst. Lässt du den Kurs sausen?«

Jen runzelte die Stirn. Warum musste Angel bloß immer so unglaublich heikle Fragen stellen, und zwar genau die, die Jen nur allzu gerne verdrängte?

»Nein«, erwiderte sie nach kurzem Schweigen. »Ich meine, na ja, Mum weiß noch nichts davon, also muss ich erst mal weitermachen. Und Dad hat sich so gefreut, dass ich den Kurs absolviere ... Ich mache einfach noch ein Weilchen weiter. Du weißt schon, bis ich mich entschieden habe, was ich wirklich will.«

»Na dann, Hut ab, Jen«, knurrte Angel und verdrehte die Augen. »Nur du schaffst es, eine ohnehin komplizierte Situation noch tausendmal komplizierter zu machen.«

»Und, wie läuft's bei dir?«, lenkte Jen schnell ab.

»Tja, ich dachte ja schon immer, dass ich ein aufregendes Leben führe, aber augenblicklich ist es wirklich todlangweilig!«, antwortete Angel grinsend. »Mein Bruder heiratet, also muss ich zu seiner riesengroßen Verlobungsfeier. Ich muss einen Sari kaufen. Essen kochen. Bei meinen Eltern zu Hause ist die Hölle los. Und in meinem Yoga-Kurs sind mittlerweile sechzehn Leute.«

»Wow! Das ist ja spitze!«

Angel lächelte bescheiden. »Ja, nicht schlecht. Also los, raus mit der Sprache, warum treffen wir uns statt morgen schon heute? Ich dachte, unser Sonntagsfrühstück sei uns heilig!«

Jen errötete leicht. »Ich ... treffe mich mit Daniel. Rein beruflich ... ich meine, es geht um meine Recherche. Du weißt schon, für meinen Kurs. Aber ... na ja, trotzdem ...«

Angel musterte ihre Freundin eingehend. »Dir fehlen die Worte, und du bist knallrot geworden«, bemerkte sie. »Bist du sicher, dass es rein beruflich ist?«

Jen zuckte die Achseln und grinste. »Es ist wohl doch ein bisschen komplizierter«, gab sie zu und schaute ihre Freundin mit großen Augen an.

»Selbstredend!«, sagte Angel lachend. »Hätte ich mir doch auch denken können, oder?«

10

Am Sonntag gegen zwölf brach bei Jen die Panik aus. Eine Stunde zuvor hatte sie noch entspannt in ihrer Küche gesessen, mit ihrer Lieblingsjeans und perfekt aufgetragenem flüssigen Eyeliner, der ihre Augen doppelt so groß erscheinen ließ. Sie war schon seit einer Stunde fertig und hatte Zeitung gelesen, um sich abzulenken. Sie würde mit Daniel bloß über ein paar Buchhandlungen reden. Keine große Sache, redete sie sich ein. Es war nicht mal eine richtige Verabredung – es war rein beruflich. Recherche.

Und dann kam doch Panik auf. Sie war gestylt wie für ein Date! Sie hatte sogar ihr schnuckeliges blaues Höschen mit passendem BH an. Was hatte sie sich bloß dabei gedacht? Er war ihr Dozent, ein hohes Tier bei einer Buchhändlerkette, und sie hatte sich aufgetakelt, als träfen sie sich zu einem romantischen Tête-à-Tête.

Also war sie schnell ins Schlafzimmer geflitzt und hatte die Jeans wieder ausgezogen. Und das ziemlich tief ausgeschnittene T-Shirt gleich mit, das zwar nicht unbedingt allzu tief blicken ließ, aber deutlich offenherziger war als ein Pulli mit Rundhalsausschnitt. Aber was nun stattdessen anziehen? Welche Klamottenkombi signalisierte eindeutig: »Ich weiß, dass es sich um einen Geschäftstermin handelt, aber schließlich ist heute Sonntag und ich bin eine attraktive Frau, die Sie vielleicht eines schönen Tages mal zum Abendessen einladen möchten. Obwohl ich es natürlich nie darauf anlegen würde. Oder mich Ihnen ungefragt an den Hals werfen würde ...«

Jen sträubten sich die Nackenhaare. Sie nahm ein Kissen und drückte ihr Gesicht hinein. Es war eine furchtbare Idee gewesen, sich mit Daniel zu treffen. Sie hatte sich eingebildet, er hätte tatsächlich Interesse an ihr, doch in Wahrheit suchte er nur jemanden, der mit ihm eine Runde durch die Buchläden drehte. Bestimmt hatte er das bloß vorgeschlagen, um sie abzuwimmeln.

Ob sie ihn anrufen und absagen sollte? Er wäre garantiert erleichtert – vermutlich hatte er sie eingeladen mitzugehen, ohne lange nachzudenken, und überlegte jetzt gerade, wie er sie wieder loswerden sollte.

Okay, tief durchatmen. Du kannst Daniel gar nicht anrufen – du hast bloß seine Büronummer. Und außerdem will er dich wiedersehen – warum hätte er dich sonst gefragt? Und die Jeans ist absolut in Ordnung.

Langsam zog Jen die Jeans wieder an und schlüpfte in ein etwas weniger tief ausgeschnittenes T-Shirt. Darüber streifte sie noch ein hellblaues Wickeljäckchen. Dann kehrte sie an den Küchentisch zurück und zwang sich, ihr wild pochendes Herz mit langen, tiefen Atemzügen und regelmäßigen kleinen Schlucken Wasser zu beruhigen. *Was soll denn schon schiefgehen?*, fragte sie sich und wollte diese Frage dann lieber doch nicht beantworten. Alles, aber auch wirklich alles konnte schiefgehen.

Jen stand auf. Vielleicht sollte sie etwas tun, um die Zeit totzuschlagen – sie hatte noch gut zwanzig Minuten, ehe sie losmusste, und vor einer Verabredung zu viel Zeit zum Nachdenken zu haben war nie gut. Sie hatte seit langem die Kunst perfektioniert, sich alles, was irgendwelche Risiken für sie bergen konnte, umgehend wieder auszureden. Das Problem bestand darin, dass Jen schon immer ein Nervenbündel gewesen war, sobald sie sich irgendwie auf unbekanntem Terrain bewegen musste – als Kind hatte sie so ziemlich alles verweigert – ohne die tröstliche Nähe ihrer Mutter bei ihren Kusinen zu übernachten ebenso wie die Mitwirkung in einer Schulaufführung –, aber nachdem ihre Eltern sich getrennt hatten, war alles noch viel schlimmer geworden. Das rechtfertigte sie immer mit der Begründung, das Produkt einer gescheiterten Ehe zu sein, und da sei es nur natürlich, dass sie sehr vorsichtig war. Aber das war eine ziemlich lahme Erklärung und das wusste sie auch.

Lies doch etwas. Klar, dachte sie mit dem Ansatz eines Lächelns. *Er ist doch Buchhändler. Ich muss mit ihm über Bücher reden können.*

Schnell rannte Jen zum Bücherregal im Wohnzimmer, starrte es eine ganze Weile an und wartete auf einen Geistesblitz. Irgendetwas Beeindruckendes, dachte sie. James Joyce vielleicht. Oder die Biografie von

William Pitt, die sie im Fenster einer Buchhandlung entdeckt und eines schönen Tages gekauft hatte, nachdem sie zu dem Schluss gekommen war, nicht genug über die Geschichte Großbritanniens zu wissen. Aber bis heute war sie noch nicht dazu gekommen, sie zu lesen. Immerhin hatte sie sehr gute Kritiken bekommen. Und je länger sie herumlag und darauf wartete, endlich gelesen zu werden, desto mehr graute ihr davor. Hunderte Seiten gespickt mit historischen Tatsachen, ohne das kleinste bisschen Sex, Intrigen oder eine richtige Handlung. Sie kam sich vor wie Alice im Wunderland, die sich wunderte, dass jemand ein Buch ohne Bilder liest.

Aber trotzdem, Daniel musste einfach beeindruckt sein, wenn sie über die Biografie eines Politikers des 18. Jahrhunderts reden konnte, oder? Oder hatte er am Ende schon im 17. Jahrhundert gelebt?

Jen nahm das Buch und blätterte die Einführung kurz durch. Blah, blah, Premierminister. Blah, blah, jung gestorben. War sein ganzes Leben lang Politiker.

Du sollst doch nicht über Politik reden, und auch nicht über Religion oder Sex, schon vergessen?, dachte sie plötzlich. *Nicht gleich bei der ersten Verabredung.*

Das ist nicht unsere erste Verabredung, rief Jen sich in Erinnerung. *Das ist rein beruflich.*

Sie warf einen Blick auf die Uhr. Zwölf Uhr fünfzehn. Zeit, sich auf den Weg zu machen.

Daniel wartete vor dem Laden auf sie. Er trug einen wunderschönen, etwas abgetragenen grauen Kaschmirmantel und Jen konnte der Versuchung kaum widerstehen, einfach die Hand auszustrecken und ihn zu berühren. Doch stattdessen lächelte sie so natürlich wie unter den gegebenen Umständen möglich, sagte hallo und stand dann ein, zwei Sekunden etwas befangen da, bis Daniel den Arm ausstreckte und sagte: »Wollen wir?«

»Und, gehen Sie oft in Buchläden?«, fragte er dann im Inneren der wohlig warmen Book-City-Buchhandlung, drehte sich dabei zu ihr um und sah sie direkt an. »Oder war Ihre Arbeit eher theoretischer Natur?«

»Ziemlich oft ...«, entgegnete Jen zögerlich. Sie war unglaublich nervös und konnte sich überhaupt nicht entspannen.

»Wann? Wann gehen Sie rein und wie lange bleiben Sie, und was verleitet Sie dazu, etwas zu kaufen?«

Daniel sah sie immer noch durchdringend an und Jen merkte, wie ihr immer heißer wurde. Sie zog die Jacke aus, teils um sich abzukühlen, teils um einen Vorwand zu haben, kurz wegzuschauen. In solchen Augen konnte man ertrinken.

»Na ja«, erwiderte sie dann und ließ sich ein bisschen Zeit, um sich nicht nur zu überlegen, wann sie in einen Buchladen ging, sondern auch, wie sie hieß, wo sie wohnte und welcher Tag heute war. »Ich schätze, ich gehe oft in der Mittagspause – wenn ich eine mache. Und samstags – wenn ich einkaufen gehe oder so was. Wie neulich, da habe ich mir die neue Biografie von William Pitt gekauft.«

»Welche?«

Jen wurde rot. »Welche Biografie?«, fragte sie.

»Nein, welcher Pitt? Der Jüngere oder der Ältere?«

»Es gab zwei?« Dieses ungläubige Bekenntnis hatte ihre Lippen verlassen, ehe sie Zeit gehabt hatte, darüber nachzudenken oder eine schlaue Vermutung anzustellen. Aber statt sie anzusehen, als sei sie dumm wie Bohnenstroh, grinste Daniel bloß.

»Tut mir leid, das war unfair. Und warum haben Sie die gekauft? Normalerweise kaufen nicht viele junge Frauen historische Biografien. Die typischen Käufer sind sonst eher Männer zwischen fünfzig und siebzig.«

Jen zögerte. »Eigentlich wollte ich mich ein bisschen weiterbilden. Ich war zu dem Schluss gekommen, dass ich nicht genug über die britische Geschichte wusste.«

»Und jetzt schon?«

Jen lächelte schwach. »Ehrlich gesagt, ich habe das Buch nicht gelesen. Noch nicht.«

Wieder grinste Daniel, fuhr sich mit der Hand durch die Haare, um dann mit den Fingern an ein paar Strähnen herum zudrehen. Jen ertappte sich dabei, wie sie darauf starrte, und bremste sich schnell.

»Also, zurück zum Geschäft. Wie könnte man es verbessern? Womit könnte man mehr Kunden hereinlocken? Sie sind in einem Buchladen – was sehen Sie sich an?«, fragte Daniel sie.

Dich, dachte Jen, was sie aber natürlich nicht sagte. Stattdessen sah sie sich um und ihr Blick fiel auf die Tische gleich vor ihnen. »Die Tische mit den Auslagen.«

»Nur die Tische?«

Jen versuchte sich zu konzentrieren – langsam kam sie sich vor wie bei einer Prüfung. »Na ja, es sei denn, ich weiß ganz genau, was ich will«, erklärte sie ernst. »Dann gehe ich natürlich los und suche in den Regalen, da stehen die Autoren ja alphabetisch geordnet.«

Daniel nickte mit leuchtenden Augen. »Und wie oft wissen Sie ganz genau, was Sie wollen?«

Jen dachte einen Augenblick nach. »Eigentlich nicht so oft«, gab sie zu. »Ich meine, oft schaue ich gewohnheitsmäßig bei den Autoren nach, die ich kenne, aber normalerweise stöbere ich bloß ein bisschen und warte ab, ob mich irgendetwas besonders anspricht.«

Das war toll, dachte sie bei sich – genau das Richtige für ihren MBA-Kurs. Sie war richtig zufrieden. Und wenn ihr Lächeln ein wenig nachgelassen hatte, dann war das nicht so schlimm – es war eben so, wie sie es die ganze Zeit erwartet hatte. Es war ein geschäftliches Treffen. Daniel wollte ihre Meinung zu seiner Strategie hören und keine kuschelige Verabredung, bei der man gemeinsam Bücher anschaute. Wie dumm von ihr, irgendwas anderes zu vermuten. Wortwörtlich hatte er gesagt ... okay, an seine genauen Worte konnte sie sich nicht mehr erinnern, aber er hatte definitiv von Recherche und externen Einflüssen geredet und kein Wort über Verabredung oder Küssen verloren.

Sie schaute Daniel an und war ganz beunruhigt, als sie sah, dass er die Stirn in tiefe Falten gelegt hatte.

»Alles in Ordnung?«, erkundigte sie sich.

Daniel nickte rasch. »Ja, natürlich. Ich habe nur gerade überlegt, wie sehr mir das alles fehlt. Im Laden zu sein, mit den Kunden zu reden, zuzusehen, wie sie sich für ein Buch begeistern. Ich habe mit Bücherverkaufen angefangen und heutzutage komme ich kaum noch dazu, mir selbst eins zu kaufen.«

»Und wie sind Sie dahin gekommen, wo Sie jetzt sind?«, fragte Jen interessiert. »Ich meines wenn Sie als Buchhändler angefangen haben ...«

Daniel lächelte nachdenklich. »Das ist eine sehr lange Geschichte Die gekürzte Fassung ist, dass ich meinen eigenen Buchladen eröffnet habe, und als der gut lief, habe ich noch einen aufgemacht und als ich dann im ganzen Land hier und dort Buchläden hatte, hat Wyman's mir angeboten, sie zu kaufen und zu investieren, damit ich noch mehr eröffnen könnte. Ich habe zugestimmt und wurde Geschäftsführer.«

»Wow! Wie lange ist das jetzt her?«

»Ein Jahr«, antwortete Daniel leise.

»Und, macht es Ihnen Spaß?«

Er zuckte mit den Schultern. »Es ist ganz okay. Der Vorstand ist scharf auf mehr Wachstum, vielleicht sogar auf eine Übernahme, möglicherweise auch die Öffnung hin zu den internationalen Märkten. Und sie haben natürlich recht. Aber mir fehlt es ... na ja, einfach nur Bücher zu verkaufen ...«

Jen sah ihn aufmerksam an, bemerkte die kleine Falte über den Augenbrauen und die kaum merkliche Traurigkeit in seinen Augen. »Dann sollten Sie das auch tun«, sagte sie rasch. »Pfeifen Sie auf die internationalen Märkte, tun Sie einfach, was Sie tun wollen.«

»Tun Sie das denn? Tun Sie, was Sie wollen?«

Jen runzelte die Stirn, »Absolut. Ich meine, Sie wissen schon, irgendwie. Ich meine ...« Sie brach ab, weil sie erst beim Sprechen merkte, dass sie ja nicht einmal genau wusste, was sie wollte, ganz zu schweigen davon, dass sie es tat.

Sie lächelte unbehaglich. »Vielleicht ist es einfacher gesagt als getan«, meinte sie mit leichtem Achselzucken.

Daniel sah sie durchdringend an und grinste. »Und, haben Sie Hunger?«

Jen lächelte. »Sollten wir uns nicht lieber die Kundenströme und die Buchauslagen ansehen?«, fragte sie, und ihre Augen funkelten.

Daniel lächelte verlegen. »Ehrlich gesagt beschäftigt sich gerade eine Horde Marktforscher mit diesem Thema. Ich hatte eigentlich gehofft, Sie würden sich von mir zum Essen einladen lassen.«

»Weißt du«, kicherte Jen zwei Stunden später, deutlich aufgelockert von beinahe einer ganze Flasche Châteauneuf du Pape, die Daniel bestellt hatte, ehe er dann erwähnte, dass er eigentlich fahren müsse und deshalb nicht mehr als ein Glas trinken dürfe, »so wirst du mit deiner strategischen Planung nicht weit kommen. Du hast keinen einzigen bücherkaufenden Kunden genauer unter die Lupe genommen.«

»Hab ich wohl!«, protestierte Daniel gespielt beleidigt. »Du bist doch ein Kunde, oder? Und ich glaube, ich habe dich sehr genau unter die Lupe genommen.«

Jen guckte auf ihren Teller, bemüht sich nicht anmerken zu lassen, wie aufgeregt sie war. Es war nun wirklich kein Geschäftsessen gewesen. Daniel hatte sie in sein Lieblingsrestaurant in einer kleinen Straße gleich um die Ecke der Oxford Street entführt und da saßen sie nun schon, so kam es ihr vor, seit Stunden, verputzten göttliches Essen und redeten über alles Mögliche – angefangen bei den Taxipreisen in London bis hin zu der traurigen Tatsache, dass man sich, je älter man wird, immer mehr wie seine eigenen Eltern anhört und davon überzeugt ist, dass die Musik in den Charts nicht halb so gut ist wie die, die man selbst als Teenager gehört hat.

Übers Geschäft hatten sie noch kein einziges Mal geredet.

Außer ... Jen wurde plötzlich ganz anders. Was, wenn sie das ganze Gespräch beherrscht hatte? Was, wenn Daniel übers Geschäft hatte reden wollen, und sie hatte dauernd darüber gefaselt, dass es kein größeres musikalisches Talent auf der Welt gebe als David Bowie?

»Was ist denn mit den externen Einflüssen?«, fragte sie neckisch. »Über die haben wir noch gar nicht geredet ...«

Daniel sah sie erstaunt an. »Du willst allen Ernstes über externe Einflüsse reden?«, fragte er.

Jen nickte, schüttelte den Kopf und nickte dann wieder. »Ich überlege gerade, meine nächste Arbeit über Buchhändler zu schreiben.« Sie sah, wie Daniel sie verblüfft anschaute. »Nachdem die erste so gut angekommen ist«, fügte sie hinzu.

»Mit Buchhändlern, meinst du da Menschen oder Geschäfte?«

Jen grinste. »Das weiß ich noch nicht. Du bist mein erster Buchhändler.« Sie sahen sich an und Jen wurde rot. Und tatsächlich war es ihr vollkommen egal.

Daniel schaute sie mit einer hochgezogenen Augenbraue an. »Hast du vor, noch weitere kennenzulernen?«

Jen schüttelte den Kopf und er lächelte.

»Dann ist es ja gut. Wenn du mich fragst, bist du ein ziemlich willkommener, positiver Einfluss«, sagt er leise und legte die Hand auf ihre. »Und es tut mir leid, dass ich dich so mit Fragen bombardiert habe. Das mache ich immer, wenn ich nervös bin.«

Jen sah ihn ungläubig an. »Du warst nervös?«

Daniel zuckte die Achseln. »Vielleicht«, sagte er mit einem kleinen Lächeln. »Ich hatte befürchtet, du würdest den ganzen Tag nur übers Geschäft fachsimpeln wollen. Ich wusste nicht, ob ... na ja, du weißt schon.«

»Ob?«, hakte sie vorsichtig nach und fragte sich, ob es wohl allzu unverfroren wäre, ihre Finger mit seinen zu verschränken.

»Ob du noch einen Kaffee möchtest«, erwiderte er sachlich, und Jen runzelte ganz leicht die Stirn, als Daniel nach oben wies. Sie folgte seinem Blick und erblickte den Kellner, der neben ihnen stand und sie erwartungsvoll ansah.

»Ach«, meinte sie rasch. »Verstehe.«

Nach dem Kaffee ließ Daniel die Rechnung kommen und bestand darauf, sie nach Hause zu bringen. Sie gingen zu seinem Auto (ein wunderschöner alter Alfa Romeo Spider, wie Jen gleich registrierte), das er gleich um die Ecke geparkt hatte, und er be stand auch darauf, ihr die Tür aufzuhalten – vermutlich aber eher, weil diese sich nur nach einem kräftigen Tritt öffnen ließ, und nicht aus reiner Höflichkeit.

Als das Auto in Richtung Oxford Street losrollte, lehnte Jen sich zurück und ließ die Ereignisse des Tages Revue passieren. Daniel war perfekt, entschied sie. Intelligent, witzig, nahm sich selbst nicht so ernst, und dann diese Augen ...

Und er brachte sie sogar nach Hause. Er war ein echter Gentleman. Er war liebenswürdig. Er war ... oh Gott. Was, wenn sie bei ihr zu Hause ankamen? Ob er erwartete, dass sie ihn hineinbat? Warum hätte er sonst darauf bestanden, den Umweg zu ihrer Wohnung zu machen?

Aber sie konnte ihn doch nicht einfach hineinbitten – das war so abgeschmackt und suggerierte Dinge, die sie noch gar nicht suggerieren wollte. Zumindest wollte sie nicht, dass er dachte, dass Jen sie suggerieren wollte, auch wenn sie es augenblicklich gerne getan hätte ...

Nein, sie war keine, die einen Mann gleich mit nach oben nahm, nicht mal auf eine Tasse Tee.

Obwohl sie natürlich auch nicht wollte, dass der Nachmittag so schnell endete ...

Jen runzelte die Stirn, wünschte, sie hätte nicht ganz so viel Wein getrunken, und stellte im Kopf schnell eine Für-und-Wider-Liste auf. Dafür sprach, dass sie ihn noch ein paar Stunden für sich haben würde; dass sie von ihm geküsst werden wollte; dass es nur höflich wäre; dass sie ihm, oh Gott, die Klamotten vom Leib reißen wollte. Dagegen, dass sie ihn dann vielleicht nie wiedersehen würde und dazu, dass in ihrer Wohnung das blanke Chaos herrschte ...

»Alles okay?«, fragte Daniel.

»Bestens, danke!«, antwortete Jen betont fröhlich.

Das Auto schnurrte durch Green Park und Chelsea, bis sie vor ihrer Wohnung in Fulham ankamen, wo Daniel am Straßenrand anhielt.

»Vielen Dank«, sagte Jen rasch. »Wirklich sehr nett, dass du mich mitgenommen hast. Und das Essen auch ... es war wirklich ein sehr schöner Tag.«

»Finde ich auch«, entgegnete Daniel, schaltete den Motor aus, drehte sich zu Jen um und sah sie an. Mit einem Blick, der normalerweise nahegelegt hätte, dass ein Kuss nicht außer Frage stand. Jen löste ihren Gurt.

»Und, wo ist deine Wohnung?«, fragte Daniel mit einem Blick auf das Haus, vor dem sie standen.

»Oh, die ist nicht in diesem Haus, sondern gegenüber auf der anderen Straßenseite.«

Daniel drehte sich um und guckte sich das andere Haus an. »Das, vor dem dieser Penner steht?«, fragte er.

Jen drehte den Kopf, um zu sehen, wen er meinte. »Ja«, murmelte sie. »Das mit dem ...« Sie kniff die Augen zusammen und schaute noch etwas genauer hin. Dann schrie sie vor Überraschung leise auf. »Oh Gott. Das ist kein Penner. Das ist Gavin, mein Exfreund.«

Erstaunt zog Daniel die Augenbrauen hoch und setzte sich kerzengerade hin. »Ach so. Dann, ähm, lasse ich dich jetzt wohl besser gehen.«

»Nein, nicht. Ich meine, ich habe keine Ahnung, was der hier zu suchen hat. Es besteht keinerlei Veranlassung, dass du ...«

Gavin hatte sich umgedreht und starrte nun Daniel an, der sich offenbar alle Mühe gab, nicht zurückzustarren.

»Nein, ehrlich, es sieht aus, als wollte er mit dir reden. Ich ... ich muss sowieso nach Hause ...«, sagte er in schlagartig weniger vertrautem Tonfall.

»Es tut mir so leid«, stammelte Jen verzweifelt. »Ich ...«

»Hör zu, gar kein Problem«, unterbrach Daniel sie mit einem plötzlich etwas gezwungenen Lächeln. »Du gehst, und ... na ja, du gehst.«

Als sie aus dem Auto stieg, beugte Jen sich noch mal runter und sah ihn ein letztes Mal an.

»Bis bald«, sagte sie mit einem kleinen Fragezeichen am Ende. »Ja. Hat Spaß gemacht«, erwiderte Daniel mit einem Zwinkern und ließ den Motor wieder an.

Jen sah ihm nach, als er wegfuhr, dann drehte sie sich um und stürzte auf Gavin zu.

»Was zum Teufel hast du hier zu suchen?«, schnauzte sie ihn böse an.

11

»Also, was hast du hier zu suchen?«, knurrte Jen noch einmal.

Entnervt beäugte sie Gavins schiefes Grinsen und seine mausbraunen, zerzausten Haare, die aussahen, als hätte er sie seit Wochen nicht mehr gewaschen.

»Ich wollte dich sehen, Süße. Wusste ja nicht, dass ich störe. War das ein Freund von dir?«

Jen ignorierte ihn, kramte ihren Schlüssel hervor und schloss die Haustür auf.

»Du siehst ... du siehst toll aus«, bemerkte Gavin, aber sein Tonfall ließ ahnen, dass er eher das genaue Gegenteil meinte. »Schick, meine ich. Deine Haare glänzen ja.«

»Und du siehst furchtbar aus«, gab Jen zurück. Sie war auf der Hut. »Was ist denn mit deinen Klamotten passiert?«

Gavin grinste breit. »Und ich dachte immer, du stehst auf raue Naturburschen. Tja, dann komme ich wohl nächstes Mal lieber mit meinem Sportwagen.«

Jen musterte ihn missbilligend und er zuckte die Achseln. »Ich habe gerade eine Kundgebung gegen den Bau eines Supermarkts mitorganisiert«, erzählte er, hüpfte in die Küche und goss sich unaufgefordert ein großes Glas Milch ein. »Da habe ich dann ein paar echt coole Backpacker kennengelernt und mit denen bin ich eine Weile rumgezogen.«

Jen nickte. »Was den Zustand deiner Haare erklären würde.« Gavin grinste linkisch. »Ehrlich gesagt, ich finde es steht mir. Allerdings könnte ich morden für ein Bad. Wenn wir noch Freunde sind, wohlgemerkt.«

Hoffnungsvoll schaute er Jen an und sie schnalzte mit der Zunge wie eine verärgerte Glucke. »Du kannst nicht einfach so hier reinplatzen«, herrschte sie ihn an. »Ich bin nicht mehr deine Freundin. Ich lebe jetzt mein eigenes Leben.«

Gavin wirkte gekränkt. »Aber wir sind doch trotzdem noch Freunde«, jammerte er. »Ich kann auch gehen, wenn dir das lieber ist. Steve meinte, ich könnte auch bei ihm auf dem Fußboden übernachten ...«

Er schnappte sich seine große, muffig riechende Tasche, die er immer mit sich herumschleppte, und wanderte langsam in Richtung Tür. Jen wartete, bis er beinahe dort angekommen war, dann lenkte sie ein. »Ein Bad. Mehr nicht.«

»Und was zu essen?« Seine Augen blitzten. »Du bist einfach die beste Köchin, Jen. Nur einmal bei dir essen und morgen verschwinde ich wieder, versprochen.«

»Morgen?«

Gavin grinste und beugte sich vor, um ihr einen Kuss auf die Wange zu drücken. »Du würdest mich doch nicht einfach vor die Tür setzen, oder? Nicht, wo ich schon mal hier bin. Nicht, nachdem wir uns so lange nicht gesehen haben.«

Jen verschränkte die Arme und sah ihn an. Gavin war anders als alle anderen Leute, die sie kannte. Energiegeladen, charmant, ein hoffnungsloser Fall, was die praktischen Dinge des Lebens anging, aber auf seinem Spezialgebiet besser als alle anderen – Leute einspannen, Unterstützung organisieren und Menschen für sich gewinnen. Alle wollten sich um ihn kümmern, alle wollten mit ihm befreundet und in seiner Nähe sein. Aber er war wie eine streunende Katze – anhänglich und anschmiegsam, wenn er etwas brauchte, aber blitzschnell wieder verschwunden, wenn er seinen Hunger gestillt hatte. Als seine Freundin hatten ihre Freunde und Bekannten Jen gleichermaßen beneidet und bemitleidet. Aber anscheinend war man, wie sie jetzt feststellen musste, wider Erwarten auch als seine Nicht-mehr-Freundin nicht vor ihm sicher.

»Du musst dir dringend jemand anderen suchen, den du ab jetzt mit deinen Überraschungsbesuchen beglücken kannst, Gavin«, sagte sie schließlich. »Du kannst heute Nacht hierbleiben, aber mehr ist nicht drin. Im Ernst. Hast du keine neue Freundin?«

Sie fragte das zum Teil auch, um sich selbst auf die Probe zu stellen. Um ihre Reaktion zu beobachten, sollte er ja sagen. Sie war sich ziemlich sicher, dass es ihr nichts mehr ausmachen würde.

»Keine wie du.«

»Du bist so leicht zu durchschauen, Gavin. Hör mit dem Süßholzraspeln auf, okay? Ich habe doch schon gesagt, dass du hierbleiben kannst.«

»Du bist die Beste, Jen. Wirklich wahr.«

Sie verdrehte die Augen, machte den Kühlschrank auf und sah Gavin nach, der ins Badezimmer marschierte und sich ein Bad einließ.

»Und, arbeitest du immer noch bei deiner Mutter?«, fragte Gavin, der gleichzeitig redete und einen Teller von Jens Grünem Spezial-Thai-Curry verschlang.

Jen zögerte. »Sozusagen.«

»Sozusagen?«

»Es ist ... ziemlich kompliziert.«

Gavin grinste. »Ich liebe Komplikationen. Also, erzähl weiter.«

Jen zuckte die Achseln. »Okay, aber es ist ein Geheimnis.«

»Ich behalte es für mich, großes Indianerehrenwort, oder ich will tot umfallen. Obwohl ich eigentlich nur äußerst ungern tot umfallen will. Warum zum Teufel sollte ich tot umfallen wollen? Aber ich halte die Klappe.«

»Ich betreibe gerade ein bisschen Firmenspionage.«

Als Jen das sagte, spürte sie etwas von ihrer Mutter in sich aufsteigen, und sie war drauf und dran, ein kleines bisschen anzugeben, Gavin mit dramatischen Spiongeschichten beeindrucken zu wollen, und sie musste sich vor Unbehagen schütteln.

»Cool.«

Jen guckte ihn finster an. Bloß »cool«? Keine Fragen? Nicht mal ein respektvoller, verwunderter Blick?

»Ja«, fuhr sie fort. »Es hat mit dem Korruptionsskandal in Asien zu tun. Mit dem Tsunami-Geld? Ich … ich leite das Team, das herausfinden soll, wer in Großbritannien damit zu tun hat.« War das, was sie tat, wirklich so oberflächlich?, fragte sie sich, noch während sie das erzählte. War sie so versessen darauf, Gavin zu imponieren? Bei ihr hörte es sich an, als arbeitete sie für die Regierungsbehörden, dabei war sie doch bloß ihrem Vater hinterhergelaufen, nur um dann feststellen zu müssen, dass er überhaupt nichts mit der ganzen Sache zu tun hatte.

»Das ist echt cool! Und, wer ist es?«

Jen nahm ihren leeren Teller und trug ihn zum Spülbecken. »Ach, wir verfolgen gerade mehrere Spuren«, antwortete sie ausweichend.

»Was für Spuren? Komm schon, das ist spannend.«

Er hatte sich ganz gerade hingesetzt und blickte sie erwartungsvoll an. Jen seufzte. Selbst schuld, schließlich hatte sie es drauf angelegt, dass es so vielversprechend klang. Sie dachte einen Augenblick nach, dann setzte sie sich wieder an den Tisch.

»Na ja, zuerst hatten wir Bell Consulting im Verdacht. Du weißt schon – die haben da drüben Büros, Kunden in der Regierung, und Axiom – das Bauunternehmen – na ja, gehört auch zu ihren Kunden. Aber die waren es nicht, also stehe ich wieder ganz am Anfang.«

»Bell Consulting? Das ist doch die Firma deines Vaters, oder?« Jen nickte und ihr wurde ein bisschen warm. Bestimmt lag das am Curry, redete sie sich ein.

»Und woher weißt du, dass er es nicht war?«

»Ich ... ich weiß es einfach.«

»Was, weil er es dir gesagt hat?« Gavin lachte, und Jen funkelte ihn wütend an.

»Möglich.«

Er schaute sie mit gespieltem Erstaunen an. »Du meinst es todernst, oder? Er hat dir gesagt, dass er nichts damit zu tun hat, und du hast es ihm geglaubt. Ach, Jen. Ach, süße kleine Jen.«

»Ich bin weder klein noch süß«, schimpfte sie empört, weil ihr plötzlich wieder einfiel, warum sie Gavin unbedingt beweisen wollte, was sie alles allein auf die Beine gestellt hatte. Zwei Jahre lang war sie hinter ihm hergedackelt und zum Dank dafür hatte er ständig getan, als müsse er auf sie aufpassen, als sei sie einfach zu naiv und gutgläubig. *Denk dran*, dachte sie bei sich, *wir waren lange genug zusammen. Vielleicht hattest du ja sogar recht.*

»Pass auf, er hat es mir nicht einfach nur gesagt. Das ist noch längst nicht alles gewesen«, sagte sie betont sachlich, nahm Gavins Teller und spülte ihn ab. Sie fühlte sich irgendwie angegriffen, in die Ecke gedrängt.

»Wie du meinst.« Gavin lächelte in sich hinein und Jen holte tief Luft. Sie würde nicht nach dem Köder schnappen. Sie würde es sich nicht zu Herzen nehmen.

»Dieser Typ im Auto eben. War das dein Freund?«

Jen stellte die Teller hin. »Vielleicht.«

»Wieso, hat er sich noch nicht entschieden?«

Mit wütend funkelnden Augen drehte sie sich zu ihm um. »Hätte er vielleicht, wenn du nicht aufgetaucht wärst. Wenn du mir nicht vor der Haustür aufgelauert hättest, wäre er jetzt vielleicht hier bei mir.«

Gavin grinste. »Hoppla. Bin ich dir in die Quere gekommen? Hey, ist doch nicht schlimm, wenn er merkt, dass es noch andere Konkurrenten gibt, weißt du. Dann muss er sich ein bisschen anstrengen.«

»Du bist keine Konkurrenz«, entgegnete Jen stocksauer. »Und wenn's dir nichts ausmacht, würde ich heute gerne früh ins Bett gehen. Du hast sicher nichts dagegen, auf dem Sofa zu schlafen.«

»Habe ich denn eine andere Wahl?« Seine Augen blitzten schon wieder, und Jen seufzte.

»Nein, hast du verdammt noch mal nicht.«

Als sie zur Tür ging, stand Gavin auf und stellte sich ihr in den Weg. »Dann ist es wohl meine Schuld, dass du den Typ heute Abend nicht vögeln kannst, hm?«

Ihre Augen wurden zu schmalen Schlitzen. »Halt die Klappe, Gavin.«

»Es ist nur so, dass ich das Gefühl habe, ich schulde dir was. Du weißt schon ...« Er umarmte sie und beugte sich vor, um sie zu küssen. Das Ganze kam Jen sehr vertraut vor und war doch gleichzeitig vollkommen falsch.

»Verdammt, du hast mir gefehlt, Jen«, jammerte er, als sie sich gewaltsam losmachte. »Was denn?«, fragte er. »Was ist denn los?«

Sie sah Gavin an und schüttelte den Kopf. »Ich will nichts mehr von dir, Gavin. Du schläfst auf dem Sofa und morgen verschwindest du wieder.«

Er zuckte die Achseln. »Schade«, murmelte er mit einem schiefen Lächeln. »Du bist ziemlich sexy, weißt du, Jen.«

Und während Jen ins Bett ging, fragte sie sich, ob Daniel ihm da wohl zustimmen würde.

12

Am nächsten Morgen im Büro ertappte Daniel sich immer wieder dabei, wie seine Gedanken abschweiften. Er musste sich richtig dazu zwingen, aufmerksam zuzuhören, während der Aufsichtsratsvorsitzende über die angeblichen Vorteile schwadronierte, die sich ergaben, wenn man Immobilien zunächst verkaufte und dann leaste. Das war in etwa so interessant wie Farbe beim Trocknen zuzusehen.

»Warum überlassen Sie das nicht mir?«, schlug er schließlich vor, weil er Robert Brown unbedingt aus seinem Büro haben wollte. Er war gereizt wie ein Löwe im Käfig.

Robert nickte und stand auf, um zu gehen. »Wie läuft's denn mit der Wachstumsstrategie?«, fragte er auf dem Weg zur Tür.

Daniel überlegte kurz und versuchte, das Bild von Jen aus seinem Kopf zu verdrängen – der geheimnisvollen, ungreifbaren, wunderschönen Jen, bei der Wörter wie Strategie und Aktionär sexy und aufregend klangen.

»Ach, wissen Sie, es wird schon«, log er. In Wahrheit fand er alles an seinem Job im Moment zum Umfallen langweilig. Nichts als Wachstumstabellen und Berichtsbögen und Fusionen und Übernahmen, und kein einziges Buch, kein Verkauf, kein Kunde. Nichts von dem, was er richtig gut draufhatte.

»Na, dann sagen Sie doch einfach Bescheid, wenn Sie Hilfe brauchen.« Robert nickte Daniel kurz aufmunternd zu, dann ging er. Daniel stand auf und fing an, nervös in seinem Büro auf und ab zu laufen. Er machte das jetzt, wie lange schon, seit zehn Monaten? Elf vielleicht? Und was hatte er in dieser Zeit erreicht? Nichts. Absolut gar nichts. Aber wie sollte er auch etwas erreichen, wenn man ihm alles, was er früher gemacht hatte, aus den Händen genommen hatte? Er hatte ein Team, das sich mit den Verlegern herumschlug, und eins für die Werbung. Es gab einen Vertriebsleiter, eine ganze Abteilung, die sich mit der Kundenbetreuung befasste, und soweit Daniel es einschätzen konnte, blieb für ihn nichts weiter zu tun, als aus dem Fenster zu starren und sich zu fragen, wie zum Teufel er bloß hier gelandet war.

Er beugte sich über den Konferenztisch und las die Schlagzeilen der Financial Times, die über den ganzen Tisch ausgebreitet war. Man hatte eine Untersuchung über die Finanzen einer Ölfirma eingeleitet. Der Aktienkurs einer Herstellerfirma war nach einem schwachen Quartal gefallen.

Öde, öde, öde. Er war doch nicht Geschäftsmann geworden, um als Manager zu enden. Er hatte etwas

Neues erfinden wollen, neue Wege gehen, die Dinge anders angehen, frischen Wind hineinbringen. Und irgendwie war er dann hier gelandet, ganz oben – und zu Tode gelangweilt.

Verdammt, dachte er und griff zum Telefonhörer.

»Anita Bellingers Büro.«

»Hier spricht Daniel Peterson von Wyman's. Ist Anita zu sprechen?«

»Einen Moment, bitte.« Daniel trommelte mit den Fingern auf dem Tisch herum, während er wartete.

»Daniel? Das ist aber eine nette Überraschung! Ich dachte, du hättest gar keine Zeit mehr für uns niederes Verlagsvolk. Was kann ich für dich tun?« Anita klang ganz so, als sei sie wirklich begeistert, von ihm zu hören.

»Ich würde gerne mit dir euer Programm durchgehen, wenn's dir recht ist. Vielleicht könnten wir mal wieder zusammen essen.«

»Gibt's irgendwelche Probleme, Daniel? Ich bin das Programm doch letzten Monat schon mit euren Einkäufern durchgegangen, und die schienen sehr zufrieden.«

Daniel runzelte die Stirn. Natürlich war das schon längst über die Bühne. Und schon wieder etwas, für das er nicht mehr zuständig war. »Anita, ich wollte bloß ein bisschen über Bücher quatschen. Geht das? Ich fühle mich hier eingesperrt, ich starre auf Tabellen und höre Leuten zu, die von Unternehmensprozessumstrukturierung salbadern, und ich wollte mir nur noch mal vor Augen führen, warum ich das alles eigentlich mache.«

»Verstehe ich sehr gut, Daniel. Überhaupt kein Problem«, erwiderte Anita rasch, als sie hörte, wie frustriert er klang. »Hör zu, ich fahre über Weihnachten weg, aber sobald ich wieder da bin, machen wir etwas aus, okay? Und Daniel, es ist doch alles in Ordnung, oder?«

Daniel lächelte dankbar. Er wusste, auf Anita war Verlass. Sie hatte ihn schon gekannt, als er gerade anfing, hatte ihm oft geholfen und ihm alles beigebracht, was man übers Bücherverkaufen wissen musste, angefangen bei Geschäftsabschlüssen mit Verlagen bis hin zur richtigen Schaufensterdekoration. Wenn irgendjemand es schaffte, ihn wieder für seinen Job zu begeistern, dann sie.

»Mir geht's gut, wirklich. Hör zu, Anita, vielen Dank. Ich würde sagen, ich schulde dir was, aber das tue ich sowieso schon, stimmt's?«

»Ich wünsche dir schöne Weihnachtstage, Daniel. Ruh dich ein bisschen aus. Und halte schon mal ein bisschen Geld be reit für die vielen schönen Bücher, von denen ich dir dann erzähle.«

Daniel grinste, als er auflegte, und widmete sich dann wieder seinen Tabellen.

»Hältst du dich auch ganz bestimmt an die Diätvorschriften, die ich dir gegeben habe?«

George schaute seinen Arzt an wie ein bockiger kleiner Junge und schnaubte hörbar. »Nennst du mich etwa einen Lügner?«, fragte er herausfordernd.

»Nein, George. Ich habe dir nur eine einfache Frage gestellt, weiter nichts. Es geht hier um deine

Gesundheit – wenn du das nicht ernst nehmen willst – ich zwinge dich jedenfalls nicht dazu.«

George schaute betreten zu Boden. Verflixte Diät. Saublödes Trainingsprogramm. Das war einfach unmenschlich – die erwarteten doch tatsächlich, dass er sich von Grünfutter ernährte und dann auch noch jeden Tag zehntausend Schritte lief. Zehntausend! Er hatte diesen dämlichen Schrittzähler, den der Arzt ihm mitgegeben hatte, einen ganzen Tag lang mit sich herumgeschleppt und war auf die stolze Summe von sage und schreibe 2500 Schritten gekommen. Und das noch dazu an einem extrem anstrengenden Tag – er hatte keinen Fahrer gehabt und eine Besprechung in der Stadt, also war er gezwungen gewesen, zur Straße zu laufen und ein Taxi anzuhalten. Sein Arzt wurde langsam schlimmer als Harriet – die hatte auch immer versucht, ihn dazu zu bringen, Möhren und so ein verabscheuungswürdiges Zeug namens Kichererbsen zu essen, aber davon hatte er partout nichts wissen wollen. Und daran würde sich jetzt auch nichts ändern.

»Ich dachte, ich bezahle dich dafür, dass du dich um meine Gesundheit kümmerst«, brummte er unwirsch. George hatte keine Zeit für Schwäche – nicht für seine eigene und auch nicht für die der anderen –, und die Vorstellung, er könne vielleicht doch nicht so unangreifbar stark sein, war ihm einfach unerträglich. »Und außerdem übertreibt ihr Ärzte es doch immer ganz gerne, nicht wahr? Ihr seid immer sehr vorsichtig. Ich bin da risikobereiter. Intensiv leben und ...«

»Jung sterben?«, unterbrach Dr. Richards ihn. »George, lass es dir von mir gesagt sein: Du willst nicht jung sterben. Und ganz sicher willst du nicht irgendwann bettlägerig oder arbeitsunfähig sein, oder doch?« George betrachtete angestrengt seine Schuhspitzen.

»Nein, wohl eher nicht. Also keine Zigarren mehr. Und kein rotes Fleisch. Beweg dich ein bisschen mehr. Und Finger weg vom Bordeaux, verstanden?«

George zuckte die Achseln. »Ich bin nicht sehr glücklich darüber«, murrte er. »Ganz und gar nicht. Vielleicht hole ich doch noch eine zweite Meinung ein.«

Dr. Richards stand auf und schüttelte George kräftig die Hand. »Anderenfalls wäre ich auch sehr enttäuscht«, sagte er schmunzelnd.

George verließ die Praxis von Dr. Richards in der Harley Street und beschloss, zum Büro zurückzulaufen und ein paar Schritte auf diesem blöden Schrittzähler gutzumachen. Es war sehr selten, dass er tagsüber mal Zeit für sich hatte, und es war draußen sogar richtig schön und klar. Eisig kalt, aber die Engländer waren schließlich daran gewöhnt, niedrigen Temperaturen zu trotzen, dachte er bei sich. Die Sonne machte ihnen viel mehr zu schaffen.

Er fragte sich, was Jen wohl gerade machte. Vermutlich saß sie im Hörsaal in den Bell Towers und lauschte einer Vorlesung oder sie arbeitete in der Bibliothek. Lieber Gott, wie unglaublich das doch alles war. Vor einer Woche hatte er nur dem Namen nach eine Tochter gehabt. Und heute war er wieder ein richtiger Vater und sie war ihm dazu sogar noch ziemlich ähnlich.

Wenn er doch bloß mit ihr angeben dürfte, Emily von ihr erzählen, all seinen Kollegen – ganz besonders denjenigen, die immer endlos mit ihrem eigenen Nachwuchs prahlten. Aber er hatte ihr versprechen müssen, nichts zu verraten, und außerdem konnte er warten. Das Letzte, was er sich jetzt wünschte, war ohnehin, dass Harriet sich wieder einmischte. Er hatte einige kostbare Augenblicke mit seiner Tochter genießen dürfen und er wollte nicht, dass irgendetwas oder irgendjemand sich zwischen sie stellte.

Und natürlich musste er die Umstände bedenken. Sie war seine Tochter, aber sie hatte sich in seinem Büro versteckt, zum Kuckuck noch mal. Er war sich relativ sicher, dass sie ihm glaubte, aber er musste vorsichtig sein.

Vielleicht sollte er sie mal wieder anrufen. Fragen, ob sie vielleicht Zeit hatte, mit ihm zu Mittag zu essen. Schnell holte er sein Handy aus der Tasche und wählte Jens Nummer. Er wurde sofort zu ihrer Mailbox durchgestellt.

»Jen? Ich bin's nur, dein Vater, ich wollte fragen, ob du heute Mittag mit mir essen willst. Wenn nicht, kein Problem. Ich ... na ja, ich hoffe, wir hören bald voneinander. Und sei schön fleißig! Bye-bye.«

Ob er sich blöd anhörte?, fragte er sich. Vermutlich klang er in ihren Ohren wie ein alter Mann. Es war leicht zu verdrängen, wie die Zeit verging, die Jahre einfach an sich vorbeiziehen zu lassen und sich einzubilden, sie könnten einem nichts anhaben, überlegte er. Dass man noch derselbe junge, dynamische Mensch sei wie früher. Aber Kinder brachten einen unsanft dazu, wieder mit beiden Beinen zurück auf dem Boden der Tatsachen zu landen. Jen war jetzt, wie alt, achtundzwanzig? Er war fast fünfzehn Jahre älter als damals, als sie ihn das letzte Mal gesehen hatte. Die Haare waren grau geworden, der Bauch dicker und die Wangen schlaffer. Was musste sie bloß von ihm denken? Ob es für sie ein Schock gewesen war, ihn zu sehen?

Er legte die Stirn in tiefe Falten. Komm schon, George, ermahnte er sich streng, hör auf mit dem Quatsch. Du hast viel zu tun. Das Handy hatte er noch in der Hand und nun wählte er eine andere Nummer.

»Hallo, hier ist Paul Song.«

»Ach, Paul. Wollte nur mal nachfragen, wie die Reise nach Aceh verlaufen ist. Treffen wir uns heute Abend, gleicher Ort, gleiche Zeit? Gut, gut. Bin schon sehr gespannt.«

George stopfte das Telefon in die Tasche zurück, legte einen Zahn zu und marschierte in Richtung St. James.

13

Am nächsten Tag saß George in seinem Lieblingsrestaurant und beäugte hungrig das Steak vor seiner Nase.
Es war wunderbar, auf den Punkt englisch gebraten,
genau wie er es am liebsten mochte. Genau das aßen
die Menschen seit Urzeiten, keine Erbsen und Salat-
blätter. Er war sicher, bald würde auch die Schulmedi-
zin dahinterkommen, dass all die klugen Ratschläge,
die sie ihren Patienten jahrelang gegeben hatte,
schlichtweg falsch waren.

»Und«, erkundigte er sich lächelnd, »viel vor über
Weihnachten?«

Sein alter Freund Malcolm schüttelte den Kopf.
»Nichts sonderlich Aufregendes. Die übliche Familien-
feier in Surrey – mein Sohn kommt mit seinen beiden
Kindern, du weißt schon, das Übliche. Zu viel Essen
und Trinken und dann mit einem gewaltigen Kater
wieder zurück an die Arbeit!«

George lächelte nickend und versuchte sich darüber
zu freuen, dass er seine Weihnachtstage eher

zurückgezogen verbringen würde. *Ruhe und Frieden*, sagte er sich – *darüber geht doch nichts.*

»Ist bestimmt ganz gut, den Horror-Schlagzeilen mal eine Weile zu entfliehen«, meinte George und spülte sein Essen mit einem kräftigen Schluck Margaux hinunter.

Malcolm schaute ihn mit hochgezogenen Augenbrauen an. »Das ist wohl wahr«, pflichtete er ihm bei. »Diese verfluchten Journalisten wühlen so viel Dreck auf. So was müsste verboten werden.«

George nickte weise. »Du bewirbst dich also um die Wiederaufbaumaßnahmen, habe ich gehört?«

Malcolm schenkte George noch ein Glas Wein ein. »Ach, ich denke schon«, murmelte er mit einem angedeuteten Lächeln. »So, hast du schon einen Blick auf die Dessertkarte geworfen? Ich glaube, wir können uns auf ein paar wunderbare Köstlichkeiten freuen.«

Jen seufzte und sah Lara nervös an. Es war ja gut und schön, dass sie sich jetzt wieder mit ihrem Vater vertragen hatte und mit ihm wie erst gestern wieder gemütlich Mittagessen ging, aber das half ihr jetzt auch nicht weiter. »Garantiert wird mein Kuli auslaufen«, knurrte sie kopfschüttelnd. »Lara, sei so gut und leih mir einen Kuli, ja?«

Lara reichte Jen einen Kugelschreiber. »Ich mache mir weniger Sorgen um die Kulis – ich habe Angst, dass mein Hirn ausläuft«, erklärte sie mit dramatischem Seufzen. »Ich hasse diese dämlichen Prüfungen. Ich verstehe nicht, warum wir die überhaupt machen müssen. Und dann auch noch in der Woche vor Weihnachten. Ich meine, das ist doch sadistisch.«

Jen zuckte die Achseln. Es waren noch ungefähr zehn Minuten bis zu ihrer ersten Semesterprüfung und die Nerven lagen blank.

Sie versuchte sich einzureden, es sei ihr egal, ob sie die Prüfung bestand oder durchfiel, aber das stimmte natürlich nicht. Noch nie war sie irgendwo durchgefallen und sie wollte damit auch gar nicht erst anfangen.

»Hi, Jen, hi, Lara.« Sie hoben den Kopf und erblickten einen nervös wirkenden Alan, der gerade zu ihnen an den Tisch getreten war.

»Hi, Alan«, begrüßte Jen ihn betont fröhlich. »Freust du dich schon auf die Prüfung?«

Er sah nachdenklich aus. »Es ist immer gut, wenn man die Gelegenheit bekommt, das Erlernte zu festigen«, erklärte er ernst. »Aber ich würde nicht so weit gehen zu behaupten, dass ich mich darauf freue. Es ist mehr ein notwendiges Übel. Ich hätte allerdings eine Frage – würdet ihr sagen, die Analyse der Anspruchsgruppen gehört zur internen oder externen Analyse? Ich meine, es sind die Anspruchsgruppen eines Unternehmens, also sind sie ein interner Faktor, aber sie sind nicht im Unternehmen selbst, also sind sie extern. Stimmt's?«

»Ach, halt doch die Klappe, du verdammter Klugschwätzer«, schnauzte Lara ihn entnervt an. »Ich habe nicht den geringsten Schimmer und wenn du ein eigenes Leben hättest, dann ginge es dir genauso.«

Alan schaute verwirrt zu ihnen hinunter. »Ich habe mich doch bloß gefragt ...«, protestierte er und setzte sich dann.

»Tja, ich denke, es ist Zeit reinzugehen«, bemerkte Jen und sammelte ihre Siebensachen ein.

»Wo rein?«

Blitzschnell drehte Jen sich um. Die Stimme kannte sie doch. Aber das konnte doch unmöglich Daniel sein, oder? Der musste doch ganz sicher arbeiten?

Es war tatsächlich Daniel. Er sah einfach göttlich aus mit seinen hochgekrempelten Hemdsärmeln und der dunkelblauen Wollhose. Verlegen grinste er Jen an und als er sich mit der Hand durch die Haare fuhr, schlug ihr Magen einen doppelten Salto. Schnell sprang sie auf und warf dabei fast den Tisch um.

»Daniel! Hi!«, zirpte sie mit etwas zu hoher Piepsstimme. »Wir haben Prüfungen. In fünf Minuten fängt's an. Und, hast du ... hast du heute eine Vorlesung hier?«

Daniel grinste. »Nein, ich wollte bloß ein paar Berater ausquetschen«, erklärte er ausweichend. »Und ich wollte mich verabschieden – ich fahre über Weihnachten zu meinen Eltern nach Northumberland. Heute Abend geht's los.«

Jen spürte die Enttäuschung wie einen Stich, zwang sich aber zu einem Lächeln. »Ach. Gut. Na ja, ähm ...« Am liebsten hätte sie ihn geküsst. Aber sie konnte Laras und Alans Blicke spüren, die sich in ihren Rücken bohrten, und außerdem war er schließlich nicht ihr Freund oder so etwas. Wieder verfluchte sie Gavin dafür, dass er einfach unangemeldet bei ihr aufgekreuzt war. Hätte er am Sonntag nicht vor ihrer Haustür gestanden, würde sie Daniel jetzt wahrscheinlich gerade küssen.

»Sehen wir uns, wenn ich wieder da bin?«, fragte er leise und zwang sie damit, näher heranzukommen, so nahe, dass sie den Duft seiner Haut riechen konnte.

»Himmel, das hoffe ich doch«, hauchte sie und zog dann eine kleine Grimasse. »Ich meine, nun ja, das wäre nett ...«

»Dachte ich auch. Viel Glück bei der Prüfung!«

Als er gegangen war, sank Jen auf ihren Stuhl zurück.

»Tja, Alan«, meinte Lara trocken. »Würde deine Analyse der Anspruchsgruppen Daniel Peterson nun als internen oder externen Faktor betrachten?«

Alan stand auf. »Da ich kein eigenes Leben habe, wie du so nett dargelegt hast, kann ich dazu beim besten Willen nichts sagen.«

Lara zuckte die Achseln. »Fertig, Jen?«

Jen lächelte noch immer dümmlich. »Was? Ach. Ja. Ja, klar.«

Und auf Wolke sieben schwebend, folgte sie Lara und Alan in den Prüfungssaal.

»Ich hatte Ansoff ganz vergessen.«

Jen runzelte die Stirn, als Alan den Kopf in den Händen vergrub und auf den Tisch vor sich sank. Schnell rückte sie den Aschenbecher aus dem Weg.

»Komm schon, Alan, jetzt ist es vorbei. Ist doch sinnlos, jetzt noch weiter darüber nachzudenken.« Sie lächelte halbherzig, wohl wissend, dass sie selbst nicht nur Ansoffs Matrix vergessen hatte, sondern auch alle anderen Modelle und Theorien, die sie in ihrer Prüfung hatte verwenden sollen. Für eine Prüfungsfrage über einen Winzer in Kalifornien, der Verluste machte, war einfach kein Platz mehr in ihrem Kopf – sie konnte an nichts anderes als an Daniel denken.

»Ist es das?«, fragte Alan und richtete sich langsam wieder auf. »Ich dachte, gerade deshalb ginge man hinterher noch was Trinken – um die Prüfung noch mal durchzugehen und herauszufinden, was man falsch gemacht hat. Um sich auf sein Versagen vorzubereiten. Obwohl ich natürlich schon darauf vorbereitet bin. Schon mein ganzes Leben lang.«

Jen verdrehte die Augen. »Alan, mach dich nicht lächerlich. Du hast immerhin dein Diplom mit Eins gemacht, Herrgott noch mal – das würde ich nicht unbedingt Versagen nennen. Du leidest bloß unter einer Postprüfungsstressstörung. Lara kommt gleich mit den Getränken, dann geht's dir gleich besser.«

Alan musterte sie trübsinnig. »Bestimmt nicht. Lara hatte recht – ich habe kein eigenes Leben. Ich habe nichts weiter als Prüfungen, die ich zu bestehen habe, und wenn ich dabei schlecht abschneide, tja, dann habe ich gar nichts mehr.«

»Alan, stell dich nicht so blöd an – es gibt haufenweise andere Dinge in deinem Leben außer Prüfungen.«

»Was denn, zum Beispiel?«

Jen legte die Stirn in Dackelfalten und zermarterte sich das Hirn, was sie jetzt Nettes sagen könnte. Sie mochte Alan, wirklich, aber sie hatten nie über was anderes als den Kurs gesprochen.

»Deine Persönlichkeit, zum Beispiel, Alan. Du bist ein netter Kerl.«

Er schüttelte unheilvoll den Kopf. »Ich bin ein Langweiler. Darum habe ich auch keine Freundin.«

Jen grinste. Darum ging es also. »Dann hättest du gerne eine Freundin? Ist das dein Problem? Alan, da draußen stehen die Mädels wahrscheinlich Schlange und warten nur darauf, mit einem wie dir auszugehen.«

»Bisher habe ich die Schlange aber noch nicht gesehen.«

»Tja, ist doch klar, oder? Ich meine, man muss schon ein bisschen mit den Leuten reden, ehe sie einem ihre unsterbliche Liebe gestehen.« Jen warf einen Blick in Richtung Bar, um herauszufinden, wo Lara so lange blieb, und sah sie gerade aus der Damentoilette kommen. Oh Gott, dachte sie entsetzt, sie hatte die Getränke noch nicht mal bestellt.

Alan schüttelte den Kopf. »Ich bin nicht gut im Reden. Ich weiß nicht, wie man das macht.«

»Klar kannst du reden. Du redest doch auch mit mir und Lara, oder etwa nicht?«

Alan guckte sie von der Seite an. »Aber nur über die Arbeit. Wenn ihr zwei anfangt, euch über Schuhe oder das Wetter zu unterhalten, schalte ich einfach auf Durchzug.«

Jen sah ihn missbilligend an. Er hatte recht – sie hatte mit ihm schon zur Genüge über Bewertungsbögen geredet und einen Haufen Diskussionen über das Wesen der Wirtschaft geführt, aber nie hatte sie sich mit ihm über irgendetwas anderes unterhalten.

»Okay, dann versuch's doch jetzt einfach mal. Erzähl mir von deiner Familie. Seht ihr euch zu Weihnachten?«

Alan zuckte die Achseln. »Ja.«

»Das würde ich nicht unbedingt Erzählen nennen.«

Alan seufzte. »Ja, wir sehen uns. Ich habe eine ganz normale Familie. Meine Eltern wohnen in einem Haus. Und zu Weihnachten gibt's Truthahn. Das war's.«

»Wo wohnen deine Eltern?«

»Chester.«

»Schön da?«

Alan sah Jen an und kratzte sich im Nacken. »Nein, eigentlich nicht. Hör zu, es tut mir leid, das ist heute einfach nicht mein Tag, weiter nichts. Vergiss einfach den ganzen Mist, den ich da eben von mir gegeben habe.«

Jen lächelte und war ziemlich erleichtert. Dann runzelte sie die Stirn und beugte sich zu ihm hinüber. »Alan, wann hattest du das letzte Mal eine Verabredung mit einer Frau?«

Er wirkte, als sei ihm diese Frage höchst peinlich. »Weiß nicht. Ist wohl schon ein Weilchen her.«

»Etwas genauer, bitte.«

Alan guckte sich um und wurde puterrot. »Weiß nicht«, murmelte er abwehrend. Dann zuckte er mit den Schultern. »Noch nie, okay? Ich hatte noch nie eine Verabredung. Ich hatte in der Schule eine Freundin, mit der war ich zehn Jahre lang zusam men, und vor einem Jahr hat sie mich wegen eines Arbeitskollegen sitzen gelassen. Ende der Geschichte. Und außerdem ist es sowieso egal ...«

Jen nickte und gab sich große Mühe, nicht so entsetzt aus der Wäsche zu gucken, wie ihr eigentlich zumute war, als sie sah, wie Alan um Fassung rang. Sie dachte kurz nach.

»Wie wär's, wenn ich dir helfe?«, fragte sie schließlich. »Alan, du bist ein netter Kerl. Du solltest mehr rausgehen. Du musst dich bloß ... ein bisschen entspannen. Die hohe Kunst der Konversation lernen.«

»Ja, ganz bestimmt«, murrte er missmutig, aber es schien, als spitze er doch die Ohren.

»Komm schon«, drängte ihn Jen. »Probier's doch mal. Was hast du schon zu verlieren?«

Alan schob seine Brille hoch. »Und du würdest mir wirklich helfen?«, fragte er mit einer Stimme, die plötzlich ganz kleinlaut klang.

»Helfen, wobei?« Lara war zurück von der Theke und stellte die Getränke auf den Tisch.

»Ansoff«, sagte Jen rasch und zwinkerte Alan zu, und der lächelte dankbar zurück. »Ich helfe Alan dabei, Ansoffs Matrix zu verstehen.«

Lara verdrehte die Augen. »Dann solltest du mir besser auch helfen«, meinte sie. »Ich weiß nicht mal mehr, wer Ansoff ist.«

»Also, gestern war deine Prüfung. Ich hoffe, es ist alles gut gelau fen?«

Jen schaute ihren Vater nervös an und war sehr erleichtert, als sie das neckische Blitzen in seinen Augen sah. Zu Jens Schulzeiten hatte er einen richtigen Notenfimmel gehabt, und fast hatte sie erwartet, er würde mit ihr schimpfen, weil sie nicht genug gelernt hatte. Obwohl er, wie Jen fand, nicht ganz unschuldig daran war, weil sie sich inzwischen jeden zweiten Tag zum Mittagessen trafen. »Ich finde, dass jeder, der Prüfungen so kurz vor Weihnachten befürwortet, geistesgestört sein muss«, erklärte sie nüchtern und setzte sich vorsichtig, während der Kellner um sie herumscharwenzelte, ihr eine Serviette auf den Schoß legte und ihr ein Glas Wasser einschenkte.

»Aber freust du dich denn nicht noch umso mehr auf Weihnachten, jetzt, wo du alles hinter dir hast?«

»Na ja, vielleicht schon«, gab Jen zu, »Aber das ist genauso, als würde man vor jedem Essen hungern, damit man es besser genießen kann.«

George lachte. »Du warst schon immer ziemlich streitlustig. Genau wie deine Mutter.«

Jen sah ihn stirnrunzelnd an.

»Okay, und auch ein bisschen wie ich«, lenkte George prompt ein. »Also, erzähl mal, wie geht es dir?«

Jen grinste. »Na ja, es hat sich nicht allzu viel getan seit unserem letzten Treffen am Montag. Und unserem Telefongespräch gestern.«

George nickte. »Mach dich ruhig lustig über mich«, brummte er und goss Jen ein Glas Wein ein, »das tut meiner Begeisterung keinen Abbruch. Es ist einfach so schön, dich wiederzuhaben. Wieder ... zu deinem Leben zu gehören.«

Georges leicht angespannter Gesichtsausdruck, der fast augenblicklich wieder seinem gewohnten, selbstbewussten Lächeln wich, war Jen nicht entgangen.

»Also«, fügte er rasch hinzu, »was möchtest du essen? Ich dachte, ich nehme vielleicht den Truthahn.«

Jen schüttelte den Kopf und studierte weiter die Karte. »Truthahn? Das ist doch wohl ein Witz. Kriegst du davon an Weihnachten nicht genug?«

George zuckte fast unmerklich zusammen, dann grinste er breit. »Wenn du mich fragst, Truthahn kann man nie genug essen«, erklärte er. »Aber wenn du so ein Weichei bist und etwas anderes willst, würde ich das Steak empfehlen. Das ist wirklich wunderbar.«

Jen wirkte besorgt. »Dad, was machst du eigentlich an Weihnachten? Du hast doch bestimmt etwas vor, oder?«

George sah sie gespielt ungläubig an. »Ob ich was vorhabe? Das versteht sich ja wohl von selbst. Die Einladungen stapeln sich bei mir. Ich kann mich gar nicht entscheiden, welche ich zuerst ausschlagen soll.«

Jen lächelte erleichtert. Hätte er gesagt, er wäre Weihnachten ganz allein, hätte sie die Feiertage mit ihm verbringen müssen. Wogegen sie eigentlich nichts gehabt hätte, aber Harriet das schonend beizubringen ... na, darüber wollte sie lieber nicht nachdenken.

»Du besuchst vermutlich deine Mutter, nehme ich an?«, fuhr George fort, als könne er Gedanken lesen. Sie nickte.

»Du könntest ruhig ein bisschen begeisterter tun. Sie ist schließlich deine Mutter.«

Jen sah ihren Vater erstaunt an. So nett redete Harriet nie über ihn.

»Ich freue mich ja auch schon«, beeilte sie sich zu beteuern, aber es klang nicht wirklich überzeugend. »Aber du weißt doch, wie das an Weihnachten immer ist. Zu viele Leute, zu viel zu trinken, die unvermeidlichen Diskussionen ...«

George schüttelte den Kopf. »Schwachsinn. Weihnachten ist etwas Wunderbares. Früher warst du doch ganz verrückt danach, weißt du nicht mehr? Ich kann mich noch an jedes einzelne Weihnachten mit dir erinnern.«

Er sah sie wehmütig an und Jen hätte ihn am liebsten ganz fest umarmt, sich auf seinen Schoß gesetzt, wie damals mit fünf, und sich ganz und gar zufrieden und geborgen gefühlt. *Mütter sind großartig*, dachte sie bei sich, *aber manchmal müssten sie breitere Schultern haben.*

»Ich auch«, sagte sie leise. »Vor allem an das eine Mal, als ich das Fahrrad bekommen habe.« Den ganzen Weihnachtstag hatten sie zusammen verbracht, George hatte sie ermutigt, ohne Stützrädchen zu fahren, und sie hatte vor Freude laut gequietscht, als sie es dann endlich geschafft hatte, ein paar Meter ganz allein zu fahren.

George lachte. »Tja, dieses Jahr habe ich leider kein Fahrrad für dich, aber ich hoffe, mein Geschenk gefällt dir trotzdem.«

Er zog einen Umschlag heraus und überreichte ihn Jen. Sie machte ihn auf und darin war eine Weihnachtskarte, unterschrieben mit »Alles Liebe, Dein Vater« und dazu eine Urkunde mit ihrem Namen und einem seltsam aussehenden Planeten darauf. Sie zog die Nase kraus und überlegte fieberhaft, wer ihrem Vater eingeflüstert haben könnte, sie interessiere sich für den Weltraum. Ihr fiel niemand ein.

»Das ist ein Stern«, erklärte George mit weicher Stimme. »Ich habe dir immer den Mond versprochen und dabei ganz jämmerlich versagt, aber jetzt hast du einen Stern, der deinen Namen trägt. Ich … ich hoffe, er gefällt dir.«

Jen starrte ihn an und spürte, wie ihr die Tränen in die Augen stiegen. «Das ist wunderschön«, stammelte sie und grub die Fingernägel in die Handflächen, um nicht vollends die Fassung zu verlieren – schließlich saß sie in einem vornehmen Restaurant. »Danke, Dad. Ich … ich habe gar nichts für dich.«

George runzelte die Stirn. »Du bist doch hier, Jen. Und glaub mir, für einen alten Trottel wie mich reicht das vollkommen als Weihnachtsgeschenk.«

Jen nickte stumm und dann kam der Kellner, um ihre Bestellung aufzunehmen. Er hatte recht, dachte sie, während sie dem Kellner ihre Wünsche mitteilte. Jetzt mit ihrem Vater dort zu sitzen war das beste Weihnachtsgeschenk, das man sich wünschen konnte.

14

»We wish you a merry Christmas, we wish you a merry Christmas, we wish you a merry Christmas and a Happy New Year!«

Jen versuchte zu lächeln, als ihre Mutter ihr ein Glas in die Hand drückte und zu Geoffreys schrecklich schräger Klavierbegleitung fröhliche Lieder flötete. Harriet hasste es, an Weihnachten allein zu sein, und lud an den Feiertagen für gewöhnlich lieber wildfremde Menschen zu sich nach Hause ein, als einsam an der leeren Festtafel zu sitzen. Früher hatte es Jen sehr viel Spaß gemacht. Doch nun kamen all diese vielen Leute ihr bloß wie ein unüberwindliches Hindernis vor, das zwischen ihr und ihrer Mutter stand und sie daran hinderte zu sagen, was ihr auf dem Herzen lag. Daran hinderte sie zu fragen, ob Harriet damals tatsächlich eine Affäre gehabt hatte und warum sie Jen jahrelang angelogen und behauptet hatte, George wolle sie nicht sehen. Sie seufzte – vielleicht war es ja auch gut, dass diese ganzen Leute da waren. Im Augenblick schwirrte ihr dermaßen der Kopf, dass sie wohl besser erst mal den Mund hielt.

Jen biss sich auf die Zunge und schaute sich im Zimmer nach jemandem um, mit dem sie die Zeit totschlagen konnte. Geoffrey war ein Green-Futures-Urgestein – er war schon fast so lange dabei wie Jens Mutter und gehörte bei den Weihnachtsfeiern beinahe zum Inventar. Hannah war auch da, die ungefähr zur gleichen Zeit wie Jen in der Firma angefangen hatte und Jen immer mit einer Portion Misstrauen beäugte, und Mick, der mit Tim in der Buchhaltung arbeitete. Den kannte sie nicht besonders gut. Und in der Ecke stand Paul Song, mit einem Drink in der Hand, der verdächtig nach purem Whiskey aussah.

Er verbeugte sich ganz leicht in ihre Richtung, als er Jen sah, und sie schlenderte lustlos zu ihm hinüber. »Schöne Reise gehabt?«, erkundigte sie sich höflich. »Mum hat mir erzählt, dass Sie verreist waren.«

Er nickte. »Ja. Ich war in Irland. Ein wunderschönes Land. Sehr reizvoll.«

Jen runzelte die Stirn. »Ich dachte, Mum hätte gesagt, Sie waren in Schottland.« Paul wurde etwas blass.

»Natürlich, Entschuldigung. Ich verwechsle das immer. Ja, es war Schottland. Natürlich, Schottland.«

»Komm, Liebes, sing auch mit. Good tidings we bring to you and your kin ...« Ihre Mutter gestikulierte wild und machte Jen Zeichen, sie solle mitsingen. Jen warf Paul noch einen skeptischen Blick zu und ging dann hinüber zu den anderen.

»*We wish you a merry Christmas and a Happy New Year*«, trällerte sie halbherzig mit und genehmigte sich eine Handvoll Erdnüsse.

»Die sind sehr gut für die Haut, Erdnüsse«, bemerkte Hannah. »Cashews übrigens auch. Eigentlich alle Nüsse.«

»Zum Essen oder zum Einreiben?«, fragte Jen

Hannah sah sie befremdet an. »Wie sollte man sich denn bitte mit Erdnüssen einreiben?«

»Mit Erdnüssen einreiben?«, mischte Harriet sich ein und stellte sich zu ihnen. »So was Lächerliches habe ich ja noch nie gehört. Wer will sich denn mit Erdnüssen einreiben, Hannah?«

»Jen«, gab Hannah zurück und sah Jen argwöhnisch an.

Jen lächelte matt und setzte sich aufs Sofa. Sie überlegte kurz, Hannah zu erklären, dass sie das Öl gemeint hatte – Erdnussöl –, entschloss sich dann aber, die Sache auf sich beruhen zu lassen.

»Wenn man sich damit einreiben würde, gäben sie wahrscheinlich ein gutes Peeling ab«, überlegte Hannah nachdenklich. »Obwohl man sie vermutlich erst zerkleinern müsste.«

»Nüsse haben einen sehr niedrigen glykämischen Index«, mischte Mick sich todernst ein, »Meine Ex Shirley hat die immer gegessen. Hat gesagt, die seien voller guter Öle.«

»Siehst du!«, rief Hannah triumphierend. »Gut für die Haut. Genau wie ich gesagt habe.«

»Ich habe immer gedacht, Öl macht dick, aber das beweist wohl nur, wie viel ich von Diäten verstehe«, fuhr Mick fort. »Wie mit Kartoffeln. Erst heißt es, die sind sehr kalorienarm, dann sind sie auf einmal total verpönt. Ich komme da nicht mehr mit. Ich hab immer gesagt, iss was du willst. Worauf sie natürlich immer meinte, ich wolle doch nur, dass sie so dick bleibt. Und als ich gesagt habe, dass das nicht stimmt, sagte sie, das bewiese nur, dass ich sie auch zu dick fände. Oder so was in der Art. Hatte immer was zum Meckern, meine Shirley.«

Wie hypnotisiert von seiner monotonen Stimme starrte Jen Mick an. »Warum habt ihr euch denn getrennt?«, erkundigte sie sich.

Mick guckte so verdutzt hoch, als hätte er gar nicht damit gerechnet, dass ihm tatsächlich jemand zuhörte.

»Weiß ich gar nicht so genau«, meinte er traurig. »Sie hat gesagt, ich würde sie nicht verstehen. Da hatte sie gar nicht so Unrecht. Meistens wusste ich wirklich nicht worüber sie sich gerade wieder ausließ.«

Jen nickte mitfühlend, während ihre Mutter an ihr vorbei Richtung Küche ging, dicht gefolgt von Hannah.

»Hast du einen Freund?«, fragte er interessiert.

»Sozusagen. Ja.« Jen wurde es ganz warm ums Herz, und sie ließ sich ein bisschen Zeit, dieses wunderbare Gefühl auszukosten. Daniel. Allein beim Gedanken an ihn ging es ihr schon besser; auch wenn sie streng genommen noch gar nicht zusammen waren.

»Oh«, murmelte Mick. »Ach so. Na ja, andere Mütter haben ja schließlich auch schöne Töchter. Das hat meine Mutter immer gesagt, warum, weiß ich allerdings nicht. Was nützen mir haufenweise Töchter, wenn sie nix von mir wissen wollen?«

Jen schaute Mick mitfühlend an, hörte aber schon gar nicht mehr richtig hin. Sie dachte an Daniel und fragte sich, was er wohl gerade machte. Northumberland erschien ihr plötzlich verdammt weit weg.

»Geht es dir gut?«, fragte Mick.

Da merkte sie erst, dass sie seit etlichen Minuten unbeweglich ins Nichts starrte. Und dass sie nun mit Mick allein auf dem Sofa saß. Alle anderen waren in die Küche gegangen, bis auf Paul, der in seinen Drink stierte. Jen nahm sich ihr Glas.

»Ich glaube, ich brauche Nachschub«, entschuldigte sie sich rasch und trank beinahe das ganze Glas Sherry in einem Zug aus. Der sorgte in ihrem Magen für wohlige Wärme und im Kopf für ein leichtes Schwindelgefühl. »Soll ich dir was mitbringen?«

Mick schüttelte den Kopf. »Alkohol. Der macht auch dick«, murmelte er, während er hinter ihr her in die Küche stopfte.

Harriet hielt wie üblich Hof. Sie stand am Kopfende des Küchentischs, und alle anderen saßen in ehrfurchtsvollem Schweigen um sie herum und lauschten andächtig.

»Und da kam mir ein Geistesblitz«, erzählte sie gerade, wäh rend alle an ihren Lippen hingen. »Eine Plakatkampagne in sämtlichen Filialen mit Bildern der Kinder, denen sie in ihrer Nachbarschaft halfen. Es war ein Triumph ...«

Jen setzte sich und hörte aufmerksam zu, wie ihre Mutter die Anwesenden mit Geschichten über Green Futures unterhielt, Geschichten über die Kunden, ihre frühen Errungenschaften, ihre zahlreichen Auftritte. Wie keine andere konnte sie die Menschen in ihren Bann ziehen, und Jen hatte ihre Geschichten immer sehr gerne gehört und war immer gerne Harriets Tochter gewesen. Sie war so stolz gewesen.

Aber jetzt fiel Jen auf, dass sie diese Geschichten alle schon hundert Mal gehört hatte. Und sie war nicht sicher, ob sie noch eine einzige davon glauben konnte.

»Na komm schon, Miss MBA«, rief Geoffrey, als Harriet ihre Geschichte zum krönenden Abschluss gebracht hatte. »Erzählst du uns was vom großen bösen Bell?«

Jen sah ihn verunsichert an und blickte dann hinüber zu Harriet. Das solltest du doch niemandem erzählen, sagten ihre Augen.

Harriet lächelte nervös. »Liebes, ich konnte es ja nicht ewig geheim halten. Und ich habe es nur den Anwesenden erzählt. Die gehören doch praktisch zur Familie.«

Jen starrte sie fassungslos an. »Mum ...«, setzte sie an, doch dann zuckte sie die Achseln. Was machte es schon, wenn alle es wussten, weil Harriet der Versuchung einfach nicht hatte widerstehen können, selbst wenn sie dadurch das Versprechen brach, das sie ihrer Tochter gegeben hatte?

»Ich habe auch schon mal überlegt, einen MBA-Abschluss zu machen«, erzählte Mick hinter ihr. »Aber dann habe ich mich doch lieber in Buchhaltung weiterqualifiziert. Ich wollte ja schließlich in der Buchhaltung arbeiten, also dachte ich, das wäre wohl das Beste. Schwer zu sagen, was das Beste ist, was?«

»Ja, vielen Dank für diesen Beitrag, Mick«, meinte Geoffrey lächelnd. »Nun komm schon, Jen, raus mit der Sprache. Erzähl uns von den Schweinehunden bei Bell Consulting. Ich muss schon sagen, besser du machst es als ich.«

»Ich würde lieber nicht darüber reden, wenn's recht ist«, entgegnete sie steif. »Brauchst du Hilfe beim Kochen, Mum?«, fragte sie schnell. Haufenweise Fragen stiegen in ihr auf, und sie wusste nicht, wie lange sie die Rolle der glücklichen Tochter noch würde spielen können.

»Kochen?«, fragte Harriet ausweichend. »Ach, du meinst, das Weihnachtsessen? Also, da haben wir noch mal kurz umdisponiert. Ich habe mir gedacht, da wir das große Glück haben, dass Paul bei uns ist, könnte er uns ein traditionelles tibetisches Weihnachtsessen kochen. Und er hat freundlicherweise zugestimmt, nicht wahr, Paul?«

Paul nickte und lächelte, und Jen sah ihn zweifelnd an. »Ich hätte nicht gedacht, dass man in Tibet Weihnachten feiert.«

»Och, manchmal schon«, entgegnete er schnell. »Ehrlich gesagt ist es allerdings mehr ein traditionelles Festmahl.«

Jen nickte und versuchte, ihre Enttäuschung nicht allzu offen zu zeigen. »Heißt das kein Truthahn und keine Hackfleischpastetchen?«, fragte sie und bemühte sich, heiter zu klingen. Damit scheiterte sie allerdings kläglich.

»Ja, Liebes«, erwiderte Harriet mit fester Stimme. »So, nun lasst uns ein bisschen Musik auflegen, und dann können wir unsere Geschenke aufmachen!«

Jen biss sich auf die Lippen und ging los, um die zahlreichen Geschenke zu holen, die sie eingepackt hatte. Da sie vorher nie so genau wusste, wer bei den Feiern ihrer Mutter dabei war, neigte sie dazu, viel zu viel zu kaufen und für alle Fälle einen Riesenstapel für jedermann geeigneter Geschenke mitzubringen.

»So, das ist für dich«, flötete ihre Mutter munter und legte ihr ein wunderschön eingewickeltes Päckchen in den Schoß.

Langsam packte sie es aus. Sie schälte das cremefarbene Papier ab und entwirrte dann das darunter zum Vorschein kommende Seidenpapier, bis sie schließlich eine weiße Lackschachtel in der Hand hielt. Vorsichtig mache sie die Schachtel auf, und drin lag ein Holzklotz.

»Das ist ein Musikinstrument«, rief ihre Mutter aufgeregt. »Paul hat es auf meine Bitte hin mitgebracht, den ganzen weiten Weg von China!«

Jen hielt den Klotz hoch und betrachtete ihn eingehender. »Wow!«, rief sie übertrieben begeistert. »Und was macht man damit?«

»Na, man schlägt natürlich drauf. Guck mal, da an der Seite – da ist ein kleines Stöckchen dran.«

Jen schaute nach, und tatsächlich war da ein kleines Trommelstöckchen mit einem kleinen Bällchen am Ende. Sie schlug damit auf den Klotz, und es klang wie

... na ja, ein Stück Holz. »Danke, Mum«, murmelte Jen leise. »Das ist wirklich super.«

Sie reichte ihrer Mutter das für sie bestimmte Geschenk, und Harriet riss es begeistert auf. Es war eine Erstausgabe von Winnie Puh. Als Kind war das Harriets Lieblingsbuch gewesen, und auch Jen hatte sie, als sie noch klein war, jeden Abend daraus vorgelesen.

Harriet schaute nur flüchtig hin. »Ach, ein Buch. Wie süß. Wie nett. Gut, also Paul, warum machst du deine Geschenke nicht auf?« Sie legte Paul ein großes Paket vor die Nase und er packte es stirnrunzelnd aus. Jen zwang sich zu einem Lächeln und versuchte, es sich nicht so zu Herzen zu nehmen, dass ihre Mutter das Geschenk, nach dem sie so lange gesucht hatte, überhaupt nicht zu schätzen wusste.

»Zen und die Kunst ein Motorrad zu warten!«, verkündete Harriet stolz und klatschte, ehe Paul überhaupt etwas sagen konnte. »Ist das nicht perfekt?«

Er lächelte und beäugte das Buch ziemlich befremdet.

»Sicher hast du es schon gelesen«, plapperte sie aufgeregt weiter, »aber als ich es gesehen habe, da habe ich gleich an dich gedacht.«

Paul nickte ernsthaft. »Natürlich«, murmelte er und legte das Buch hin.

Jen musterte ihn misstrauisch. »Natürlich was?«, hätte sie ihn am liebsten gefragt, aber Harriet war schon damit beschäftigt, allen anderen ihre Geschenke zu überreichen und zu verkünden, wie perfekt das jeweilige Geschenk für den jeweiligen Beschenkten sei, ehe dieser selbst Zeit hatte etwas zu sagen. *War sie eigentlich immer schon so nervig?*, fragte Jen sich, *oder erst seit Neuestem?*

Um vier Uhr nachmittags war Jen hundemüde. Der tibetische Eintopf war überraschend lecker gewesen, hatte jedoch unzweifelhaft ein riesiges klaffendes Loch in ihrem Magen hinterlassen, wo normalerweise Weihnachtsdessert und Hackfleischpastetchen hingehört hätten. Dazu hatte sie schon fast so lange, wie sie es aushalten konnte, Harriet dabei zugehört, wie sie allen zum hundertsten Mal die Geschichte der Gründung von Green Futures erzählte, die Geschichte, wie sie eigenhändig ein riesiges Wald gebiet in Südostengland gerettet hatte, und nicht zuletzt die Geschichte über ihre Weltreise, bei der sie die frohe Botschaft der sozialen Verantwortung der Wirtschaft verkündet hatte, die von allen dankbar aufgenommen worden war.

Als Harriet schließlich kurz Luft holte, stand Jen auf und ging zu ihr hinüber. Ewig den Mund halten konnte sie nicht, das war klar. So war sie einfach nicht. Sie musste mit ihrer Mutter reden, musste die Wahrheit erfahren, und zwar jetzt gleich. »Kann ich dich mal sprechen?«, fragte sie.

Harriet strahlte. »Aber ja doch. Hört mal alle her, Jen hat etwas zu erzählen.«

Jen zuckte zusammen. »Nein, ich meine unter vier Augen.«

Harriet sah sie verdutzt an, dann lächelte sie wieder. »Aber ja doch, Liebes. Gehen wir in die Küche. Also«, meinte Harriet, sobald sie außer Hörweite waren,

»gibt's Neuigkeiten von deinem Vater? Du bist in letzter Zeit so still.«

Jen setzte sich, und Harriet nahm sich auch einen Stuhl und sah sie erwartungsvoll an. »Ich habe mit ihm geredet.«

»Mit wem, Liebes?«

»Dad. Ich habe mit Dad geredet.«

Harriet runzelte die Stirn. »Du hast mit George gesprochen? Ich glaube, das verstehe ich nicht. Wusste er, dass du es bist?« Jen nickte.

»Oh Gott«, keuchte Harriet. »Die Geheimaktion ist also aufgeflogen? Wie hat er reagiert? War er sehr wütend?«

»Du hattest eine Affäre.«

Harriet starrte sie mit weit aufgerissenen Augen an. »Wie bitte?«, fragte sie ärgerlich. »Was hast du gesagt?«

»Dad hat mir erzählt, dass du es warst, die eine Affäre hatte, nicht er.«

Harriet sah ihre Tochter entrüstet an. »Und du glaubst eher deinem Vater als mir? Das sieht dem Mann ähnlich, der mich betrogen hat, der dich ohne mit der Wimper zu zucken verlassen hat ...«

»Hat er das? Oder hast du ihn verlassen?«

Harriet zog empört die Augenbrauen hoch. »Liebes, das ist alles schon so lange her. Ist das denn jetzt noch wichtig? Was zählt, ist doch, dass du und ich, dass wir beide ... wir sind ein Team. Wir sind...«

»Dann hattest du also wirklich eine Affäre?«, unterbrach Jen sie mit monotoner Stimme. Sie wollte sich einreden, es käme daher, dass es ihr nichts mehr ausmachte, tatsächlich aber war es ihre Art, sich im Zaum zu halten und zu verhindern, dass ihre Stimme zu einem gekränkten, wütenden Quäken wurde.

Harriet musterte ihre Tochter aufmerksam und ließ sich dann gegen die Stuhllehne sinken. Zögernd griff sie nach Jens Hand, und als Jen sie schnell wegzog, nickte Harriet resigniert.

»Jen, Liebes, ich habe getan, was ich tun musste. George mag vielleicht keine echte Affäre gehabt haben, aber für mich war es genauso schlimm. Nie war er da, immer hockte er in seinem verfluchten Büro. Und als er mir dann sagte, dass er geht, konnte ich den Gedanken einfach nicht ertragen, dass er dich auch noch mitnimmt. Liebes, ich wollte dich schützen ...«

»Du hast mich angelogen.« Jen stiegen Tränen in die Augen, die sie sofort wütend wegwischte.

»Ich habe gedacht, du würdest das nicht verstehen. Ich wusste, dass George zu viel zu tun haben würde, um dich zu besuchen, dass er dich doch nur enttäuschen würde, so wie er mich schon enttäuscht hatte, immer wieder, dass er deine Geburtstage vergessen und deine Konzerte verpassen würde. Ich dachte ... ich dachte, es wäre leichter so ...«

Jen sah ihre Mutter an und sah die Verunsicherung in Harriets Gesicht, aber das machte Jen nur noch wütender, noch aufgebrachter. »Er ist mein Vater«, zischte sie leise.

Harriet nickte. »Du bist wütend«, sagte sie, »und das verstehe ich.«

»Das verstehst du?«, fragte Jen ungläubig. »Du verstehst es? Ist das alles?«

»Paul hat geahnt, dass du so reagieren würdest, und ich dachte bloß ...«

»Paul hat es gewusst?«, fauchte Jen. »Paul hat es gewusst, und ich nicht?«

»Er hilft mir, Liebes. Ich rede mit ihm. Ich ...«

»Und wie viel musst du ihm bezahlen, damit er dir zuhört, Mum? Wie viel Geld gibst du ihm, damit er dir sagt, dass du das Richtige tust, dass nichts dabei ist, deine Tochter anzulügen? Dass nichts dabei ist, mir nicht nur einzureden, dass mein Vater sich nicht um mich schert, sondern auch, dass er in einen Korruptionsskandal verwickelt ist? Und das ist alles ausgemachter Schwachsinn!«

Harriet machte ganz große Augen. »Das ist unfair, Jennifer«, hauchte sie mit schwacher Stimme. »Mit Paul hat das überhaupt nichts zu tun. Und ich glaube, ich kenne deinen Vater etwas besser als du. Er ist ein egoistischer, selbstsüchtiger Mensch und ich habe gehofft, ich könnte dir das vor Augen führen ...«

»Egoistisch und selbstsüchtig? Ach, ganz im Gegensatz zu dir, was?«

»Ich habe immer mein Bestes gegeben«, wisperte Harriet. »Du weiß ja nicht, wie es ist, wenn man einsam ist, Jennifer. Du weißt nicht, wie es ist, wenn man wieder ganz von vorne anfangen muss.«

»Einsam? Mum, du hast mir meinen Vater weggenommen. Ich glaube, ich weiß, wie das ist.«

»Ich wollte doch nur dein Bestes, weiter nichts.«

»Dein Bestes, meinst du wohl«, knurrte Jen aufgebracht. »Du kannst einfach nicht anders, oder? Immer willst du alles kontrollieren, immer die Zügel in der Hand halten. Tja, langsam habe ich die Nase voll davon, dass du über mein Leben bestimmten willst.«

Harriet sah sie ganz verdutzt an. »Ich, über dein Leben bestimmen? Ich kriege ja noch kaum mit, was bei dir los ist. Ich weiß nie, was du gerade machst, wo du hingehst, gar nichts.«

»Das ist nicht wahr!« Jen war jetzt vollkommen außer sich. »Und mir reicht's. Ich werde nicht mehr nach deiner Pfeife tanzen.«

»Ich spüre hier gewisse Spannungen.« Jen guckte hoch und bemerkte schockiert, dass Paul die Küche betrat. Wie lange er wohl schon in der Tür gestanden hatte? Ob er alles gehört hatte?, fragte sie sich. »Vielleicht wäre ein Kräutertee jetzt das Richtige? Die Küche ist ein sehr schwieriger Raum – sie begünstigt Konflikte.«

Harriet griff nach seiner Hand. »Ach Paul, das ist eine wunderbare Idee. Jen, trinken wir doch einen Kräutertee!«

Sie sah Jen hoffnungsvoll an, und Jen starrte unbewegt zurück. »Kräutertee? Ist das dein Ernst?«

»Der wirkt sehr beruhigend«, meinte Harriet mit zitternder Stimme. »Bitte, Jen ...«

Paul legte Harriet die Hand auf die Schulter. »Jennifer ist wütend und durcheinander, und das ist in Ordnung«, erklärte er leise. »Sie sucht noch ihren Platz im Leben und das ist eine sehr schwierige Zeit für sie.«

Jen runzelte die Stirn und dann spürte sie, wie plötzlich ein enormer Energieschub durch ihren ganzen Körper schoss. Auf einmal war alles ganz einfach. Sie schaute ihrer Mutter direkt in die Augen, dann schob sie den Stuhl zurück und sprang auf.

»Eigentlich ist es gar nicht so schwer, wie ich gedacht hätte«, verkündete sie ruhig. »Paul hat recht, ich suche meinen Platz im Leben – und eins ist sicher, hier ist er nicht. Wenn ihr also nichts dagegen habt, dann gehe ich jetzt nach Hause.« Langsam ging sie ins Wohnzimmer, zog ihren Mantel an, nahm ihre Handtasche und marschierte dann in Richtung Haustür.

»Liebes, geh nicht«, protestierte Harriet schwach, stand auf und folgte Jen zur Tür. »Es ist doch Weihnachten ...«

»Das ist mir im Moment ziemlich egal«, entgegnete Jen gepresst, ohne zu bemerken, dass sämtliche Gäste inzwischen im Flur zusammengelaufen waren und sie anstarrten. Keine Minute länger würde sie es hier aushalten. Sie machte die Tür auf, warf ihrer Mutter noch einen letzten Blick zu und stolzierte dann hinaus. Die Tür zog sie hinter sich zu und dann stand sie plötzlich ganz allein auf der verlassenen, winterlichen Straße.

Es war eine dieser bitterkalten Winternächte, in der jedes Fleckchen nackter Haut, dem beißenden Wind ausgesetzt, wie Feuer brennt. Das hier wird wohl als schlimmstes Weihnachten aller Zeiten in die Geschichte eingehen, dachte sie traurig. Auf einmal fiel ihr der Schokoriegel wieder ein, den sie noch in der Tasche hatte, also packte sie ihn hastig aus und verschlang ihn gierig. Dann setzte sie sich auf die Stufe der Veranda vor dem Haus und ließ sich die Ereignisse noch einmal durch den Kopf gehen. Es war Weihnachten, sie war allein, es war eiskalt und eine gute halbe Stunde Fußmarsch bis zu ihrer Wohnung.

Aber immerhin wusste sie jetzt, woran sie war. Die Wahrheit war endlich ans Licht gekommen.

Sie spazierte hinüber zum Mülleimer, um das Schokoladenpapierchen wegzuwerfen, und legte die Stirn in leichte Falten, als sie den Deckel aufklappte. Dort, versteckt unter einer Tüte von Marks und Spencer, lagen etliche Pappschachteln, Essensverpackungen mit der Aufschrift ›THE TIBETAN KITCHEN – Tibetisches Essen zum Mitnehmen‹. *Paul wird doch wohl nicht geschummelt haben?*, überlegte sie und musste unwillkürlich lächeln. Vielleicht war ja auch er nicht ganz, was er zu sein vorgab.

Sie zuckte die Achseln – in dem Fall hatten die beiden sich wirklich verdient. Was aber noch lange nicht hieß, dass er damit so einfach davonkommen durfte. Grinsend fischte sie die Schachteln aus dem Müll und drapierte sie genau vor der Haustür.

Dann drehte sie sich um, vergrub die Hände in den Manteltaschen und machte sich auf den langen Heimweg. Ihr Handy steckte in einer der Taschen, also zog sie es – mit gegen den Wind hochgeschlagenem Mantelkragen – heraus und wollte es in ihrer Handtasche verstauen. Dabei fiel ihr auf, dass eine SMS auf sie wartete. Unter einer Straßenlaterne blieb sie stehen und drückte auf Lesen.

*Fröhliche Weihnachten. Sehen wir uns, wenn wieder da?
Daniel ;-**

Ungläubig starrte sie auf die Nachricht. *Daniel ;-**? Er schickte ihr ein SMS-Küsschen? Er wollte sich mit ihr treffen, wenn er zurück war?

Jen schaute sich um. Auf einmal war sie nicht mehr die arme Irre, die Weihnachten allein feiern musste – sie war eine romantische Heldin in ihrem eigenen Winterwunderland. Alles schien plötzlich nur noch halb so schlimm.

Ob ich mich mit dir treffen will?, dachte sie glücklich. *Och, ich glaube, ich könnte mich eventuell breitschlagen lassen.*

15

»Dum, dum, dum, dum, gonna use my style, gonna use my sassy, gonna use my, my, my imagination, yeah ...«

Jen summte das Lied mit, das Chrissie Hynde aus ihrer Stereoanlage schmetterte, während sie im heißen, dampfenden Badewasser lag und zusah, wie ihre Haut langsam rosa und runzlig wurde. Wir gehen doch bloß was Trinken, ermahnte sie sie sich. Ein Drink mit Daniel. Deswegen muss man nicht gleich wuschig werden.

Doch sie glaubte sich kein einziges Wort. Was sie betraf, so war das heute ihre erste richtige Verabredung. Die erste Verabredung, die garantiert nichts mit Arbeit, MBA-Kursen oder sonst etwas zu tun hatte. Diesmal würde ihnen im Anschluss daran niemand vor ihrer Haustüre auflauern, und sie würden auch nicht durch irgendwelche Buchläden wandern. Nein, das hier war definitiv eine Gelegenheit, richtig wuschig zu werden.

Jen streckte ein Bein aus dem Wasser und zückte den Rasierer. Sie hätte sich die Beine ja am liebsten mit Wachs enthaaren lassen, aber so kurzfristig noch einen

Termin zu bekommen hatte sich als vollkommen aussichtslos erwiesen – sämtliche Studios waren entweder über Weihnachten geschlossen oder völlig ausgebucht. Wenn sie sich die Beine jetzt rasierte, würde ihre Kosmetikerin ihr beim nächsten Wachsen einen ordentlichen Rüffel verpassen und sie so vorwurfsvoll angucken, dass Jen lieber gestehen würde, einen kleinen florierenden Sklavenhandel zu betreiben als das nächste Mal in einem Notfall wieder die Rasierklinge zur Hand zu nehmen. Aber das würde sich mit einem ordentlichen Trinkgeld schon wieder einrenken lassen.

Als sie fertig war, hievte sie sich widerwillig aus der warmen Wanne und wurde gleich von einem kalten Windhauch erfasst. Das war das Problem bei »stilvollen« Altbauwohnungen wie ihrer. Sie waren zwar schön, aber die Fenster waren Jahrhunderte alt, und man bekam sie nie richtig geheizt. Wie Landhäuser – das hatte Jen schon vor vielen Jahren gelernt: Wird man von irgendwem in sein Landhaus (oder vielmehr in das seiner Eltern) eingeladen, sollte man nicht nur eine Strickjacke mitnehmen, sondern am besten auch diverse Decken, dicke Socken, Thermounterwäsche und Wollmützen und trotzdem fror man immer noch erbärmlich. Vielleicht sind wir Engländer ja deshalb so steif, überlegte sie, während sie sich schnell abtrocknete und mit Körperlotion einrieb. Vielleicht sind wir alle steif gefroren.

Schnell wickelte Jen sich in ihren alten, abgewetzten, aber heiß geliebten Frotteebademantel und versenkte die Füße in ihren guten alten Ugg Boots. Nicht gerade ein Look, der laut »Sexgöttin« schrie, aber dafür warm und kuschelig, und das war das Einzige, das im Augenblick zählte.

Wusste sie überhaupt noch, wie man »Sexgöttin« brüllte?, fragte sie sich und holte eine Pinzette heraus, um sich die Augenbrauen zu zupfen. Es war, Moment ... sie zählte es an den Fingern ab ... etliche Monate her, seit sie das letzte Mal mit einem Mann geschlafen hatte. Und das war ein nicht gerade berauschendes Post-Gavin-Abenteuer gewesen, mit Jim, dem Freund eines Freundes, der (genau wie Jen) ziemlich betrunken gewesen war, was zu einem unerträglich peinlichen Morgen danach geführt hatte, an dem sie versucht hatte, ihn so schnell wie menschen möglich aus ihrer Wohnung zu bugsieren – und das war ganz in Jims Sinne gewesen.

Wobei sie heute Abend natürlich nicht zwangsläufig mit Daniel schlafen würde. Nicht zwangsläufig.

Forschend betrachtete sie ihr Spiegelbild und überlegte, was für ein Make-up sie auftragen sollte. Sie hatte einen blassen Teint und kleine rote Flecken um Nase und Kinn – das Ergebnis eines etwas zu ausschweifenden weihnachtlichen Alkoholgenusses und des bitterkalten Wetters. Also auf jeden Fall eine Grundierung. Und jede Menge Abdeckstift.

Sie wanderte hinüber zu ihrer Stereoanlage und legte Style Council in voller Lautstärke auf. Es ging doch nichts über die Hoffnung auf eine neue Liebe, damit sah alles ein bisschen strahlender und wie neu aus. Es war das gleiche Gefühl (wenn auch irgendwie noch viel besser) wie damals, wenn im September wieder ein neues Schuljahr begann und sie mit einer nagelneuen, frisch gebügelten Schuluniform anrückte, die noch nicht voller Tinte und Essensreste war. Ihr Federmäppchen war randvoll mit neuen Stiften, und ihr neues Klassenzimmer verkündete der ganzen Welt laut und deutlich, dass sie wieder eine Klasse aufgestiegen war. So viele Erwartungen, so viele Hoffnungen, dass jetzt alles besser werden würde – dass sie nun zur coolen Clique gehören und alle Popsongs kennen würde, die ihre Klassenkameraden auf dem Schulhof sangen, und kein einziges rotes Korrekturzeichen in ihre Hefte bekommen würde, und schon gar nicht, noch schlimmer, ein unheilverkündendes »Nach der Stunde zu mir!«.

Natürlich dauerte es normalerweise nicht mal eine Woche, bis sie feststellen musste, dass ein neuer Schreibtisch und eine saubere Uniform allein noch keinen anderen Menschen aus ihr machten. Ihre Mutter erlaubte ihr immer noch nicht, Popmusik zu hören oder gar Top of the Pops im Fernsehen zu gucken, was ihr auf dem Schulhof erhebliche Nachteile einbrachte. Sie hing immer noch zu sehr ihren Tagträumen nach, was ihre Lehrer jedes Mal zum roten Stift greifen ließ, wenn sie etwas zu Papier bringen musste. Und mit Liebesgeschichten war es genauso – nur allzu schnell entpuppte sich der verheißungsvolle, attraktive, neue Angehimmelte als ein Mann wie jeder andere, der »vergaß« sie anzurufen, sich weigerte, weiter als eine Woche im Voraus zu planen, und darauf bestand, in eine

Kneipe zu gehen, in der »das Spiel« lief, ganz gleich ob Fußball, Rugby oder Cricket.

Sie seufzte, dann schauderte sie. Jetzt war nicht der richtige Zeitpunkt, über so etwas nachzudenken. Sie machte sich für eine Verabredung zurecht, und wer weiß, vielleicht würde es ja diesmal wirklich ganz anders laufen.

»Du siehst ... umwerfend aus.«

Daniel lächelte, und Jen spürte, wie sie innerlich ein bisschen wacklig wurde. »D...danke«, erwiderte sie zitternd. Ein kalter Dezemberabend war nicht unbedingt die beste Zeit, einen Rock und hochhackige Schuhe zu tragen, das wusste sie auch, aber praktische Kleidung war eben nicht alles. Kurz zuvor an diesem Abend hatte Jen noch aus dem Fenster gespäht und dem Schnee zugeschaut, der sich auf ihrer Fensterbank türmte, und hatte ein paar Minuten lang versucht sich einzureden, Lammfellstiefel sähen durchaus attraktiv aus und demonstrierten darüber hinaus, wie unverkrampft sie in Daniels Gegenwart war. Ganz besonders, als sie die Haustür aufgemacht hatte und ein eiskalter Windstoß hereingeweht kam. Aber sie wusste, dass Frauenbeine in flachen, klobigen Stiefeln nicht unbedingt vorteilhaft aussahen, also hatte sie sich schließlich für ein Paar relativ feste, aber doch zierliche, ziemlich angesagte schwarze Pumps mit mittelhohem Absatz entschieden.

»Wollen wir reingehen?«, schlug Daniel vor und hielt ihr die Tür auf. Sie standen vor dem Ketners, einer Bar in Cambridge Circus, gleich um die Ecke von der

Oxford Street und nur einen Katzensprung von Soho entfernt.

Jen nickte dankbar und fand sich gleich darauf in einem kleinen, gemütlichen Raum wieder, mit Kellnern in schwarzen Anzügen und kleinen Grüppchen von Leuten, die an niedrigen Tischen saßen und an Champagnerflöten nippten.

»Die Leute sind wohl alle in Feierlaune«, raunte sie Daniel zu, und der grinste zurück.

»Das hier ist eine Champagner-Bar«, wisperte er. »Ich habe mal gehört, Mädels stehen auf Champagner. Pardon, Frauen. Ähm ...«

Er schien etwas verlegen, und Jen lächelte. »Mädels ist schon in Ordnung«, sagte sie. »Nur als Teenager will man unbedingt als Frau bezeichnet werden. Wenn man dann erst mal auf der falschen Seite der fünfundzwanzig angekommen ist, hört man Mädels immer gerne. Außer es klingt herablassend. Ach ja, und was gar nicht geht, ist Dame. Das ist das allerschlimmste.«

Daniel nickte ernst, und dann wurden sie zu einem kleinen Tisch an einer Wand geführt. »Ich werde versuchen, mir das zu merken«, meinte er. »Also, was wollen wir bestellen?«

Jen runzelte die Stirn. »Haben wir denn überhaupt eine Wahl?«

»Na klar. Es gibt Champagner pur, Champagner-Cocktails, Jahrgangschampagner, jungen Champagner, Champagner in rosa oder weiß ...«

»Okay, okay, schon verstanden. Für mich bloß einen ganz einfachen Champagner.«

Daniel nickte, und wie aus dem Nichts tauchte der Kellner neben ihnen auf. »Eine Flasche Champagner«, sagte er. »Und was zum Knabbern. Oliven, Brot, so etwas in der Art.«

Der Kellner verschwand und dann waren die beiden allein. Jens Magen machte plötzlich doppelte Überschläge.

»Und, schöne Weihnachten gehabt?«, erkundigte Daniel sich. Jen verdrehte die Augen. »Schön würde ich das nicht gerade nennen. Interessant vielleicht.«

Daniel grinste. »Erzähl mir nicht, dass du auch aus einer gestörten Familie kommst?«

Jen nickte. »So schlimm wie meine kann deine auf keinen Fall sein«, erklärte sie mit einem schiefen Lächeln.

Daniel hatte ein kleines Funkeln in den Augen. »Ach, ist das jetzt ein Wettbewerb, oder wie? Tja, na ja, meine Familie ist nicht unbedingt gestört, aber sie wohnen am Ende der Welt, und an Weihnachten gibt's bei ihnen immer Biskuit-Pudding-Trifle zum Nachtisch statt den traditionellen Plumpudding. Und sie nehmen die Weihnachtsansprache der Queen wirklich sehr ernst. Was glaubst du, warum ich dir am ersten Weihnachtstag eine SMS geschrieben habe? Ich war verzweifelt!«

Jen tat, als sei sie beleidigt. »Ach so, nur weil du verzweifelt warst, ja?«

»Nein, nein, oh Gott, nein, so habe ich das nicht gemeint ...« Zu spät merkte Daniel, dass Jen ihn auf den Arm nehmen wollte, und er wurde rot. »Ach, hör auf«, knurrte er gutmütig. »Dann erzähl doch mal, warum soll ausgerechnet deine Familie die Krönung der Gestörten sein?«

Jen zuckte unbehaglich mit den Schultern. Sie war innerlich noch ganz wund von dem Streit mit ihrer Mutter.

»So schlimm?«, fragte Daniel mitfühlend und Jen wurde es plötzlich viel leichter ums Herz.

»Ach, nichts allzu Ernstes. Ich habe bloß Eltern, die lügen, betrügen und sich hassen, weiter nichts«, erklärte sie. Und als sie das so sagte, kam es ihr seltsamerweise auf einmal doch gar nicht mehr ganz so schlimm vor. Eigentlich war es sogar ziemlich komisch. Na ja, fast. Es war einfach so selbstverständlich, mit Daniel zusammen zu sein, sie konnte ihm einfach alles sagen, ihn auf den Arm nehmen, ihm ihr Herz öffnen. Ob die Leute das meinten, wenn sie von Liebe auf den ersten Blick sprachen?

»Du musst ja eine sehr interessante Kindheit gehabt haben!«, grinste Daniel. »Vertragen sie sich denn? Ich meine, abgesehen vom Lügen und Betrügen ...«

»Sie sind geschieden.«

»Oh. Tut mir leid.« Daniel guckte etwas betreten.

»Schon okay. Das ist Jahre her.«

Er nickte. »Vielleicht waren sie sich einfach zu ähnlich.«

Jen runzelte die Stirn. »Ähnlich? Irgendwie schon, aber sie sind auch wie Feuer und Wasser. Mum interessiert sich für Kristalle und Heiler und lächerliche spirituelle Gurus, die in Wirklichkeit nichts dergleichen sind, und Dad ... na ja, Dad ist ein Workaholic. Er ...« Sie brach ab, weil sie nicht wusste, was sie sagen sollte, und nicht zugeben wollte, dass sie ihren Vater kaum kannte. Sie erinnerte sich noch gut, was für ein Bild sie immer von ihm gehabt hatte, und sie wusste auch, was für einen Eindruck er in den letzten Wochen bei ihr hinterlassen hatte. Aber diese beiden Seiten waren so gegensätzlich, dass sie sich eingestehen musste, überhaupt keine Ahnung zu haben, was für ein Mensch er war. Abgesehen natürlich von ihren Kindheitserinnerungen, doch wenn er da war, hatten sich die Eltern meist gestritten, und ansonsten war er, wie es schien, immer im Büro.

»Er war immer sehr auf seine Karriere und seinen Job fixiert«, fasste sie zusammen. »Und vermutlich kennst du ihn schon. Er ist ... na ja, er ist George Bell.«

Jen konnte sehen, dass Daniel plötzlich ganz große Augen machte. »Menschenskind! Okay, du hast gewonnen. Also jetzt mal ehrlich, du bist die Tochter von George Bell?«

Jen nickte. »Bei Bell weiß es keiner«, erklärte sie ernst. »Es ist irgendwie ... ziemlich kompliziert.« Als sie das sagte, musste sie an Angel denken und sie lächelte kurz in sich hinein.

»Du bist also Jennifer Bell, nicht Jennifer Bellman?«

Jen zuckte etwas zusammen. »Ja. Ich ... na ja, mir ist nichts Besseres eingefallen. Und ich hatte eine Heidenangst, meinen eigenen Namen zu vergessen.«

»Bell gefällt mir besser. Das passt zu dir. Und, kommst du nach ihm? Oder bist du mehr wie deine Mutter? Ich finde, ich sollte gewarnt sein, meinst du nicht?«

Er grinste und sah ihr tief in die Augen, und Jen spürte, wie sie darin versank, keinen klaren Gedanken mehr fassen, an nichts anderes mehr denken konnte und was für ein wunderbares Gefühl das war.

»Nach keinem von beiden«, murmelte sie, als Daniel sich zu ihr hinüberlehnte und sie küsste. »Etwas von beiden. Manches. Nur ... die guten Eigenschaften ...«

Fünf Stunden später saß Jen mit Daniel auf dem Rücksitz eines Taxis und in ihrem Kopf drehte sich alles vor Aufregung. Sie saß da, den Kopf an Daniels Schulter geschmiegt, und er hielt sie umarmt. Sie hielt seine Hand, während er ihr mit der anderen liebevoll übers Haar strich. Sie wäre bereit, jetzt tot umzufallen und in den Himmel zu kommen, wäre sie nicht so schrecklich aufgeregt wegen der Dinge, die noch kommen würden.

Jen machte kurz die Augen zu und versuchte, diesen Abend in ihrer Erinnerung einzurahmen, jedes kleinste Detail. Zunächst war da natürlich dieser Kuss. Damit hatte alles angefangen, das war der Moment gewesen, in dem alle Nervosität von ihr abgefallen war. Dieser eine Kuss – oder genau genommen eine ganze Menge Küsse, sollte jemand sich die Mühe gemacht haben mitzuzählen –hatte es in Jens Bauch heftig kribbeln lassen, und sie hatte sich gefühlt, als müsse sie gleichzeitig lachen und weinen.

Was, das musste sie gestehen, dann doch ein bisschen übertrieben war, und zunächst schob sie es auf den Champagner. Aber dann beim Essen hatten sie sich unterhalten, als würden sie sich schon seit einer Ewigkeit kennen. Sie hatte von ihren Eltern erzählt und Daniel Dinge anvertraut, die sie bisher nicht einmal sich selbst eingestanden hatte. Und hin und wieder hatte er ihre Hand gedrückt oder sich zu ihr hinübergebeugt und sie geküsst – und als sie fertig war, ungefähr zur gleichen Zeit, als der Nachtisch serviert wurde, hatte er dann angefangen zu reden. Mit sanfter Stimme hatte er von sich erzählt, von seiner Kindheit in Schottland und dann in Northumberland, seinem Entschluss, zur Uni zu gehen – mit dem er die altehrwürdige Familientradition durchkreuzte, weil er kein Landwirt wurde –, seinen ersten Erfolgen und schließlich seiner momentanen Sinnkrise.

Und als sie dann schließlich fertig waren, hatte keiner von ihnen nach Hause gehen wollen, also war er mit ihr ins Ronnie Scotts gegangen, hatte sie nach oben auf eine kleine Tanzfläche gebracht, wo Salsa-Musik gespielt wurde, und sie hatten miteinander getanzt, allein, Wange an Wange. Und Jen hatte wirklich geglaubt, solange sie weitertanzten, würde diese Nacht nie enden.

Als Jen dann irgendwann müde den Kopf auf Daniels Schultern gelegt und die Augen zugemacht hatte, da hatte er ihr ins Ohr geflüstert, sie sollten wohl lieber nach Hause gehen, und sie hatte nur schläfrig genickt, wohl wissend, dass, wo auch immer Daniel heute Nacht hinging, auch sie sein wollte.

»Na komm, kleine Schlafmütze, wir sind gleich zu Hause«, raunte Daniel, wuschelte ihr durch die Haare und weckte sie aus ihrem kleinen Schlummer.

»Bei wem zu Hause?«, fragte sie schlaftrunken.

»Bei dir natürlich.« Daniel grinste. »Ich hätte es etwas vermessen gefunden, dich ungefragt mit zu mir zu nehmen.«

Jen warf Daniel einen kurzen Seitenblick zu. »Ich hab nicht aufgeräumt«, erklärte sie verlegen. »Du musst versprechen, die Augen zuzumachen.«

»Wie wär's, wenn ich dir verspreche, mich morgen früh an nichts mehr zu erinnern?«

»Nein«, protestierte Jen. »Ich will auf keinen Fall, dass du diesen Abend vergisst, wenn du nichts dagegen hast.«

Als sie vor Jens Haus anhielten, spähte Daniel misstrauisch zur Tür. »Nur zur Sicherheit«, erklärte er, als Jen ihn spielerisch in die Seite knuffte. »Du erwartest nicht zufällig irgendwelche Exfreunde, oder?«

Jen krabbelte aus dem Taxi und, machte sich etwas wackelig auf den Weg zur Tür, und plötzlich überkam sie die schreckliche Angst, Gavin könnte tatsächlich da stehen, könne durch eine fiese Laune des Schicksals ein zweites Mal in London gestrandet sein. Aber zu ihrer großen Erleichterung war die Schwelle gänzlich unbevölkert. Als sie den Schlüssel im Schloss umdrehte, trat Daniel hinter sie und begann, an ihrem Nacken zu knabbern. Sie drehte sich zu ihm, um ihn zu küssen, und dann taumelten sie gegen die Tür und stießen sie auf. Ganz leise schlichen sie sich nach oben zu ihrer Wohnung, sie entriegelte die Tür und hielt sie ihm auf.

»Schöne hohe Decken«, bemerkte er bewundernd. »Sehr schöne Wohnung.« Daniel ging zu ihr und nahm sie in die Arme, und als er sich dann hinunterbeugte, um sie zu küssen, schlang Jen die Arme fest um seinen Hals.

Langsam streifte Daniel seinen Mantel ab und sie knöpfte sein Jackett auf, und dann küsste er auch schon wieder ihren Nacken und zog ihr den Pulli über den Kopf.

Schrrrrrrrrrrrrrrrring. Schrrrrrrrrrrrrrrrring.

Jen zuckte zusammen.

»Ist das dein Telefon?«, nuschelte Daniel. »Mach es doch einfach aus.«

Jen nickte, als Daniel sie losließ, und kramte ihr Handy aus der Manteltasche. Dann runzelte sie plötzlich die Stirn.

»Es ist mein Dad«, erklärte sie erstaunt. »Warum ruft der mich denn um diese Zeit an?«

Sie zögerte. Es war schon seltsam – gerade vor ein paar Tagen erst hatte sie seine Nummer gespeichert, und es war irgendwie merkwürdig und aufregend, die Anzeige DAD auf dem Display zu sehen. Aber Daniel war bei ihr. Von ihrer Familie hatte sie nach den vergangenen Tagen eigentlich erst mal die Nase voll. Jetzt wollte sie ein bisschen Zeit für sich haben, und da würde sie auch ihren Vater nicht einfach unangemeldet hereinplatzen lassen.

Entschlossen drückte sie BEENDEN, dann machte sie das Handy aus.

»Alles okay?«, erkundigte Daniel sich behutsam und sie nickte. Ließ sich von ihm in die Arme nehmen und halb ins Schlafzimmer tragen. Und ließ sich dann von ihm auch noch die letzten Kleidungsstücke ausziehen und half ihm ebenfalls aus seinen Sachen. Minuten später wälzten sie sich auf dem Bett, und Jen drängte sich ganz fest an ihn und konnte sich nicht mehr daran erinnern, wann sie das letzte Mal so aufgeregt gewesen war.

»Ich will mit dir schlafen«, flüsterte Daniel, und Jen nickte, zog ihn auf sich und überließ ihm die Kontrolle. Als er in sie eindrang, stöhnte sie auf, und als sie sich dann sanft bewegten, kam es Jen so vor, als gäbe es nur noch sie beide auf der Welt. Nichts anderes war mehr wichtig. Daniel in ihr. Auf ihr. Um sie herum. Sie schien zu schweben, dann zu fallen, sich zu drehen, und dann schließlich stöhnte sie auf und zog Daniel in sich hinein, hielt ihn mit ungeahnter Kraft fest, und danach, wie lange danach, wusste sie nicht, ließ sie ihn los und ließ sich ganz benommen zurücksinken.

»Unglaublich«, seufzte Daniel und ließ sich neben sie in das Kissen fallen.

»Aber wahr«, entgegnete Jen verträumt. Ihre Beine waren ineinander verschlungen, und sie war schon fast eingenickt, erhitzt, erschöpft und unbeschreiblich glücklich.

Jen wachte auf, weil irgendwer ihre Haare streichelte, riss die Augen auf und guckte geradewegs auf eine Tasse Tee, die man ihr unter die Nase hielt.

»Ich wusste nicht, ob du Zucker nimmst«, erklärte Daniel entschuldigend. »Also habe ich einen Würfel hineingetan – ich dachte, nach der letzten Nacht könntest du einen kleinen Energieschub brauchen.«

Jen musste kichern, dann setzte sie sich auf. »Du hast Toast gemacht!«, rief sie, und Daniel zuckte die Achseln.

»War nicht mehr viel Brot da. Und in deinem Kühlschrank herrscht gähnende Leere. Aber ja, ich habe ein paar Scheiben Toast hinbekommen, falls du Hunger hast. Und die Zeitung habe ich auch mitgebracht.«

Jen streckte die Hand nach ihm aus und küsste ihn. »Du bist perfekt«, erklärte sie glücklich. »Das, das alles hier, ist absolut perfekt.«

Daniel kletterte wieder zu ihr ins Bett, und Jen stürzte sich wie ausgehungert auf eine Scheibe Toast, die vor Honig nur so triefte, schlug die Zeitung auf und überflog die Seiten auf der Suche nach interessanten Meldungen. In dieser Woche sollte es in London wieder Schnee geben. Vielerorts wurde Kritik an den Problemen im öffentlichen Nahverkehr ausgerechnet zu Silvester geübt. Und Bell Consulting war Quellen zufolge in den Korruptionsskandal um den Tsunami-Wiederaufbau verwickelt ...

Jen starrte wie versteinert auf die Seite. Bell verwickelt? Wie? Warum?

Schnell las sie den Artikel. Eine Bell nahestehende Quelle hatte der Zeitung Material zugänglich gemacht, das Hinweise enthielt, Bell habe eine wichtige Rolle dabei gespielt, teure Bauprojekte für ihren Kunden Axiom an Land zu ziehen. Ein Brief, in dem George für seine Hilfe gedankt wurde!

Finster runzelte sie die Stirn. Die konnten doch unmöglich den Brief meinen, den sie gefunden hatte, oder? Den hatte sie doch noch. Und niemand außer ihr könnte den der Zeitung »zugänglich gemacht« haben. Niemand außer ihr hatte ihn gesehen.

Niemand, bis auf Gavin.

»Also, ich weiß ja nicht, ob du heute schon was vorhast«, sagte Daniel gerade, »aber ...« Er stutzte. »Ist alles in Ordnung?«

»Ähm, nein, nein, eigentlich nicht«, stammelte Jen mit heftig pochendem Herzen. »Ich ... ach, Mist!« Ihr Gehirn arbeitete auf Hochtouren. Es musste Gavin gewesen sein. Dieser miese Dreckskerl war doch tatsächlich hingegangen und hatte es einem Journalisten gesteckt! Das sah ihm mal wieder ähnlich. Warum um Himmels willen hatte sie ihm auch unbedingt davon erzählen müssen? Oh Gott, wie hatte sie nur so blöd sein können? Ob ihr Vater sie deswegen gestern Abend angerufen hatte? Ob dieser Journalist ihn kontaktiert hatte? Das Herz schlug ihr bis zum Hals. Gerade erst war ihr Vater wieder da und schon hatte sie ihn verraten und verkauft, und das bloß, weil sie Gavin unbedingt hatte beeindrucken wollen, ihm unter die Nase gerieben hatte, wie wichtig sie war. Ob er ihr das je verzeihen konnte?

In dem Moment klingelte das Telefon und Jen wollte es schon ignorieren, überlegte es sich aber dann doch anders. Wenn das wieder ihr Vater war, der sie enterben wollte, dann sollte sie es besser gleich hinter sich bringen. Und mit ein bisschen Glück war es Gavin, und sie konnte ihm ordentlich die Meinung sagen.

Sie warf Daniel einen entschuldigenden Blick zu und angelte nach dem Hörer, den sie gerade noch rechtzeitig erwischte.

»Hallo?«, fragte sie vorsichtig.

»Spreche ich mit Jennifer?«

Jen runzelte die Stirn. Die Stimme kannte sie nicht.
»Ja. Wer ist denn da?«

»Ach, gut. Jennifer, hier spricht Emily, die Sekretärin Ihres Vaters. Ich habe leider eine schlechte Nachricht.«

Jen ging mit einer gehörigen Portion Schuldgefühlen auf, dass sie mit der Frau redete, die sie heimlich beobachtet hatte, um sich in ihr Büro zu schleichen.
»Okay«, murmelte sie schicksalsergeben und machte sich auf das Schlimmste gefasst. Man würde sie aus dem Kurs werfen, dachte sie bei sich. Ihr Vater wollte sie nie mehr sehen.

Daniel sah sie verdutzt an, weil Jens Gesicht in Sekundenschnelle von beschämtem Rot zu entsetztem Weiß wechselte.

»Okay. Also gut. Ja, sofort«, hörte er sie sagen und runzelte die Stirn.

»Alles in Ordnung?«, fragte er, stieg aus dem Bett und hockte sich auf die Kante, als sie wie in Trance auf ihn zuwankte.

Sie starrte ihn an, ohne ihn richtig wahrzunehmen und hüllte sich in ein Laken, als wäre ihr erst jetzt bewusst geworden, dass sie nackt war. »Ähm, nein. Eigentlich nicht so richtig«, murmelte sie, drehte sich langsam um und sah ihn an. »Emily, die Sekretärin meines Vaters, holt mich in etwa fünf Minuten hier ab. Er ... er hatte einen Herzinfarkt.«

16

Jen starrte ihren Vater an, der ganz schlaff und reglos dalag, an Schläuche und Maschinen angeschlossen, die fürsorglich um ihn herum piepsten und blinkten, und fühlte sich völlig fehl am Platze. Ihr schwirrte der Kopf vom vielen »hätte« und »wäre«, und über keins davon konnte sie nachdenken, ohne dass sich ein anderes vordrängelte. Hätte sie bloß nicht mit Gavin über Bell Consulting gesprochen. Hätte sie ihrem Vater nicht ins Gesicht geschrien, sie hasse ihn und wolle ihn nie wiedersehen, als ihre Mutter ihr gesagt hatte, er gehe fort. Hätte sie bloß früher die Wahrheit erfahren. Wäre sie gestern Abend ans Telefon gegangen, als er versucht hatte, sie anzurufen. Wäre sie ein besserer Mensch gewesen, eine bessere Tochter. Wäre sie nicht so unglaublich egoistisch, dass sie sogar jetzt den Gedanken an Daniel in ihrem Bett nicht verdrängen konnte und sich wünschte, sie wäre dort bei ihm statt hier im Krankenhaus und das alles wäre nicht passiert ...

Es war alles ihre Schuld, davon war sie überzeugt. Und doch hätte sie die Schuld am liebsten auf jemand anderen geschoben. Hauptsächlich auf Gavin, weil er mit der Zeitung gesprochen hatte. Er war es, es konnte nicht anders sein. Das Ganze trug eindeutig seine Handschrift, er war der Einzige, dem sie von dem Brief erzählt hatte. Und außerdem war er der größte Opportunist, den sie kannte – ganz zweifellos würde diese kleine Indiskretion ihm Fleißpunkte bei den Journalisten einbringen und ihm eine ausführliche Berichterstattung über seine nächsten Protest-Eskapaden sichern. Aber ob er mal einen Moment über die Folgen nachdachte? Ob er sich je das klitzekleinste bisschen darum scherte, was ihr möglicherweise widerfuhr? Natürlich nicht. Der Dreckskerl,

Tja, und jetzt konnte er der Liste seiner größten Erfolge auch noch hinzufügen, George Bell einen Herzinfarkt verpasst zu haben. Keine Frage, ihr Vater hatte erfahren, dass der Artikel erscheinen würde, und das hatte er nicht verkraftet. Sie fragte sich nur, ob der Herzinfarkt durch den Artikel an sich ausgelöst worden war oder durch die Tatsache, dass er davon ausgehen musste, von seiner eigenen Tochter verraten und verkauft worden zu sein.

Wie dem auch sei. Gavin würde auf jeden Fall sein Fett wegkriegen. Wenn sie erst mal mit ihm fertig war, würde er so weichgekocht sein, dass er sich für den Rest seines Lebens unentwegt bei ihr entschuldigen müsste, und selbst das würde noch nicht reichen.

Wem sonst?, fragte sie sich, wenn sie schon mal dabei war. Wem sonst konnte sie die Schuld in die Schuhe schieben? Na ja, es gab ja auch immer noch ihre Mutter

– schließlich war sie es gewesen, die überhaupt erst die Saat des Zweifels gesät hatte. Sie hatte Jen gezwungen, ihr eigenes Fleisch und Blut auszuspionieren. Den Mann, der ihr ein Vater sein wollte und über den Harriet nichts als Lügen verbreitet hatte. Ja, es war alles ihre Schuld. Na ja, ihre und Gavins.

Und dann Daniel. Hätte er sie nicht zum Essen eingeladen, wäre er nicht da gewesen, wäre vielleicht alles ganz anders gekommen. Wäre sie ans Telefon gegangen, wäre sie da gewesen, als ihr Vater angerufen hatte ...

Jen merkte, wie ihr eine kleine Träne über die Wange lief, und wischte sie weg. Sie musste wirklich kurz davor sein, durchzudrehen, wenn sie allen Ernstes Daniel dafür verantwortlich machen wollte. Ausgerechnet ihn. Den liebenswertesten Menschen der Welt. Sie musste sich jetzt ganz dringend mal zusammenreißen. Denn unterm Strich war es sowieso alles ihre Schuld – sie hatte sich vor Gavin wichtiggemacht, und sie hatte sich vor lauter Langeweile von ihrer Mutter zu diesem MBA-Kurs überreden lassen, weil sie sich nach ein bisschen Abwechslung gesehnt hatte und genauso gut mal eben ihren Vater ausspionieren konnte.

Was nicht hieß, dass sie Gavin ungeschoren damit davonkommen lassen würde, sie heimtückisch hintergangen zu haben. Jen hatte bereits eine stinkwütende Nachricht auf seiner Mailbox hinterlassen und beabsichtigte, das jeden Tag zu wiederholen, so lange, bis er sie irgendwann anrief und sich entschuldigte. Außerdem hätte sie gerne gewusst, wie er es geschafft hatte, den Brief zu kopieren. Sie hatte nachgesehen, und der Brief war immer noch da, wo sie ihn versteckt hatte, wie also hatte die Zeitung ihn zu Gesicht bekommen? Obwohl das jetzt auch egal war.

Langsam trat sie zu ihrem Vater ans Bett und setzte sich neben ihn auf einen Stuhl. Sie sah ihn sich ganz genau an, versuchte sich sein Gesicht einzuprägen, versuchte es mit dem Gesicht in Einklang zu bringen, das ihr als Kind so vertraut gewesen war. Der Arzt hatte nur gesagt, er würde vermutlich durchkommen. Eine Garantie dafür gab es nicht. Und selbst wenn er sich wieder erholte – wenn er so wütend war, wie sie annahm, dann war das jetzt vielleicht ihre letzte Chance, ihn noch mal aus der Nähe zu sehen.

Während sie so dort saß und ihn anschaute, legte sie einen kleinen Eid ab. Wenn ihr Vater durchkam, dann wollte sie ihm die beste Tochter aller Zeiten sein. Sie würde ganz viel Zeit mit ihm verbringen, er sollte stolz auf sie sein können. Sie stellte sich das vor wie die Zeitlupensequenz eines Films: Sie würden zusammen am Strand entlanglaufen und Sandburgen bauen und lange Gespräche über Gott und die Welt führen. Okay, vielleicht nicht unbedingt laufen – schließlich hatte er gerade einen Herzinfarkt erlitten. Aber reden auf jeden Fall. Sie schaute auf die Uhr. Halb zwölf mittags. Also gut, von jetzt an würde sie sich um ihn kümmern. Von jetzt an sollte alles anders werden.

»Seit wann bist du denn schon hier?«

Jen erschrak, als sie die Stimme ihres Vaters hörte, und machte rasch sie Augen auf. Schnell guckte sie auf die Uhr an der Wand gegenüber und stellte fest, dass sie ein paar Stunden geschlafen haben musste. Na gut, dann fing diese Gute-Tochter-Geschichte eben um halb zwei an.

»Eine Weile«, erklärte sie unsicher. »Dad, es tut mir so leid. Ich bin so ...« Ohne es zu wollen, brach sie in Tränen aus, und ihr ganzer Frust und ihre Schuldgefühle flossen in warmen, salzigen Tränen aus ihr heraus, sie tropften ihr aus den Augen und hingen an ihrer Nase.

»Ach, komm schon«, murmelte George. »Du musst doch nicht ... ich bin bald wieder auf dem Damm. Komm schon, Jen. Hör auf, Schätzchen.«

»Ich dachte ... ich dachte, ich verliere dich. Noch mal«, heulte Jen, schniefte laut und holte ein Papiertaschentuch aus dem Nachttischchen. »Und dabei sollte ich doch stark sein für dich. Aber sieh mich an. Ich bin ein hoffnungsloser Fall. Ich bin eine furchtbare Tochter.«

»Niemand verliert hier irgendwen«, brachte George mit schwacher Stimme heraus und war ganz atemlos.

Jen nickte ernst. »Du hast recht. Natürlich hast du recht. Also, was ist passiert?«, fragte sie, wischte sich die Tränen aus dem Gesicht und runzelte angestrengt die Stirn, um sich besser auf die gegenwärtige Situation konzentrieren zu können, statt über ihre vielen Unzulänglichkeiten nachzudenken. Sie musste jetzt stark sein und mit Fassung tragen, was immer ihr Dad ihr zu sagen hatte.

»Ein verfluchter Ärger, das ist passiert«, schimpfte George und versuchte sich an einem schiefen Lächeln.

»Je schneller ich hier rauskomme, desto besser, meinst du nicht?«

Jen nickte stumm und fragte sich, ob er damit den Zeitungsartikel oder seinen Herzinfarkt meinte. »Aber was ... was war denn schuld daran? An deinem Herzinfarkt, meine ich«, stammelte sie.

Du, hörte sie ihn schon sagen. *Du bist doch für diesen Artikel verantwortlich, oder etwa nicht? Der Artikel, der meine Firma ruinieren wird. Du bist schuld an meinem Herzinfarkt ...*

Doch stattdessen zuckte George nur die Achseln. »Vermutlich bin ich selbst schuld, weil ich kein Kaninchenfutter essen und stundenlang hirnverbrannte Übungen im Fitnessstudio machen wollte. Elende Zeitverschwendung. Ich kann diesen Laden nicht ausstehen. Also, Jen ...«

Nervös sah sie ihn an. »Ja?«

»Hattest du schöne Weihnachtstage? Hast du viel für dein Studium gearbeitet? Ich wollte dich eigentlich anrufen, aber du weißt ja, wie es ist ...«

Er weiß es nicht, ging Jen urplötzlich auf. *Er hat die Zeitungen noch gar nicht gesehen.* Erleichtert atmete sie auf – an seinem Herzinfarkt traf sie tatsächlich keine Schuld! Doch die Freude war nur von kurzer Dauer, denn gleich fiel ihr siedend heiß ein, dass er es ja dennoch irgendwann herausbekommen würde – das Wörtchen noch war ein echter Totschläger. Und wenn er es erst erfahren hatte, würde er ganz bestimmt einen Rückfall erleiden.

Sie lächelte zögernd, bis sie sich daran erinnerte, dass dies eigentlich ein ganz normales Gespräch sein sollte. »Ach, du weißt doch, wie das Weihnachten so ist«, plapperte sie los, bemüht, möglichst fröhlich zu klingen. »Für meinen Geschmack viel zu viel Zeit mit der Familie ...« Sie wurde rot, weil sie erst viel zu spät merkte, was sie da erzählte. Viel zu lange hatte sie bei Familie nur an ihre Mutter gedacht. »Ich habe nicht gemeint ... ich meine ...«, stotterte sie, und George grinste.

»Ganz deiner Meinung. Und, das Studium?«

Jen zuckte die Achseln und lächelte andeutungsweise. »Ich habe Ferien, Dad. Da will ich nicht unbedingt arbeiten.«

Die Unterhaltung erinnerte doch sehr an ein Gespräch von damals, an ihrem letzten gemeinsamen Weihnachtsfest, ehe er weggegangen war. Streitgespräch wäre vielleicht die treffendere Bezeichnung. Sie hatte die Tür geknallt, er hatte gedroht, ihr das Taschengeld zu streichen, und alles bloß, weil er verlangt hatte, sie solle mehr für die Schule tun.

George lächelte, anscheinend erinnerte auch er sich noch daran. »Wie hast du denn damals abgeschnitten?«, fragte er leise.

»Alles glatte Einser«, erwiderte Jen erstickt. »Ich dachte, du würdest mich nie danach fragen.«

Ihre Worte hallten noch eine Weile nach, dann lächelte George beinahe munter. »Dann war es doch gut, dass ich dich in den Ferien zum Lernen angehalten habe, was?«

»Du kommst zu spät.«

Jen sah ihre Freundin schuldbewusst an und drückte ihr schnell ein Küsschen auf die Wange. »Angel, es tut mir leid. Ich war im Krankenhaus. Und trotzdem bin ich nur zehn Minuten zu spät dran.«

Sie standen an der U-Bahn-Station in Shepherd's Bush, einem Vorposten West Londons, wo die BBC, ein bisschen Waffenkriminalität, zunehmend mehr Familien, die es sich nicht leisten konnten, in Notting Hill oder Holland Park zu wohnen, und Shepherd's Market beheimatet waren, wo man alles bekam, von Süßkartoffeln und Kochbananen über DVD-Raubkopien bis hin zu Klamotten mit mehr Glitzer als alles in R. Kellys Kleiderschrank.

Schon vor zwei Wochen hatte Jen Angel versprochen mitzukommen, und nach fünf Erinnerungsanrufen und zwei mahnenden SMS hatte sie es nicht übers Herz gebracht abzusagen, auch wenn es nicht ganz in ihr neues Gute-Tochter-Programm passte, Hochzeitsgarderobe einkaufen zu gehen, vor allem, weil sie erst vor zwei Tagen damit angefangen hatte. Aber, dachte sie sich, eine gute Freundin zu sein war auch ziemlich wichtig. Und außerdem hatte ihr Vater ohnehin den größten Teil des Tages verschlafen, mit ein bisschen Glück würde er sie also gar nicht vermissen.

»Fünfzehn. Du bist fünfzehn Minuten zu spät, ich habe elf Outfits zu kaufen, und wir haben nur einen Nachmittag Zeit, fünfzehn Minuten fallen also ganz schön ins Gewicht, kapiert?«

Jen nickte ernsthaft. »Du brauchst wirklich elf verschiedene Outfits? Ich dachte immer, du betrachtest arrangierte Ehen äußerst argwöhnisch und stündest den kulturellen Paradigmen, die sie transportieren, sehr kritisch gegenüber«, bemerkte sie mit einem wörtlichen Zitat aus einer von Angels zahlreichen Tiraden nur wenige Monate zuvor. »Wieso spielst du auf einmal so begeistert mit?«

Angel kniff die Augen zusammen. »Ich spiele nicht mit, ich unterstütze die Entscheidung meines Bruders. Das Leben ist nicht schwarz und weiß, Jen, wie du sehr wohl weißt – es gibt eine ganze Menge Grautöne dazwischen, und die Kunst besteht darin, sicher hindurchzusteuern, ohne unterwegs allzu viel an Integrität zu verlieren. Ich will keine arrangierte Ehe, ich will nicht mein ganzes Leben lang Curry für meine fünf Kinder kochen. Aber wenn mein Bruder mit so einem Leben glücklich ist, bitteschön.«

Jen senkte den Kopf »Tut mir leid, ich wollte dich nicht...«

»Ich weiß«, unterbrach Angel sie. »Also, um auf deine Frage zurückzukommen, ja, ich brauche in der Tat elf Outfits, und das ist eigentlich schon eine reife Leistung, weil es ursprünglich mal sechzehn sein sollten. Ehrlich, Jen, du machst dir ja keine Vorstellung. Die Vorverlobungsfeier, die Verlobungsfeier, die Willkommensfeier für unsere Familie bei ihrer Familie, die Willkommensfeier für ihre Familie bei unserer Familie, ihre offizielle Junggesellinnenabschiedsparty, ihre richtige Junggesellinnenabschiedsparty, das Vorhochzeitsessen ... die Liste ließe sich beliebig fortsetzen. Glaub mir, elf Outfits sind nicht schlecht für eine indische Hochzeitsfeier.« Plötzlich brach sie ab und sah Jen an. »Entschuldige, ich habe gar nicht gefragt – wie geht es ihm?«

Jen lächelte. »Eigentlich ganz gut. Ich meine, die Ärzte sagen, er wird wieder völlig gesund. Noch etwa eine Woche im Krankenhaus, eine strikte Linsen-Gemüse-Diät, und bald ist er wieder ganz der Alte.«

»Du warst sehr oft bei ihm.« Es war eine Frage ohne Fragezeichen, eher eine Feststellung. Aber Jen wusste, worauf sie hinauswollte. »Sehr oft« war eigentlich eine Untertreibung – in den vergangenen zwei Tagen war sie ihrem Vater nicht von der Seite gewichen, hatte ihm von sich und ihrem Leben erzählt, sich geweigert, ihm Schokoladen-Muffins zu kaufen, und ihm stattdessen Bananen und Äpfel ans Bett gebracht. Es war fast wie früher, als sie noch klein war. Sie war bloß ein bisschen befangener.

»Sieht so aus«, murmelte sie vage. »Los, wo kaufen wir das ganze Zeug ein?«

»Folge mir unauffällig.«

Angel führte sie durch die Märkte zur Goldhawk Road, in einen Laden mit seidig schimmernden Stoffen im Schaufenster. Angel grinste Jen an. »Hier kaufen wir den ganzen offiziellen Kram.«

Sie zog die Augenbrauen hoch und musterte die Verkäuferin, die zu ihnen herüberkam. »Ich möchte fünf Saris bestellen«, kommandierte sie streng und setzte den gleichen starken indischen Akzent auf wie ihre Mutter. »Nicht diese Vogeltrittstoffe, ich möchte nur reine Seide. Und ich habe nicht viel Zeit. Okay? Na, dann machen Sie schon!«

Als die Verkäuferin gehorsam losflitzte, zwinkerte Angel Jen zu. »Ich würde eine sehr gute indische Matriarchin abgeben, nicht?«

Zwei Stunden später, als sie endlich alles in Shepherd's Bush erledigt hatten, machten sie sich auf den Weg zur Kensington High Street.

»Und jetzt«, verkündete Angel, »gehen wir zu Karen Millen.«

Karen Millens Schaufenster waren ein einziges Glitzerwunderland. Es war gerade Winterschlussverkauf und das Ende der Weihnachts- und Silvesterpartysaison, und in den Auslagen türmten sich Röcke mit glitzernden Mustern, mit Edelsteinen überzogene Korsagentops und paillettenbesetzte Jacken. Angel bekam ganz glänzende Augen, während Jen eher die Augen verdrehte. Angels Hang zu Gold und Glitzersachen war ihr schon immer ein Rätsel gewesen. Sie war eine vegetarisch lebende Yogalehrerin, was Jens Meinung nach hieß, dass sie eigentlich im Schlabberlook à la Christie Turlington herumlaufen sollte – mit langen schmalen Hosen, ganz fließend und natürlich – statt auszusehen, als hätte sie J. Los Kleiderschrank geplündert.

Sie heftete sich an Angels Fersen und sah mit großen Augen zu, wie ihre Freundin sich auf einen Kleiderständer nach dem anderen stürzte, von beinahe jedem ein Teil nahm und alles einer ziemlich irritierten Verkäuferin in die Hand drückte.

Schließlich war Angel am Ende des Ladens angekommen und seufzte. »Tja, das muss erst mal reichen«, murmelte sie leise, verschwand in einer der

Umkleidekabinen und ließ Jen auf einem Hocker sitzen, der normalerweise für gelangweilte Freunde und Ehemänner reserviert war. Langsam verstand sie, warum die meisten Männer nicht so scharf darauf waren, ihre Frauen beim Shopping zu begleiten – es machte nicht halb so viel Spaß wie für sich selbst einkaufen.

Unversehens wanderte ihr Blick zu einem Kleiderständer gleich neben den Umkleidekabinen, wo marineblaue Nadelstreifenhosen neben funkelnden Hemdchen in Neonpink und seidenen Tops in Leopardenoptik hingen. Jen konnte sich lebhaft vorstellen, wie eine Frauenzeitschrift an diesem Beispiel erklärte, wie man Arbeitskleidung ausgehfein machte, indem man mal eben ganz geschickt das Top wechselte und ein paar Accessoires dazu kombinierte. Der Sinn hatte sich ihr noch nie erschlossen, weil sie eigentlich kaum zwischen Bürooutfit und Abendgarderobe unterschied. Klar, zum Ausgehen trug sie hochhackige Schuhe, Lippenstift kam dann auch meist zum Einsatz, aber sie hatte gelernt, dass Jeans sich ganz wunderbar eigneten, um sich nahtlos von der Arbeit ins Vergnügen zu stürzen. Die konnte man genauso gut zum Weggehen wir zum Abhängen vor dem Fernseher tragen. Die perfekte Kombination, wenn man sie fragte.

Sie riss sich von diesem Anblick los, weil Angel in Kombi Nummer eins aus der Kabine getreten war, dem Outfit für die offizielle Junggesellinnenabschiedsparty. Top: nicht zu tief ausgeschnitten, aber ausgefallen genug, um zu zeigen *Ich habe mir Mühe gegeben*. Rock: ganz knapp bis übers Knie, ein seidiger Stoff, asymmetrisch geschnitten, mit genug Pailletten, um seine 85 Pfund wert zu sein, heruntergesetzt von 150 Pfund. Schuhe: irrwitzig hoch, aber Angel schien ja mit Absätzen sowieso keinerlei Probleme zu haben. Sie war nur einen Meter sechzig groß und hatte ihre gesamte Teeniezeit hindurch unermüdlich geübt, in den hochhackigen Schuhen ihrer Mutter herumzustöckeln, bis ihre Füße beinahe wie die von Barbie aussahen. Vielleicht war sie deshalb so verrückt nach Yoga, überlegte Jen. Damit ließ sich so einiges wieder geradebiegen.

»Und?«, wollte Angel wissen. »Sagt diese Kombi laut und deutlich ›Ich habe was aus meinem Leben gemacht und mache meiner Familie keine Schande, ich weiß, wie man sich anzieht, bin aber noch auf gar keinen Fall auf dem Heiratsmarkt‹?«

Jen dachte kurz nach. »Genau das sagt es«, erklärte sie ernsthaft. »Zumindest den Teil mit der Eleganz und dem Wohlstand Aber würdest du mir noch mal erklären, warum dieser Look ›nicht auf dem Heiratsmarkt‹ sagt?«

Angel zuckte die Achseln. »Ist wohl reines Wunschdenken. Die Verlobte meines Bruders hat einen Bruder, und ich weiß ganz genau, dass die Familie schon einen Plan für mich ausbrütet. Okay, also, jetzt zu Outfit Nummer zwei. Das muss sagen ›lustige Partynudel, die ihrer Familie keine Schande macht, aber trotzdem weiß, wie man sich amüsiert.‹ Okay?«

Jen nickte leicht benommen, während Angel wieder in die Kabine schlüpfte. Kurz darauf wanderte ihr Blick wieder zurück zu dem Kleiderständer.

Noch nie hatte sie ein Kostüm oder einen Anzug getragen, und Leute, die das taten, waren ihr meist suspekt. Anzüge und Kostüme waren die stoffgewordene
Konformität, eine Machtdemonstration – anders ausgedrückt, alles, was sie hasste. Und besonders praktisch
waren sie auch nicht. Demonstranten trugen normalerweise kein feines Stöffchen von Calvin Klein, wenn
sie auf einer zur Bebauung freigegebenen Wiese ein Sit-
in veranstalteten, und bei Green Futures ließe sich die
durchschnittliche Bürokleidung eher mit »Lehrerlook«
als mit »schickes Manageroutfit« beschreiben. Kaum
zu glauben, aber wahr: Manche der männlichen Angestellten trugen tatsächlich Socken in den Sandalen.
Tim war der Einzige, der im Anzug zur Arbeit kam, aber
der war ja auch schließlich Buchhalter. Es sähe komisch aus, wenn der etwas anderes anhätte.

Bei Bell war das natürlich ganz anders. Alle trugen
Anzüge und Kostüme. Sogar die Leute im MBA-Kurs kamen manchmal damit zu den Vorlesungen – wenn sie
Referate halten mussten, zum Beispiel. Und ihr Vater ...
tja, der sah ohne Anzug so ungewohnt aus wie eine
Sportlehrerin, die bei der Lehrerversammlung im Rock
statt wie gewohnt im Trainingsanzug auftaucht. Da ...
da stimmte dann einfach etwas nicht. Am Wochenende
lief George zu Hause meist ganz leger in Cord- oder
Freizeithosen und einer Strickjacke über einem Hemd
ohne gestärkten Kragen rum – was alles nicht sonderlich gut zusammenpasste und worin er meist ein bisschen lächerlich wirkte. Mit Anzug war er George Bell

von Bell Consulting. Ohne war er bloß ein Mann wie jeder andere.

Tja, das Problem hatte sie nicht. Sie brauchte kein Kostüm, um jemand zu sein. Sie sah gut aus, so wie sie war.

Im Spiegel erhaschte sie einen Blick auf ihr Spiegelbild und musste sich eingestehen, dass sie vielleicht doch nicht ganz so gut aussah. Passabel vielleicht, aber so wie sie aussah, würde sie die Welt sicher nicht zu Begeisterungsstürmen veranlassen – wie sie dasaß, in einem ausgebeulten T-Shirt und einer zerschlissenen Jeans. Und dieser Anzug war auch kein typischer quadratischer, aufgeblasener 80er-Jahre-Anzug mit dicken Schulterpolstern. Er bestand aus einer Hüfthose und einer ziemlich coolen Jacke. Vielleicht könnte sie ja einfach so tun, als sei es gar kein Anzug, und die Teile einzeln anziehen.

Langsam stand sie auf und spazierte hinüber zu dem Kleiderständer, nahm einen der Anzüge und hielt ihn sich an. Sie fragte sich, wie sie wohl darin aussehen würde. Fragte sich, wie es wohl wäre, in so einem Nadelstreifenanzug herumzustolzieren, während ihr Vater ihr aus dem Hintergrund stolz hinterherschaute. »Hallo, ich bin Jennifer Bell. Ja, Georges Tochter. Ach, Sie kennen ihn? Ja, wir stehen uns tatsächlich sehr nahe. Sie finden, ich sehe ihm ähnlich? Tja, wissen Sie, da könnten Sie recht haben – vielleicht sehen wir uns wirklich ähnlich. Wie dem auch sei, ich glaube, Sie brauchen ein bisschen Hilfe, um ihre Kernkom petenzen auf Vordermann zu bringen, damit Sie Ihre

Unternehmensleistung steigern können? Schauen wir mal, was ich für Sie tun kann ...«

Sie runzelte die Stirn. Was war denn bloß in sie gefahren? Sie hasste Anzüge. In so etwas würde sie sich nicht mal tot stecken lassen, Punkt, Schluss, Ende, aus. Schnell hängte sie das Ensemble zurück.

»Möchten Sie den anprobieren?«

Jen drehte sich auf dem Absatz um, und da stand eine Verkäuferin und sah sie erwartungsvoll an. Sie wurde rot. »Oh nein«, erwiderte sie rasch. »Ich schaue mich nur mal um. Ich meine, ich bin nicht so der Anzug-Typ ...«

»Das ist auch mehr ein Ausgehanzug als einer fürs Büro«, erklärte die Verkäuferin. »Darum hängt er auch neben den Glitzertops.«

Die Verkäuferin deutete auf die Tops, und Jen fühlte sich verpflichtet, sie interessiert zu betrachten, als seien die ihr noch gar nicht aufgefallen.

»Ach so, verstehe«, erwiderte sie und lächelte die Verkäuferin an, um zu betonen, dass sie es tatsächlich verstanden hatte.

»Und, möchten sie ihn nun anprobieren?«

Angel steckte den Kopf aus ihrer Umkleide. »Diese Hose passt hinten und vorne nicht. Ich brauche eine andere Größe. Und andere Schuhe ...«

Die Verkäuferin nickte und ging hinüber zu Angel. Dort angekommen, drehte sie sich noch mal zu Jen um. »Sie können diese Kabine nehmen«, sagte sie und wies auf die Umkleide gleich neben der von Angel.

Jen zögerte, dann verschwand sie schnell in der Kabine und hielt dabei den Anzug mit spitzen Fingern wie einen nassen Lappen so weit wie möglich von sich weg. *Ich probiere ihn ja nur mal an*, versicherte sie sich streng. *Dagegen ist ja wohl nichts zu sagen.*

»Wow!«, bemerkte Angel anerkennend, als sie beide fünf Minuten später aus ihren Kabinen traten, um sich ein bisschen befangen in dem großen Spiegel zu begutachten und ihre Rückseiten auf unschönen Faltenwurf zu überprüfen. »Ich hab dich noch nie im Anzug gesehen. Sieht toll aus!«

Verlegen schüttelte Jen den Kopf, aber sie wusste, dass ihr das keiner abnahm. Sie sah wirklich toll aus. Viel besser als in ihrer Jeans, die schon so bequem war, dass sie gar keine richtige Form mehr hatte und sich um ihre Beine legte, als hätte sie einen Kater und wisse sonst nichts mit sich anzufangen.

»Komisches Gefühl«, murmelte sie und konnte kaum fassen, dass die respekteinflößende Dame dort im Spiegel sie selbst sein sollte. »Das bin doch nicht ich.«

»Wer ist denn ›ich‹?«, fragte Angel achselzuckend. »Wir sind doch keine eindimensionalen Wesen, oder? Du machst gerade deinen MBA-Abschluss – war doch nur eine Frage der Zeit, bis du etwas geschäftsmäßiger wirst.«

Jen schaute Angel entrüstet an. »Ich mache keinen MBA-Abschluss. Ich meine, doch schon, aber eigentlich ... du weißt schon ... eigentlich nicht. Nicht so richtig ...«

»Dafür bist du aber ziemlich gut, das weißt du. Hast vor Weihnachten für die Prüfungen gebüffelt, hast dir einen neuen Freund angelacht, der doch tatsächlich einem geregelten Beruf nachgeht und nicht den größten Teil seiner Zeit damit zu bringt, auf anderer Leute Fußböden zu schlafen. Und dein Vater ...«

»Du meinst also, ich verkaufe mich?«, fragte Jen hitzig.

Angel schüttelte den Kopf. »Das hast du jetzt gesagt. Ich finde, du wirst erwachsen. Und es steht dir gut. Aber hör zu, wir sind nicht hergekommen, um deine Identitätskrise zu bewältigen – momentan müssen wir uns erst mal um meine kümmern. Also, sag mir schonungslos die Wahrheit, sehe ich billig aus? Ich sehe billig aus, stimmt's? Ich kann meine Mutter schon ganz deutlich hören – ›Anuragini, willst du Schande über mein Haus bringen? Hast du denn gar keinen Respekt vor deiner Familie? Ach, warum habe ich nur so eine Tochter? Warum hört sie nie auf mich?‹«

Sie konnte den indischen Akzent ihrer Mutter perfekt nachahmen und Jen kicherte. »Ich finde, du siehst klasse aus. Und das ist doch für den inoffiziellen Junggesellinnenabschied, oder? Bekommt deine Mutter dich denn dann überhaupt zu sehen?«

Angel stöhnte. »Du hast echt keine Ahnung, was? Natürlich kriegt sie mich zu sehen. Nicht mit eigenen Augen, aber durch die Beschreibung meiner Kusinen, und die wird immer maßlos übertrieben, weil sie wie bei der Stillen Post weitererzählt wird, bis die Geschichte schließlich meiner Mutter zu Ohren kommt und ich nichts weiter anhatte als einen Stringtanga.«

»Dann ist es doch sowieso egal, was du anziehst, wenn's hinterher so oder so Ärger gibt«, meinte Jen.

Angel lächelte. »Ich hab's doch gewusst, dass ich dich nicht ohne Grund mitgenommen habe. Absolut logisch. Das gefällt mir. Okay, also, jetzt brauche ich ein Outfit, das sagt ›sittsame, achtbare Schwester, die der Familie der Braut ihren Bruder nicht madig macht‹. Nimmst du den Anzug?«

Jen schüttelte den Kopf. »Um Gottes willen, nein. Nein, ganz bestimmt nicht. Ich meine, der ist einfach nicht ... also, ganz einfach nein. Nein, ich nehme ihn nicht.«

»Also ja, oder wie?«

Angel grinste und Jen sah sie verzweifelt an. »Was ist bloß los mit mir, Angel?«

»Du entwickelst dich weiter«, erklärte Angel schlicht. »Du solltest dich langsam dran gewöhnen.«

17

Als Jen nach Hause kam, blieb ihr noch genau eine Stunde Zeit, ehe sie wieder losmusste, um sich mit Alan zur versprochenen Nachhilfestunde zu treffen. Eigentlich hatte sie gerade Weihnachtsferien und sollte sich bei süßem Nichtstun erholen, dachte sie, stattdessen aber hatte sie noch nie zuvor so viel um die Ohren gehabt. Sie zog ihren neuen Anzug aus der schicken Papiertüte und hängte ihn in den Schrank, dann ließ sie sich ein Bad ein. Ob Angel recht hatte? Ob sie sich schlicht und ergreifend weiterentwickelte? Konnte man das so mir nichts, dir nichts – einfach in eine neue Haut schlüpfen, sich in einen anderen Menschen verwandeln, mit anderen Idealen, anderen Vorstellungen und anderen Loyalitäten? Das kam ihr so ... so komisch vor. Und so einfach. Musste man sich da nicht vorher erstmal wochenlang das Hirn zermartern? Sich für mehrere Monate in einer dunklen Höhle verkriechen? Um sich am Ende irgendeinem Ritual zu stellen, so einer Art Prüfung?

Sie lächelte in sich hinein, während sie das duftende Badeöl in die Wanne goss. Vielleicht war ihr Aufbaustudium die dunkle Höhle, und die Abschlussprüfung war das Ritual. Sie stellte sich vor, wie alle Kursteilnehmer einen Stammestanz aufführten und zu vollwertigen Mitgliedern des Business erklärt wurden. Dann verschwand das Lächeln schlagartig aus ihrem Gesicht. Herrje, was war denn bloß los mit ihr? Sie hatte so lange überlegt, womit sie ihren Vater beeindrucken könnte, dass sie schon genauso wurde wie die, die sie immer am meisten verabscheut hatte.

Mit finsterer Miene zog Jen sich aus. Irgendwie stand alles Kopf – jetzt war ihre Mutter plötzlich die Lügnerin, und sie musste ihren Vater verteidigen und beschützen. Die Geschäftswelt war auf einmal gar nicht mehr so böse, wohingegen Gavin, der Umweltaktivist, sie heimtückisch hintergangen hatte. Sie hatte sich gerade einen Anzug gekauft, und jetzt würde sie den Samstagabend mit Alan, dem trotteligen MBA-Streber, verbringen und ihm beibringen, wie man Frauen anquatschte. Na ja, nur einen Teil des Abends, schließlich hatte sie Daniel versprochen, spätestens um zehn bei ihm zu sein. Daniel, ihr neuer Freund, der eine eigene Wohnung, eine eigene Firma und auch sonst alles hatte. Sie schüttelte den Kopf und stieg in die Badewanne. Wenn das Schicksal irgendeinen groß angelegten Plan für sie ausgeheckt hatte, wenn es irgendeine Erklärung bereithielt für diese fremde neue Welt, in der sie sich plötzlich wiedergefunden hatte, dann hätte sie doch nur zu gerne einen klitzekleinen Blick darauf geworfen.

Eineinhalb Stunden später war Jen auf dem Weg zu ihrem »Arbeitstreffen« mit Alan in einer dunklen, schmuddeligen Eckkneipe an der Tottenham Court Road. Alan hatte die Kneipe ausgesucht, und Jen wünschte rückblickend, er hätte ihr gesagt, dass sie ganz am Ende der Straße war, denn dann hätte sie an einer anderen U-Bahn-Station aussteigen und sich einen zwanzigminütigen Fußmarsch sparen können.

Als sie reinkam, saß ein fahrig wirkender Alan an einem Tisch in der Ecke und schaute ihr entgegen.

»Der Weg hierher war der reinste Albtraum!«, schimpfte sie und ließ sich erschöpft neben ihn auf einen Stuhl plumpsen. »Alan, warum musstest du dir ausgerechnet einen Laden am Ende der zivilisierten Welt aussuchen?«

Alan nahm die Brille ab und putzte sie mit seinem Taschentuch. »Hör zu, ich hab mir das noch mal überlegt, und ich bin mir nicht mehr sicher, ob das so eine gute Idee ist«, setzte er nervös an. »Ich will ja gar keine Freundin. Jedenfalls brauche ich keine. Ich muss für den Kurs büffeln und ...«

Jen seufzte und warf ihm einen strengen Blick zu. Wenn sie schon bereit war, sich auf Veränderungen in ihrem Leben einzulassen, dann sollte Alan das verdammt noch mal auch sein. »Alan, du willst sehr wohl eine Freundin, und das hier ist eine gute Idee. Sieh dich doch mal an – du bist ja jetzt schon nur noch ein zitterndes Häufchen Elend, und dabei sitzt du bloß mit mir hier! Ich schlage vor, ich hole uns was zu Trinken, und in der Zwischenzeit überlegst du dir, wie du ein Gespräch mit einem Mädchen anfangen könntest. Und dann probierst du es an mir aus. Einverstanden?«

Alan wirkte ganz und gar nicht überzeugt, aber Jen machte sich unbeirrt auf den Weg zur Theke. Veränderungen konnten einem ganz schön Angst machen, dachte sie bei sich. Sie würde Alan helfen, sie ganz langsam und eine nach der anderen anzugehen. Und sie war auf jeden Fall die Richtige, um ihm ein bisschen auf die Sprünge zu helfen, dachte sie fest entschlossen, als sie ein Glas Bitter für ihn und einen Gin Tonic für sich selbst bestellte. Die Zweifel und Unsicherheiten, die sie so geplagt hatten, seit sie sich vorhin den Anzug gekauft hatte, lösten sich allmählich in Wohlgefallen auf und machten der festen Überzeugung Platz, dass es eine durch und durch positive Erfahrung war, sich weiterzuentwickeln. Und dass sie darin nun eine echte Expertin war.

»Also«, sagte sie fünf Minuten später strahlend und knallte die Gläser auf den Tisch. »Gib's mir!«

Alan wirkte ganz verdattert. »Es dir geben?«, fragte er beunruhigt. »Was soll ich dir denn geben?«

Seufzend setzte sie sich. »Ich meinte, sag sie mir. Deine Anmachsprüche.«

»Ach so. Sagt man wirklich gib's mir?«

Jen zuckte die Achseln. »Weiß nicht. Aber das ist jetzt nebensächlich. Also los.«

Alan wurde rot. »Ich habe keine Anmachsprüche«, gestand er verlegen.

»Okay, sagen wir mal so: Du bist in einer Kneipe, so wie hier, und ich bin eine unbekannte Frau, die sich gerade an deinen Tisch gesetzt hat, weil sonst nirgendwo mehr etwas frei ist. Und mit unbekannt meine ich auch ... weiß nicht, eine mysteriöse, schöne, intelligent wirkende Frau. Klasse Schuhe und so. Also, ich sitze hier, und ich bin offensichtlich allein, und ich gefalle dir. Was würdest du sagen, um mich in ein Gespräch zu verwickeln?«

Alan schaute Jen befremdet an. »Gar nichts. Ich würde vermutlich ein Buch rausholen, damit ich mich nicht mit dir unterhalten muss.«

»Gut«, meinte Jen verunsichert. »Also, das ist doch schon mal ein interessanter Ansatz. Okay, dann eben bei einer Party. Eine, bei der du eine Frau gesehen hast, die dir gefällt.«

»Ich gehe nicht auf Partys. Ich hasse Partys. Da muss man sich mit wildfremden Leuten unterhalten.«

Jen musste kurz nachdenken. Das Ganze erwies sich als wesent lich schwieriger als zunächst angenommen. »Okay, Alan. Hör zu, die Sache ist die, wenn du eine Freundin willst, dann wirst du dich mit fremden Menschen unterhalten müssen. Als du Lara und mich kennengelernt hast, hat es doch auch geklappt, oder etwa nicht?«

»Das war was anderes. Mit euch konnte ich mich ja über den Kurs unterhalten. Ihr habt nicht von mir erwartet, dass ich über Filme rede, die ich noch nie gesehen habe, oder über exotische Orte, an denen ich noch nie war. Small Talk ist einfach nicht mein Ding.«

Jen trank einen großen Schluck Gin Tonic und seufzte. Wem wollte sie hier etwas vormachen – sie hasste Small Talk genauso, hasste es, auf Partys zu gehen, wo es von wildfremden Menschen nur so wimmelte.

»Okay«, meinte sie schließlich, »vergessen wir Partys und Kneipen. Denken wir an dein Arbeitsumfeld. Was, wenn dir eine aus dem Kurs gefiele? Das wäre doch leichter, oder?«

Alan sah sie etwas gequält an. »Ich finde aber keine aus dem Kurs gut«, versicherte er eilig. »Ich weiß ja nicht, was da getratscht wird, aber es stimmt nicht. Ich bin nicht ...«

»Ich sage ›wenn‹«, fiel Jen ihm ins Wort und betonte das Wörtchen besonders. »Ich nehme den Kurs nur als Beispiel. Rein theoretisch. Du weißt schon – ›wenn‹ du eine gut fändest, wie könntest du sie dann ansprechen?«

Alan wirkte erhitzt und schien sich richtiggehend unwohl zu fühlen. »Tue ich aber nicht«, knurrte er mürrisch. »Ich hab doch gewusst, dass das keine gute Idee ist.«

Jen gab es auf. Diese Geschichte verlangte ihr wirklich all ihren Erfindungsreichtum und all ihre Geduld ab. »Alan«, sagte sie gedehnt, »denk mal kurz darüber nach. Viele Menschen lernen sich bei der Arbeit kennen. Das ist geradezu der ideale Ort dafür – in einem Büro sitzen viele Menschen mit ähnlichen Interessen zusammen. Wenn du es nicht schaffst, jemanden im Büro anzusprechen, wo du dein halbes Leben mit Gleichgesinnten verbringst, dann wird es dir anderswo noch sehr viel schwerer fallen.«

»Ich hab's dir doch gesagt«, murmelte Alan trotzig, »ich finde keine aus dem Kurs gut. Und selbst wenn, wenn ich sie dann zum Essen oder ins Kino einladen würde, würde sie bestimmt Nein sagen, und dann müsste ich mich bei einem anderen MBA-Kurs einschreiben. Nein, das ist eine grässliche Idee.«

Jen holte tief Luft. »Sie muss ja nicht zwangsläufig nein sagen«, warf sie rasch ein. »Nicht, wenn du es sorgfältig vorbereitest. Du musst dir eine Methode ausdenken, um unauffällig herauszufinden, ob sie Interesse hat. Und ihr feine Fingerzeige geben, dass deinerseits möglicherweise Interesse bestehen könnte. Damit du sie, falls du sie dann mal fragen solltest, nicht komplett überrumpelst. Kapiert? Dann musst du dich nicht so weit aus dem Fenster lehnen.«

»Du meinst Risikominimierung?«, fragte Alan ernsthaft.

Jen konnte es kaum fassen. Dieser Typ konnte wirklich über nichts anderes reden als über Unternehmensstrategien, ein wirklich hoffnungsloser Fall. Und wenn sie noch alle Tassen im Schrank hatte, müsste sie sich jetzt eigentlich schleunigst aus dem Staub machen und zu Daniel verschwinden. Der hatte bestimmt für sie gekocht und wartete schon auf sie, mit Wein, und dann diese Arme ...

Dann hatte sie einen Geistesblitz.

»Risikominimierung, hast du gesagt?«, hakte sie vorsichtig nach. »Na ja, so gesehen, schon. Genau das ist es.« Sie griff wieder nach ihrem Glas und nippte an ihrem Drink. »Ja, warum betrachtest du diese ganze Übung nicht einfach als Anspruchsberechtigtenmanagement?«, schlug sie vor und konnte feststellen, dass Alan plötzlich nicht mehr ganz so misstrauisch, sondern eher interessiert guckte. »Deine potenzielle neue Freundin ist eine potenzielle Anspruchsberechtigte. Du musst also in Erfahrung bringen, wie sehr sie sich für dich interessiert, ihre Vorlieben und Abneigungen herausfinden und dann eine Strategie entwickeln. Genau wie bei einer Kursaufgabe, nur nicht auf dem Papier. Eine praktische Übung.«

»Du meinst, ich soll herausfinden, was für Filme sie mag, ehe ich sie ins Kino einlade?«

Jen strahlte. »Alan, du hast's erfasst. Du würdest einer Firma doch auch nicht empfehlen, ihre Kunden mit unangemeldeten Vertreteranrufen zu belästigen, oder? Es sei denn, sie verkauft Isolierglasfenster und steckt steckt locker weg, dass die Meisten direkt auflegen. Nein, du würdest empfehlen, es langsam anzugehen. Erst mal dafür zu sorgen, dass die Kunden den Firmennamen schon mal gehört haben und die Produkte kennen.«

Alan nickte.

»Also gut«, fuhr Jen fort, »dann solltest du also das Mädchen auch nicht gleich ins Kino einladen – erwähne vielleicht erst mal einen Film, den du kürzlich gesehen hast. Frag sie, ob sie den auch gesehen hat, ob er ihr gefallen hat. Frag sie, was sie gut fand und was nicht. Marktforschung, verstehst du? Und auf einmal seid ihr mitten im Gespräch, und wenn es gut läuft, dann wäre es ganz selbstverständlich, sie bei eurem nächsten Gespräch über Filme ins Kino einzuladen, um euch gemeinsam einen Film anzuschauen.«

Alan nickte ernst und fing an, sich auf einem kleinen Block Notizen zu machen.

»Wie bei Amazon«, bemerkte er und kritzelte unbeirrt weiter. »Die wissen immer, was man beim letzten Mal gekauft hat, und wenn man dann wiederkommt, kriegt man gleich ein paar persönliche Empfehlungen. Kundenbindung und Kundenmanagement?«

Jen holte wieder tief Luft. »Ganz genau«, murmelte sie.

»Und das funktioniert?«, fragte er.

Jen musste lächeln, als sie an ihre Gespräche mit Daniel über den MBA-Kurs, Bücher, ethische Unternehmensführung und Familienstreitigkeiten dachte.

»Da draußen laufen eine Menge Pärchen rum«, erwiderte sie im Grundton fester Überzeugung. »Die haben auch alle mal klein angefangen.«

»Hallo, schöne Frau.«

Jen grinste und stellte sich auf die Zehenspitzen, um Daniel einen Kuss zu geben. Der nahm sie fest in die Arme, hob sie hoch, wirbelte sie herum und setzte sie im Flur wieder ab.

»Wo hast du denn so lange gesteckt?«, fragte er und führte sie in seine Wohnung. »Ich war mir nicht sicher, ob ich etwas kochen sollte oder nicht.«

Jens Blick schweifte durch den Flur und blieb an den Fotos von Daniel hängen: Daniel im Taucheranzug, auf einem Berg, lächelnd, mit einer Frau im Arm ... Ohne es zu wollen, runzelte sie bei diesem Anblick die Stirn und verengte die Augen.

»Meine Schwester«, erklärte Daniel mit einem schelmischen Blitzen in den Augen. »Sie lebt in den USA. Also?«

»Also was?«, fragte Jen, und es war ihr ein bisschen peinlich, dass er sie ertappt hatte.

»Also, wo bist du gewesen?«

»Ach so. Ich war mit einem Freund aus dem Kurs unterwegs, Alan.«

Jetzt zog Daniel die Stirn kraus. »Ach so«, murmelte er und ging ins Wohnzimmer. »Na ja, dann hoffe ich, ihr hattet einen schönen Abend.«

Jen lächelte in sich hinein und folgte ihm. »Hatten wir auch«, zog sie Daniel auf. »Wir haben uns hauptsächlich über Beziehungen unterhalten.«

Daniel drehte sich um und sah sie durchdringend an. »Beziehungen?«

»Und wie er an eine kommen könnte«, erklärte Jen grinsend. »Ehrlich gesagt, er ist ein ziemlicher Stubenhocker. Ich habe ... ihm ein bisschen Nachhilfeunterricht gegeben. Wie er sich eine neue Freundin zulegen kann.«

»Verstehe«, sagte Daniel. »Na ja, solange er dich dabei nicht im Auge hat ...«

Jen guckte ihn empört an. »Das bezweifle ich doch sehr«, beruhigte sie ihn rasch. »Und, zu welchem Entschluss bist du gekommen?«

Daniel sah sie fragend an. »Entschluss, in welcher Hinsicht?« »Hinsichtlich des Kochens. Du hast gesagt, du hättest nicht gewusst, ob du kochen sollst oder nicht.«

»Ach. Ach so. Na ja, ich habe mich entschlossen, es zu lassen. Ich dachte mir, wenn du Hunger hast, können wir uns was bestellen, wenn dir das recht ist.«

Jen nickte. »Klingt wunderbar. Und, was hast du gemacht, seit wir uns das letzte Mal gesehen haben?«

Daniel kramte in einer Schublade herum, holte ein paar Speisekarten heraus und reichte sie Jen. »Italienisch, chinesisch oder Thai – such dir was aus. Was ich gemacht habe? Ach, nicht viel. Arbeiten, schlafen, darauf warten, dass meine wunderschöne Freundin endlich auftaucht ... und mir ein paar überzeugende Ideen für die Präsentation in zwei Wochen aus den Fingern saugen.«

»Ich hätte gerne ein Curry mit schwarzen Bohnen und Hühnchen«, verkündete Jen und gab ihm die Speisekarten zurück. »Was denn für eine Präsentation?«

Daniel verdrehte die Augen. »Vor dem Vorstand. Was an sich ja nicht so schlimm wäre, aber in letzter Zeit sind mein Chef und ich einfach nicht mehr einer Meinung. Ich brauche ein paar richtig umwerfende Ideen, aber er redet immer bloß von Kostensenkung, als sei das der Schlüssel zur Lösung aller Probleme.«

Jen runzelte die Stirn. »Probleme? Ich hätte nicht gedacht, dass Wyman's irgendwelche Probleme hat.«

Daniel zuckte die Achseln. »Alle haben Probleme. Unsere Konkurrenten sind ein Problem, ebenso die

Immobilienpreise in London und der Niedergang der Haupteinkaufsstraßen. Keine unlösbaren Probleme, aber sie halten uns auf Trab. Also, Curry mit schwarzen Bohnen? Klingt lecker – ich glaube, das nehme ich auch.«

Er griff zum Telefonhörer, gab die Bestellung durch und setzte sich dann zu Jen aufs Sofa.

»Und was hast du in letzter Zeit so gemacht?«, erkundigte er sich leise. »Mich vermisst, hoffe ich.«

Neckisch sah Jen ihn an. »Warum sollte ich dich wohl vermissen, wo du doch nichts anderes im Kopf hast als die Londoner Immobilienpreise?«

Daniel nickte ernst. »Hart, aber gerecht«, meinte er gespielt feierlich. »Habe ich auch schon erwähnt, dass du mir ganz schrecklich gefehlt hast und ich ohne dich keinen Schlaf gefunden habe?«

Jen schaute ihn herausfordernd an. »Mehr nicht?«, fragte sie mit einem kleinen Lächeln.

Er fuhr sich mit der Hand durch die Haare. »Okay, Schlaflosigkeit reicht dir also noch nicht. Wie wäre es mit Selbstgeißelung? Würde dich das beeindrucken?«

Jen musste kichern. »Hat es sehr wehgetan?«

Daniel nickte. »Jawohl. Ziemlich sehr sogar. Ich hatte gehofft, du würdest den Schmerz wegküssen.«

»Verstehe«, murmelte Jen nachdenklich. »Und wo genau hat diese Selbstgeißelung sich ... geäußert?«

»Ähm, also, hier, denke ich«, sagte er und wies auf seine Wange. Jen beugte sich zu ihm rüber und drücke einen kleinen Kuss darauf.

»Sonst noch irgendwo?«, fragte sie mit einem kleinen Blitzen in den Augen.

Daniel runzelte die Stirn, dann machte er die obersten Hemdknöpfe auf und entblößte seine Brust. »Hier«, sagte er und zeigte auf die Stelle unterhalb der Kehle. Jen beugte sich darüber und küsste sie.

»Und hier«, flüsterte er und zeigte auf seinen Nacken.

»Vielleicht solltest du das Hemd besser ausziehen«, meinte Jen fürsorglich.

Daniel nickte ernst. »Wenn du meinst, das hilft«, raunte er und knöpfte das Hemd weiter auf. »Meinst du nicht, es wäre gut, du würdest deins auch ausziehen?«

Jen musste unfreiwillig lächeln. »Vielleicht hättest du Alan heute Abend ein bisschen Nachhilfe geben sollen, weißt du das?«, kicherte sie, während sie sich von Daniel die Bluse aufknöpfen und den Nacken küssen ließ. »Ich habe ihm bloß den Tipp gege ben, ganz viele Fragen zu stellen.«

»Fragen?«, fragte Daniel, zog ihr die Bluse aus und legte sie zur
Seite.

»Ja«, erwiderte Jen und versuchte sich zu konzentrieren, wäh rend Daniels Lippen begannen, ihren Körper zu erkunden. »Ich habe ihm geraten herauszufinden, was den Mädels gefällt, damit er ein Thema hat, über das er mit ihnen reden kann.«

»Gefällt dir das?«, fragte Daniel, öffnete ihren BH und ließ seine Lippen zu ihren Brüsten wandern.

Jen nickte. »Mmm, hmmm.«

»Und das?« Jetzt begann er, ihr die Hose auszuziehen.

»Oh ja.«

»Und wie steht's damit?«, fragte er und schlüpfte schnell aus seinen Kleidern.

Jen seufzte. »Ich glaube, das gefällt mir am allerbesten.«

Zwanzig Minuten später klingelte es an der Tür, und Daniel riss sich widerwillig von Jen los, flitzte ins Schlafzimmer und warf sich einen Bademantel über.

Langsam setzte Jen sich auf und schlenderte hinüber zum Kaminsims, über dem ein eleganter Spiegel mit Walnussrahmen hing. Sie warf einen kurzen Blick auf ihr Spiegelbild – gerötete Wangen, verstrubbelte Haare und ein schiefes Grinsen im Gesicht – und ließ sich wieder auf die Couch fallen. Ihr Gehirn war nicht fähig, an irgendetwas anderes zu denken als an das Hier und Jetzt – die Ereignisse des Tages schienen in weite Ferne gerückt, Bell Consulting und ihre Mutter waren nur noch eine verschwommene Erinnerung. Gab es einen besseren Stresskiller als Sex?, fragte sie sich träge. Gab es besseren Sex als Sex mit Daniel?

Mit zwei Tellern in der Hand kam er zurück, einen reichte er Jen, den anderen stellte er auf den Boden. Dann ging er noch mal hinaus und kam einen Augenblick später mit einer Flasche Wein und zwei Gläsern zurück. »Wir können auch am Tisch essen, wenn du möchtest – oder hier. Was dir lieber ist.«

Jen hatte den Teller schon wackelsicher auf ihrem Schoß platziert. »Hier wäre super«, meinte sie, insgeheim hocherfreut, dass sie nicht aufstehen musste. Sie hatte die Bluse wieder angezogen, war aber ansonsten vollkommen nackt und hatte sich ganz gemütlich auf dem Sofa eingekuschelt.

»Und, was gedenkst du, gegen Wyman's Probleme zu unternehmen?«, fragte sie ins Blaue hinein, als sie anfing zu essen. Entweder sie musste schrecklichen Hunger haben oder das war das beste Schwarze-Bohnen-Curry, das sie je gegessen hatte. Daniel saß ganz dicht neben ihr und jedes Mal, wenn er seine Gabel zum Mund führte und sein Knie ihres streifte, lief ihr ein wohliges Kribbeln durch den ganzen Körper. Er war einfach perfekt. Das alles war einfach perfekt.

Daniel verdrehte die Augen. »Weiß der Teufel, und im Moment ist es mir auch ziemlich egal. Ich gucke mir lieber deine Beine an.«

Jen errötete leicht. »Tja, ich sehe mir deine Beine ja auch ganz gerne an, aber das hindert mich nicht daran, mich für deine Arbeit zu interessieren«, entgegnete sie mit einem kleinen Lächeln.

Daniel sah sie an und zuckte die Achseln. »Ach, ich weiß nicht. Mir fällt schon noch was ein. Hey, du bist doch hier die MBA-Studentin – eigentlich solltest du mich mit guten Ideen versorgen.«

Jen grinste. »Ja, sollte ich«, bemerkte sie mit einem schelmischen Funkeln in den Augen. »Und obwohl mein guter Rat sonst teuer ist, so ist er sein Geld doch wert, denn ich habe vom Meister Daniel Peterson persönlich gelernt.«

Daniel lächelte. »Also gut. Ich habe dich mit Curry versorgt – damit müsste ich mir doch ein oder zwei Ideen erkaufen können, oder?«

Jen nickte ernsthaft. »Und es ist ein sehr gutes Curry, also denke ich, ich schulde dir mindestens zwei Vorschläge. Also ...« Sie dachte kurz nach. Ihr Kopf fühlte sich an, als sei er mit Watte gefüllt, und sie konnte sich kaum noch an irgendetwas von dem erinnern, das sie in ihrem Kurs gelernt hatte.

»Wie steht's mit deiner Zuliefererkette?«, meinte sie schließlich. In ihrer Prüfung hatte sie eine Abhandlung über Zuliefererketten geschrieben und sie fand, das klang wunderbar wichtig und beeindruckend.

Er zog die Augenbrauen hoch. »Zuliefererkette, sagst du. Erzähl mir mehr ...«

Jen runzelte die Stirn. Was sollte sie noch mehr erzählen? Wieder musste sie kurz nachdenken. »Ach, ich weiß nicht. Kauf einen Verlag. Oder schließe einen Vertrag mit einem ab, der ihn an euch bindet, indem er ausschließlich für euch produziert. Und du kannst nicht einfach ungefragt anfangen, mein Hühnchen aufzuessen, bloß weil du deins schon verputzt hast!« Missbilligend sah sie Daniel an, dessen Gabel gerade auf ihrem Teller gelandet war. Er grinste verschmitzt, und sie schaufelte etwas von ihrem Curry auf seinen leeren Teller.

»Eigentlich keine schlechte Idee«, murmelte er nachdenklich. »Was, willst du jetzt etwa einen Verlag aufkaufen?«

Er schüttelte den Kopf. »Sie zu binden. Ich frage mich, ob es etwas bringen würde, zum Beispiel eine gemeinsame Marke aufzubauen.«

Jen war satt, stellte den Teller weg und griff nach ihrem Weinglas, dann lehnte sie den Kopf an Daniels Schultern.

»Deine Kunden musst du auch an dich binden«, erklärte sie. »Du musst sie dazu bringen, dass sie lieber bei Wyman's als irgendwo anders einkaufen. Du brauchst Treuepunkte und solche Sachen.«

Daniel schlang die Arme um sie. »So, so, mit Treuepunkten könnte ich dich also an mich binden?«

»Vielleicht.«

»Würde die regelmäßige Fütterung mit Bohnen-Curry ausreichen?«

»Currys wären zumindest schon mal ein Anfang«, entgegnete Jen lächelnd.

»Ein Anfang«, murmelte Daniel nachdenklich. »Na ja, ein Anfang ist besser als nichts.«

Er zog sie an sich, und als ihre Lippen sich trafen, spürte sie, wie sich im Nacken eine Gänsehaut ausbreitete.

»Das ist auch durchaus förderlich«, flüsterte sie mit einem zufriedenen Seufzen, während Daniels Lippen zu ihrem Hals hinunterwanderten. »Das in Kombination mit den Currys ist, ehrlich gesagt, ziemlich verlockend.«

18

»Willkommen zurück, Leute, ich hoffe, ihr hattet schöne Ferien.« Jen sah sich im Hörsaal um und lächelte, als sie in mittlerweile vertraute Gesichter blickte. Sie musste daran denken, wie fremd sie sich gefühlt hatte, als sie das erste Mal hier gesessen hatte, und wie sehr sie sich gewünscht hatte, so schnell wie möglich zu verschwinden. Und nun gehörte sie dazu. Und es war ihr nicht mal mehr peinlich.

»Wie ihr alle wisst«, fuhr Jay fort, »werden wir uns in den kommenden Wochen einer weiteren Stufe der strategischen Analyse widmen – und zwar der SSMG-Analyse. Das heißt Stärken, Schwächen, Möglichkeiten und Gefahren, für die, die es nicht wissen oder in den Ferien so viel getrunken haben, dass sie sich nicht mehr daran erinnern können. So, und um euch in die Feinheiten einzuführen, heißt bitte Dr. Mary Franks von der London Business School willkommen, die uns in diesem Semester die Ehre als Gastdozentin erweist.«

Jen kramte einen neuen Block hervor, um gleich Notizen zu machen, aber in Gedanken war sie noch völlig bei Daniel. Wie er sie küsste. Wie er sie anlächelte. Wie sie bis zwei Uhr morgens geredet hatten, bloß weil sie beide den Abend nicht enden lassen wollten.

»Guten Morgen, meine Damen und Herren, und vielen Dank, Jay. Also, zur SSMG-Analyse. Nun ja, viele von Ihnen kennen die SSMG sicher schon. Aber nur wenige werden sie korrekt anwenden, und noch weniger werden sie bestmöglich nutzen. Im Wesentlichen hilft Ihnen die SSMG-Analyse dabei, die Erkenntnisse Ihrer internen und externen Analyse auszuwerten. Es ist die Gelegenheit, diese beiden zusammenzuführen und als Ganzes zu betrachten – Stärken und Schwächen des Unternehmens, die Sie in der internen Analyse identifiziert haben, und wie man die Stärken optimieren und die Schwächen reduzieren kann. Aber erst, wenn man das nun zu den Stärken und Schwächen addiert, die Sie in Ihrer externen Analyse bestimmt haben, werden Sie sehen, wo das Unternehmen wirklich steht, was zu tun ist und ob es für eine spezifische Aufgabe geeignet ist oder nicht.«

Für spezifische Aufgabe geeignet, notierte Jen sorgfältig. Lieber Gott, wenn irgendwer für eine spezifische Aufgabe geeignet war, dann Daniel.

»Nehmen wir ein Beispiel, ja? Würde mir bitte jemand ein Unternehmen nennen, mit dem wir arbeiten können? Eins mit relativ eindeutigen Stärken und Schwächen – dessen interne Abläufe wir relativ schnell in den Griff bekommen.«

Ein kurzes Schweigen trat ein, und ein Typ ganz hinten wollte schon Duracell vorschlagen, wurde aber sofort übertönt.

»Ein Kondomhersteller«, schlug Lara todernst vor. »Den haben wir schon öfter analysiert, und ich glaube, wir sind mit dessen internen Abläufen bereits recht vertraut.«

»Und ihre Schwächen kennen einige von uns nur zu genau«, warf eine junge Frau von hinten ein, die stolz einen dicken, schwangeren Bauch vor sich hertrug. Gelächter kam auf, und auch Jen konnte sich das Kichern nicht verkneifen.

Mary wirkte verunsichert. »Kondome, meinen Sie? Tja, okay, dann ...«

»... weshalb es wichtig ist, unsere Stärken auszuspielen, um unseren Ausstoß zu maximieren und unsere Betriebskosten zu reduzieren ...«

Daniel nickte zerstreut und versteckte seinen Blackberry unter dem Tisch, während Robert, einer von Wyman's Vorstandsmitgliedern, weiter über Wachstum und Kosteneffizienz schwadronierte.

Lust auf einen Drink heute Abend, meine kleine Sexgöttin? Sitze in tödlicher Konferenz. Ruf mich an! D. *Kuss*

Er verschickte die E-Mail und bemühte sich angestrengt um eine lässige Haltung, als das allseits bekannte und nicht zu überhörende Ping dem gesamten Vorstand den erfolgreichen Versand verkündete.

»Reine Routinesache, musste nur schnell antworten«, erklärte er unverfroren. »Entschuldigen Sie bitte. Wir spielen also unsere Stärken aus ...«

»Ja, Daniel«, unterbrach Robert ihn ernst. »Ich hatte eigentlich gehofft, Sie hätten uns dazu etwas zu sagen.«

»Also, bei unserem multinationalen Marktführer in Sachen Kondome gibt es Stärken wie Markenbewusstsein, hohe Qualität, Größe – nein, nicht lachen, ich meine das Unternehmen – und eine marktbeherrschende Stellung. Die Schwächen: Abhängigkeit von einem Produkt, glauben wir – obwohl ich mich noch mit James' Bemerkung bezüglich Sexspielzeug befassen werde –, Abhängigkeit von den Zulieferern, die Größe – weil Größe nicht nur eine Stärke, sondern auch eine Schwäche sein kann – und Mangel an Innovation.«

Die arme Frau, dachte Jen, als ringsherum ihre Kommilitonen von Lachanfällen geplagt fast von den Stühlen kippten, während Mary sich die größte Mühe gab, keine Miene zu verziehen, und unbeirrt fortfuhr.

»Möglichkeiten wären beispielsweise James' Sexspielzeug oder andere sexbezogene Produkte, steigende Marktanteile, neue Bezugsquellen oder Aufkaufen eines Latexfabrikanten und die Erschließung neuer Märkte. Gefahren wären neue Konkurrenten auf dem Markt, andere Methoden der Empfängnisverhütung wie die Pille für den Mann und Preiserhöhungen seitens der Zulieferer.

Wenn Sie diese Punkte zusammenfügen, werden sie sehen, wie Sie langsam die Möglichkeiten herausfiltern können: Allmählich durchschauen Sie, wie alles zusammenpasst und wie zukunftstauglich das betreffende Unternehmen ist. Wenn Sie in der Lage sind, eine gute SSMG-Analyse zu erstellen, wird die nächste Stufe Ihrer Analyse schon erheblich einfacher.«

Jen nickte ernsthaft und ihre Gedanken kehrten wieder von Daniel zurück zu wirklich drängenden Problemen. Bei Stärken und Schwächen sah sie ganz klar – ihr Vater hatte noch immer keinen Schimmer von dem Artikel über Bell und es war nur noch eine Frage der Zeit, bis er es herausfand. Die Krankenschwestern waren bisher sehr entgegenkommend gewesen und hatten um seines lieben Friedens willen Fernsehen und Zeitungen von ihm ferngehalten, aber das funktionierte nur, solange ihn niemand außer ihr besuchte. Jetzt, wo alle wieder aus dem Urlaub zurückgekommen waren, konnte er es jeden Augenblick erfahren, und sie hatte immer noch keine Ahnung, wie sie es verhindern sollte, mal abgesehen von Daumendrücken, Hoffen und Beten.

Ihr Handy begann zu brummen, also griff sie rasch in ihre Tasche, und als sie die Mail von Daniel las, lösten sich ihre Sorgen plötzlich in Wohlgefallen auf. *Alles wird gut*, sagte sie sich mit einem bescheuerten Grinsen auf dem Gesicht. Jetzt konnte doch gar nichts mehr schiefgehen.

»Also, für morgen würde ich Sie bitten, die Seiten dreiunddreißig bis vierundneunzig zu lesen und die empfohlenen Übungen zu machen«, schloss ihre Professorin. »Ich danke Ihnen, bis morgen.«

19

»Und, wie geht es dem Patienten?«, erkundigte Jen sich zaghaft. Ihr Vater war nun seit vier Tagen im Krankenhaus, und auch wenn sie die Krankenschwestern davon überzeugt hatte, dass Zeitungen jedweder Art Gift für ihn wären, so war sie doch jedes Mal, wenn sie ihn besuchte, fest davon überzeugt, dass dies der Tag sein würde, an dem er ihr an die Gurgel ging. Er würde ihr eine zerfledderte alte Ausgabe der Times unter die Nase halten und vorwurfsvoll mit dem Finger auf sie zeigen. Zuerst würde er gekränkt und verletzt wirken, dann richtig wütend werden und anfangen, mit Gegenständen zu werfen, und zum Schluss würde er sie anbrüllen, was ihn anginge, so habe er keine Tochter mehr. So wie Blake Carrington im Denver Clan es mit Sammy Jo gemacht hatte, weil die geholfen hatte, Crystal zu entführen – oder war Sammy Jo seine Nichte gewesen? Jen wusste es nicht mehr, aber das machte wohl keinen allzu großen Unterschied.

»Besser, jetzt, wo du da bist«, knurrte George. »Ich habe den Schwestern heute gesagt, dass es mir reicht und ich nach Hause gehe. Ich muss raus aus diesem Loch.«

»Also, Loch würde ich es nicht gerade nennen«, protestierte Jen vorsichtig. *Er weiß es noch nicht. Einen Tag bin ich noch sicher.* »Ich meine, du hast dein eigenes Zimmer, ein Knöpfchen, mit dem du die Schwester ruck, zuck herbeiklingeln kannst, die dir jeden Wusch von den Augen abliest, gutes Essen, viele Bücher, frische Blumen ...«

»Das ist mir egal, heute gehe ich.«

»Nein!«, rief Jen entsetzt. »Wenn du jetzt schon gehst, wirst du bestimmt wieder krank. Du musst dich ausruhen.« Sie wollte sich einreden, sie habe nur sein Bestes im Sinn – was ja irgendwie auch stimmte. Wenn er aus dem Krankenhaus entlassen wurde, dann würde er von dem Artikel erfahren, und das würde seinem Herzen bestimmt wieder arg zusetzen. Und je länger er hierblieb, desto mehr Zeit hatte sie, ihm zu beweisen, dass sie ein guter Mensch war, der nur mal hin und wieder einen Fehler machte, und kein teuflischer Satansbraten, der seinen eigenen Vater verkaufte. Das müsste seinem Seelenfrieden doch auch zuträglich sein, oder?

»Ich muss wieder zur Arbeit«, verkündete George bestimmt. »Ich habe allerhand zu tun.«

»Darum können sich doch auch andere kümmern«, sagte Jen rasch. »Komm schon, Dad, noch nie was von Delegieren gehört?«

Er sah sie an und runzelte die Stirn. »Ich delegiere jede Menge Aufgaben«, erklärte er herablassend. »Aber manche Dinge kann man einfach nicht delegieren. Und um die muss ich mich schleunigst wieder kümmern.«

»Welche Dinge?«, hakte Jen nach. »Du bist krank, du kannst nicht arbeiten. Sag mir, was zu tun ist, und ich helfe dir.«

George verdrehte die Augen. »Bloß ein paar Kleinigkeiten, mehr nicht. Ich brauche mein Handy und meinen Laptop.«

»Wenn du die hier hättest, würdest du dann noch ein Weilchen bleiben?«, fragte Jen und überlegte schnell. »Ich meine, wenn ich sie dir holen würde, würdest du dann hierbleiben, bis die Ärzte ihr Okay zu deiner Entlassung geben? Sieh mal, es ist sowieso schon Freitag, also besteht doch eigentlich keinerlei Ver anlassung, jetzt schon zu gehen. Warte wenigstens bis nach dem Wochenende.«

George wirkte wenig überzeugt. »Die lassen mich hier nicht einmal fernsehen.«

Jen errötete schuldbewusst. »Sag mir einfach, was du brauchst, und ich hole es. Aber versprich mir, dass du noch ein paar Tage hierbleibst.«

George verzog das Gesicht. »Mein Schlüssel ist da drüben. Weißt du, wo es ist? Mein Laptop ist im Wohnzimmer. Und mein Handy ... ich glaube, das steckt in der Manteltasche im Flur. Ich fasse es einfach nicht, dass ich alles stehen und liegen gelassen habe.«

»Kein Problem. Ich hole die Sachen ab. Und morgen bringe ich sie dir vorbei.«

George sah sie an, und der Anflug eines Lächelns huschte über sein Gesicht. »Ich bin so stolz auf dich, weißt du das«, sagte er leise. »Und so froh, dass du wieder zu meinem Leben gehörst, auch wenn du unter recht merkwürdigen Umständen wieder aufgetaucht bist.«

Jen errötete und lächelte zaghaft. »Ich auch«, murmelte sie.

»Man kann kaum einem Menschen mehr trauen«, fuhr er fort. »Aber der Familie ... na ja, ich denke, der Familie kann man wohl trauen. Meinst du nicht auch, Jen?«

Jen nickte stumm.

»Hast du noch ein bisschen für den Kurs gearbeitet?«

»Du erwartest, dass ich dich besuche und gleichzeitig lerne?« Jen sagte das mit einem kleinen Lächeln.

»Genau das erwarte ich.«

»Okay. Ich werde sehen, was sich machen lässt.«

»Danke, Jen. Du bist ein braves Mädchen.«

Jen erwiderte sein Lächeln und wünschte, sie wäre sich da auch ebenso sicher.

»Daniel, du siehst dünn aus. Isst du auch ordentlich?«

Anita klang besorgt, aber ihre Augen funkelten fröhlich, und Daniel beugte sich vor und küsste sie auf beide Wangen. Sie saßen an einem Tisch gleich am Fenster, ihr blasser Teint und ihre blonden Haare leuchteten in der Sonne, und ihre Küsse hinterließen leichte Lippenstiftabdrücke in Daniels Gesicht.

»Sehr nett, dass du dir Sorgen um mich machst.« Er grinste.

»Ich mache mir Sorgen um meine Autoren, Daniel, mehr nicht. Ich muss mich vergewissern, dass du fit und gesund genug bist, dich darum zu kümmern, dass die Leute ihre Bücher kaufen, und wenn ich dich dafür erst mal retten muss, tja, dann bitte sehr.«

»Weißt du, dass wir uns viel zu lange nicht gesehen haben, Anita?«

Anita sah ihn mit hochgezogenen Augenbrauen an. »Und wir wissen beide sehr wohl, am wem das liegt«, bemerkte sie etwas bissig. »So, weißt du schon, was du möchtest?«

Schnell warf Daniel ein Blick auf die Speisekarte und nickte. »Sag's nicht, du nimmst Pasta.« Anita lächelte, griff nach ihrem Wasserglas und nippte daran.

»Nein, diesmal nicht«, entgegnete Daniel mit einem verschmitzten Grinsen. »Ich finde, es ist an der Zeit, mit ein paar alten Gewohnheiten zu brechen, meinst du nicht? Ich dachte, ich nehme das Steak.«

»Du lieber Himmel. Du scheinst dich wirklich verändert zu haben.«

Daniel zuckte die Achseln. »Vielleicht. Aber vergiss nicht, dass ich dich sonst immer zum Mittagessen eingeladen habe und ich war dauernd pleite, kein Wunder also, dass ich immer Pasta gegessen habe.«

Anita lächelte. »Und nun schau dich an«, sagte sie und sah ihn durchdringend an. »Geschäftsführer. Du bist eine richtige Erfolgsgeschichte, weißt du das?«

Daniel schüttelte den Kopf. »Wohl kaum«, widersprach er. »Meinst du nicht?«, fragte Anita spöttisch.

»Ich meine, ich habe Hunger«, entgegnete Daniel ausweichend und wandte sich wieder seiner Speisekarte zu.

Sie gaben ihre Bestellung auf und Anita warf ihr Haar zurück. »Also, erzähl schon, Daniel, was ist los?«

Daniel schaute in Anitas kluges, erwartungsvolles Gesicht und lehnte sich zurück.

»Denkst du manchmal über dein Leben nach und fragst dich, wie zum Teufel du da hingekommen bist, wo du jetzt bist?«

Anita runzelte die Stirn. »Sag mir bitte nicht, du steckst in einer verfrühten Midlifecrisis, Daniel. Ich weiß nicht, ob ich das mittags schon verkraften kann. Dazu bräuchte ich auf jeden Fall einen Drink.«

»Nein, nein, nichts dergleichen. Es ist bloß ... ich frage mich, ob ich möglicherweise eine falsche Abzweigung genommen habe. Irgendwann mal. Weißt du, ich verbringe mein ganzes Leben in Sitzungen und kann mich nicht mal dazu aufraffen, etwas beizutragen. Eigentlich soll ich ein Unternehmen leiten, und ich glaube, ich bin einfach nicht mehr mit ganzem Herzen dabei.«

Anita lächelte. »Unternehmensmanagement ist nun mal eine staubtrockene Angelegenheit, Daniel. Darum wird man auch so gut bezahlt, wenn man sich damit herumschlagen muss.«

»Du meinst also, ich bin schön blöd, wenn ich herumjammere?«

»Ich meine, jammern hilft nichts. Ich würde an deiner Stelle lieber überlegen, was man dagegen tun kann.«

»Mein Vorstandsfritze will Wachstum und Kostensenkung um jeden Preis. Große Buchläden, und die massenweise, wohin man sieht, zusammenraffen und schnell wieder verkaufen. Dafür habe ich doch meine

Firma nicht aufgebaut. Ich habe irgendwie das dumpfe Gefühl, ein Verräter zu sein.«

Anita seufzte. »Das ist der Lauf der Dinge, Daniel, aber es bleibt immer noch ein bisschen Platz für Nischenbewohner. Wyman's hat früher immer die besten Büchertipps auf Lager gehabt. Was ist eigentlich aus dieser Zeitschrift mit den Buchbesprechungen geworden, die ihr mal herausgegeben habt? Die war toll.«

»Als zu teuer befunden und eingestampft«, erklärte Daniel kleinlaut. »Von meiner eigenen Abteilung, nach eingehender Prüfung, und ich konnte schlecht widersprechen.«

»Aber du bist doch der Geschäftsführer. Klar kannst du widersprechen.«

»Nein, nicht wirklich. Es ist alles viel zu betriebswirtschaftlich ausgerichtet, Anita, und genau da liegt der Hund begraben«, sagte Daniel und spielte mit seiner Gabel. »Ich habe überhaupt nichts mehr mit Büchern zu tun. Ich starre bloß noch auf Tabellen.«

»Ich denke, es gehört einfach nicht mehr zu deinen Aufgaben, dich um die Bücher zu kümmern.«

»Ich weiß ...«

Daniel seufzte, und Anita nahm seine Hand. »Komm schon, Daniel, du machst bloß gerade eine Durststrecke durch, mehr nicht – du wurschtelst dich schon wieder da raus. Aber lass uns bitte nicht zu trübsinnig werden, ja? Erzähl mir, was sonst noch so los ist. Brichst du immer noch reihenweise die Herzen der Londoner Damenwelt?« Sie lächelte in der Hoffnung, Daniel aus seiner niedergeschlagenen Stimmung zu reißen, und war erleichtert, als sie das Leuchten in seinen Augen sah.

»Ehrlich gesagt, nein«, antwortete er und bekam endlich wieder etwas Farbe. »Ich ... also, ich habe jemanden kennengelernt.«

Anita klatschte in die Hände. »Daniel, ich fasse es nicht! Du sitzt hier und lamentierst über die Arbeit und enthältst mir die ganze Zeit diese unglaublichen Neuigkeiten vor! Willst du damit sagen, der ewige Junggeselle ist endlich gezähmt worden?«

»Möglich«, meinte Daniel mit einem kleinen Lächeln. »Pass auf, ich habe einen Vorschlag: Du lässt dich von mir zu Tode langweilen, indem ich dir haarklein alles über Jen erzähle, und danach kannst du über deine Bücher und Autoren reden, solange du willst, und ich höre geduldig zu. Wer weiß, vielleicht schaffst du es ja sogar, mich daran zu erinnern, warum ich überhaupt Geschäftsmann geworden bin ...«

Der nächste Tag war ein Samstag. Jen stand früh auf und nach einem kurzen Frühstück fuhr sie mit der U-Bahn zum Haus ihres Vaters. Es war ein komisches Gefühl, dorthin zu gehen, wo er sein Leben ohne sie, ohne ihre Mutter gelebt hatte. In das Haus, in dem er die letzten fünfzehn Jahre gewohnt und wie jeder andere sein Leben gelebt hatte, als hätte es sie nie gegeben.

Aber es war auch die Gelegenheit, ein bisschen herumzuschnüffeln, seine Fotos unter die Lupe zu nehmen und einen kleinen Blick auf das Privatleben ihres Vaters zu erhaschen. Natürlich nicht sein ganz privates

Privatleben – das wäre doch etwas unangenehm und irgendwie abstoßend –, wer wollte sich schon vorstellen, die eigenen Eltern hätten ein Privatleben, und wenn auch nur miteinander, und ganz sicher wollte sie keine Fotos von fremden Frauen in seiner Wohnung finden. Oder, noch schlimmer, Kleidungsstücke ... Jen schüttelte sich und schloss die Haustür auf. Vielleicht sollte sie das Herumstöbern lieber bleiben lassen. Vielleicht sollte sie nur Handy und Laptop suchen und dann schnell wieder verschwinden.

Das Haus war groß, eins von diesen schicken weißen Häusern in St. John's Wood, mit Geländer um die Veranda und einem großen Tor mit schwerem Schloss, das den Eindruck erweckte, als wollten sich die Bewohner um jeden Preis von der Außenwelt abschotten. Kein Wunder, dachte sie, als sie mit großen Augen die Gemälde an den Wänden, die Skulpturen und teuren Möbel bestaunte. Hier gab es keine durchgesessenen Sofas, keine eselsohrigen, auf dem Boden verstreuten Bücher, nur dunkles Holz, Samt und Leder.

Sie sah sich gründlich um, ihre Schritte hallten laut von den Wänden wider, und ihr war ein bisschen unbehaglich zumute. Es war seltsam, diese Unmenge von Dingen zu sehen, die alle ihm gehörten und die sie noch nie gesehen hatte. Irgendwie hatte sie sich immer vorgestellt, er habe die ganze Zeit in einem Paralleluniversum gelebt, in demselben Haus, in dem sie als Familie zusammengelebt hatten, nur ohne sie und Harriet. Eine andere Vorstellung war, dass er deprimiert in einem möblierten Zimmerchen hockte.

Sie ging in die Küche und entdeckte ein halb ausgetrunkenes Glas Portwein auf dem Küchentisch und eine Zeitung vom 28. Dezember, dem Tag, als er ins Krankenhaus gekommen war. Sie erbleichte. Irgendwie erschien ihr der Herzinfarkt realer, seit sie in seinem Haus war – jetzt konnte sie sich vorstellen, wie er hier gesessen und das Telefon dort drüben benutzt hatte, um Hilfe zu rufen.

Schnell stellte sie das Glas in den Geschirrspüler und machte sich auf den Weg ins Wohnzimmer, einem opulent ausgestatteten Raum mit zwei großen verschnörkelten und vergoldeten Spiegeln, die über zwei offenen Kaminen hingen. Dort, auf dem Couchtisch, stand der Laptop ihres Vaters. Sie nahm ihn, zog den Stecker raus, wickelte die Schnur sorgfältig um das Gerät und sah sich nach der dazugehörigen Tasche um.

Sie konnte sie nirgendwo entdecken, also ging sie ins Arbeitszimmer ihres Vaters und fand dort die Tasche, gegen den Schreibtisch gelehnt.

Gerade in dem Moment, als sie danach greifen wollte, schrillte das Telefon, und sie schreckte hoch, als das aufdringliche Klingeln die Stille zerriss. Sie starrte es einen Moment lang an und schwankte, ob sie drangehen sollte oder nicht. Schließlich entschied sie sich fürs Abheben – immerhin konnte es etwas Wichtiges sein, überlegte sie, und zumindest könnte sie dem Anrufer dann erklären, dass ihr Vater augenblicklich nicht zu Hause war.

Sie nahm ab, und noch ehe sie etwas sagen konnte, begann die Stimme am anderen Ende aufgeregt zu sprechen.

»Hallo, George? Ich bin's. Wo warst du denn? Ich muss mit dir reden.«

Jen runzelte die Stirn. Sie kannte diese Stimme, aber es war seltsam, sie hier und jetzt zu hören. »Paul?«, fragte sie ungläubig. »Bist du das? Hier spricht Jen.«

Ein leises Klicken. »Hallo? Paul?«

Aber es war zu spät – die Verbindung war unterbrochen. Jen blieb wie angewurzelt stehen und zerbrach sich den Kopf, welche logische Erklärung es dafür geben könnte, dass Paul ihren Vater anrief und dringend mit ihm reden musste. Aber sie war vollkommen ratlos.

Es sei denn, das war mal wieder auf dem Mist ihrer Mutter gewachsen, überlegte sie. Ob Harriet Paul dazu benutzte, ihren Vater auszuspionieren, weil sie und Jen nicht mehr miteinander redeten? Möglich wäre das schon, vermutete sie, aber Paul hatte sich nicht mit Namen gemeldet. Es schien eher so zu sein, als kenne er ihren Vater ziemlich gut. Und warum sollte er einfach auflegen, wenn er ihre Stimme hörte?

Und dann fiel ihr plötzlich ein, dass Paul bestimmt ihrer Mutter erzählen würde, dass sie im Haus ihres Vaters gewesen und ans Telefon gegangen war, was bedeutete, dass sie demnächst einen wutentbrannten Anruf von ihrer Mutter bekommen würde. Aber mit Harriets unvermeidlichem Wutanfall konnte sie sich später befassen. Zuerst wollte sie wissen, was hier gespielt wurde.

Langsam legte Jen den Hörer zurück, steckte den Laptop in die Tasche und ging wieder in den Flur, wo sie in einer der Taschen des Mantels an der Garderobe das Handy fand, wie ihr Vater gesagt hatte.

Und dann stutzte sie abermals. Auf dem Kaminsims im Flur, gleich neben der großen Reiseuhr, sah sie etwas, das ihr irgendwie bekannt vorkam. Ein Holzklotz lag da, genau so einer wie der, den sie von ihrer Mutter zu Weihnachten bekommen hatte. Sie erinnerte sich noch genau, wie Harriet ihn ihr ganz aufgeregt überreicht hatte. *Paul hat ihn auf meine Bitte hin mitgebracht, den ganzen weiten Weg von China!*

Langsam steuerte Jen darauf zu und nahm den Klotz in die Hand. Er fühlte sich genauso an und sah auch genauso aus. Sie drehte das Holzstück um. Auf diesem klebte ein kleines Etikett mit der Aufschrift MADE IN INDONESIA. Mit einem unguten Gefühl legte sie ihn wieder hin. Das konnte doch wohl nicht der gleiche Holzklotz sein, oder? Ihrer kam aus China, nicht aus Indonesien. Es sei denn, die Dinger wurden in Indonesien hergestellt und dann nach China exportiert. Oder ihrer war gar nicht aus China.

Was ist hier los?, fragte sie sich, und das Ganze behagte ihr gar nicht. Warum hatte sie einen Knoten im Magen? Und warum war sie so erpicht darauf, eine einfache Erklärung für diese sonderbaren Zufälle zu finden und sich einzureden, alles sei in bester Ordnung?

Sie lehnte sich gegen die Tür und holte tief Luft. Was hatte ihr Vater noch mal gesagt? Es ist so schwer, Menschen zu finden, denen man vertrauen kann. Also, ihr konnte er jedenfalls bedenkenlos vertrauen. Sie hatte die Nase voll vom Intrigieren und Herumschnüffeln. Sie war bloß hergekommen, um Laptop und Handy ihres Vaters abzuholen, und die hatte sie jetzt. Also würde sie jetzt einfach zur Tür hinaus und nach Hause gehen.

In der Hoffnung, dass die ganze Geschichte nicht irgendwann hochging und ihr um die Ohren flog.

20

George saß da und stierte mürrisch ins Leere. Es war Samstagmorgen, acht Uhr, und er war hellwach und langweilte sich zu Tode. Was nützte es einem schon, Chef einer der bekanntesten Unternehmensberatungen zu sein, wenn man dann doch so endete, mit Schläuchen in jeder verfügbaren Körperöffnung und schutzlos den Launen der Schwestern und Ärzte ausgesetzt, denen einfach nicht beizukommen war? Was nützte es einem schon, steinreich zu sein, wenn man sich damit nicht einmal Gesundheit erkaufen konnte? Wenn man sich nicht aus dem Krankenhaus freikaufen konnte, ehe man sich einen dieser Krankenhausbazillen einfing oder diese Mistkerle einem eine Niere klauten, wenn man gerade nicht aufpasste?

Er sah sich in seinem Einzelzimmer um, mit dem Krankenhausbett, in dem er nun schon seit beinahe einer Woche lag, dem Tropf und den piepsenden Maschinen neben seinem Nachtschränkchen, der fröhlichen Tapete, bei deren Anblick er sich am liebsten von einer Klippe gestürzt hätte, und dem gähnenden Loch, wo eigentlich der Fernseher sein sollte. Keine Nachrichten, nichts, worüber er sich aufregen könnte.

Es war unerträglich. Es war ungeheuerlich. Er hatte einen Privatarzt. Er nahm Tabletten. Er dürfte überhaupt nicht hier sein.

Und dann diese Schmerzen. Die Schmerzen waren schlimmer als erwartet. Obwohl er natürlich überhaupt nicht damit gerechnet hatte, einen Herzinfarkt zu bekommen – so was passierte an deren armen Schweinen, aber doch nicht George Bell. Und trotzdem, er hätte nie gedacht, dass es so wehtun würde. Angefangen hatte es wie ein besonders schlimmer Fall von Sodbrennen. Zu viel Käse, hatte er sich gedacht. Oder vielleicht auch Portwein.

Aber die Magensäurehemmer, die er sonst in solchen Fällen nahm, hatten keine Wirkung gezeigt, und als er dann die echten Hammertabletten geschluckt hatte, die der Arzt ihm für Notfälle verschrieben hatte, hatten auch die versagt. Stinksauer wollte George schon seinen Arzt anrufen und ihm in aller Deutlichkeit zu verstehen geben, wenn er ihm das nächste Mal ein Medikament für »Notfälle« verschrieb, das zudem nicht gerade billig war, dann erwarte er auch, dass es wirkte. Aber sein Arzt war nicht ans Telefon gegangen. Dann hatte der Schmerz sich immer weiter ausgebreitet und ihn fast gelähmt, sein linker Arm hatte angefangen zu kribbeln, und dann war der Schmerz durch den ganzen Arm gefahren, und er hatte aufgeschrien. Er hatte es gerade noch so aufs Sofa geschafft und dann versucht, Emily anzurufen, aber auch die war nicht drangegangen. Verfluchte Feiertage, da waren alle ausgeflogen, einfach weg, irgendwo anders. Und so hatte George zwanzig Minuten nur dagesessen und ganz langsam geatmet und sich den Kopf zerbrochen, wen er anrufen könnte und was er tun sollte. Und dann war ihm seine Tochter wieder eingefallen.

Ganz tief in seinem Innersten hatte es George ein ganz kleines bisschen gefreut, dass er einen derart dramatischen Grund hatte, Jen anzurufen. Kein »Darf ich dich zum Essen einladen« oder »Ich wollte dich fragen, ob du nicht auf einen Kaffee vorbeikommen möchtest« für ihn und seine ihm bis vor kurzem entfremdete Tochter. Nein, so gesehen klang »Jen, ich habe gerade einen Herzinfarkt und brauche deine Hilfe« doch viel interessanter.

Aber natürlich war auch sie nicht Zu Hause gewesen.

Und so hatte er schließlich in einem Augenblick geistiger Umnachtung sogar in Erwägung gezogen, Harriet anzurufen, die Idee aber rasch wieder verworfen und die Notrufnummer 999 gewählt, weil er zu dem Schluss gekommen war, nachdem er jahrelang vom Finanzamt aufs Kreuz gelegt worden war, könnte er zumindest einmal im Leben vom Rettungswagen Gebrauch machen. Sich ein bisschen was von Vater Staat zurückholen. Also hatte er seine Symptome beschrieben und zwanzig Minuten später waren zwei junge Männer gekommen, hatten ihn in einen Rollstuhl gesetzt und ihn in John und Lizzies Krankenhaus gebracht. Dort war er, verschnürt wie ein Rollbraten, an irgendwelche schrecklichen piepsenden Maschinen angeschlossen und schließlich ein Dutzend Mal von einem Arzt gepiekst worden, der aussah, als sei er gerade frisch von der Uni gekommen.

Und nun sieh ihn sich nur einer an. Ganz allein war er. Schwach und meilenweit weg von seinem Büro. Es war kaum auszuhalten.

Er schniefte beklommen. Eigentlich sollte er sich ja erholen, aber das war ein einziger Witz. Sein privates Einzelzimmer war in etwa so privat wie eine öffentliche Bedürfnisanstalt – zu jeder Tages- und Nachtzeit gingen hier Leute ein und aus, ohne anzuklopfen, ohne um Erlaubnis zu fragen. Man gab ihm nichts als Kaninchenfutter und ermunterte ihn, viel Wasser zu trinken. Georges Meinung nach so ziemlich das fieseste Getränk, das es gab. Geschmacklos. Einfach vollkommen geschmacklos.

Und zu allem Überfluss ließ man ihn keine einzige Zeitung lesen. *Keine Arbeit*, hatten die Schwestern ihm eingebläut. *Nichts, was Sie aufregen könnte.* Was sie nicht kapierten und George ihnen ständig zu erklären versuchte, war die Tatsache, dass es ihn wesentlich mehr aufregte, keine Zeitungen zu bekommen, als den Müll zu lesen, der drinstand.

Das Telefon unterbrach Georges Grübeleien. Auch den Luxus, ein Telefon zu haben, hatte er sich hart erkämpfen müssen – sie hatten ihn davon überzeugen wollen, auch ein Telefon könnte ein möglicher Stressfaktor sein. Idioten. Ohne Telefon, hatte er ihnen geduldig erklärt, wäre er bald nicht mehr der Einzige in dieser Station mit einem Herzproblem. Natürlich hütete

Emily die Nummer wie ihren Augapfel, und deshalb rief ihn auch so gut wie niemand an. Aber er hatte es in Reichweite, für Notfälle. Er hoffte bloß, dass dieser Anruf nicht schon einer war.

»George hier«, bellte er in den Hörer und hoffte auf ein paar Neuigkeiten. Neuigkeiten, die, wenn schon nicht sein Herz, dann doch zumindest sein aufgewühltes Hirn beruhigen würden.

»George! Gut, dich zu hören, alter Freund. Hier ist Malcolm.«

George runzelte die Stirn, rappelte sich auf und setzte sich in eine etwas bequemere Position. Ehe er antwortete, hielt er kurz die Luft an und überlegte. Er redete nicht gerne mit Malcolm Bray, dem Vorstandsvorsitzenden von Axiom, wenn er seine fünf Sinne nicht richtig beisammen hatte.

»Malcom! Wie nett, dass du anrufst.«

»Tja, ich habe es gerade erst erfahren. Entschuldige, dass ich so früh anrufe, George, aber, na ja, du hast mir einen ganz schönen Schrecken eingejagt. Weißt du, ich hätte dich schon früher besucht, aber ich hatte einfach zu viel um die Ohren. Also, wie geht es der alten Pumpe?«

George stöhnte. »Furchtbar. Und im Krankenhaus zu liegen macht es auch nicht gerade besser. Es ist einfach schrecklich hier, weißt du. Je eher ich dieses Zimmer nur noch von draußen sehe, desto besser. Hier gibt es nichts außer ein paar uralten Zeitschriften.«

»Du hast mein ganzes Mitgefühl. So ging es mir auch, als ich am Knie operiert wurde. Nichts schadet der Gesundheit mehr als ein Krankenhausaufenthalt, was?«

George stimmte ihm aus vollstem Herzen zu.

»Also, ich freue mich darauf, dich bald gesund und munter wiederzusehen«, sagte Malcolm launig.

»Auf jeden Fall. Wir sollten die Tage mal etwas zusammen trinken gehen.«

»Ich sag meiner Sekretärin, sie soll einen Termin machen. Ach, noch etwas, ehe du auflegst ...«

»Ja?«

Kurzes Schweigen am anderen Ende. »Ich nehme an, du hast die Zeitung noch nicht gelesen?«

George schnalzte mit der Zunge. »Meine Krankenakte steht im Internet, stimmt's?«, witzelte er. »Nein, verdammt, ich habe die Zeitung noch nicht gelesen, aber wenn ich nicht bald eine bekomme, kann sich irgendjemand hier demnächst einen neuen Job suchen.«

»Ach was, mach dir keine Gedanken«, sagte Malcolm rasch. »War bloß eine Menge Blödsinn über diese Indonesien-Sache drin, weiter nichts. Nichts wirklich Beunruhigendes. Werd du erst mal wieder richtig gesund.«

»Ich soll mir keine Sorgen machen?«, fragte George alarmiert. »Das heißt, es ist etwas schiefgelaufen, oder?«

»Ach nein, alles in Ordnung. Ehrlich.«

»Na gut«, murmelte George und klang ganz und gar nicht überzeugt.

»Das hört man gerne. Danke, George. Und wir sehen uns bald.«

Als George den Hörer auflegte, war er völlig verunsichert. Er brauchte sein Handy und seinen Laptop, und zwar sofort. Wo zum Teufel blieb Jennifer bloß?

»Guten Tag, Mr Bell!«

Ach du lieber Himmel. Das war diese ältere Krankenschwester. Die fröhliche. George war die jüngere, mürrische lieber, der ihre Arbeit ungefähr so viel Spaß machte wie George der Aufenthalt im Krankenhaus. Sie redeten nicht miteinander und bei ihr durfte George so muffelig sein, wie er wollte. Aber diese hier – die wurde man einfach nicht mehr los.

»Ein wunderbarer Tag, finden Sie nicht? Lieber Himmel, die Vorhänge sind ja noch zugezogen! Dann wollen wir mal ein bisschen Sonne hereinlassen, ja?«

»Es ist Januar«, protestierte George. »Ich glaube kaum, dass wir die Sonne zu sehen bekommen.«

»Unsinn! Die Wintersonne ist herrlich und wunderbar warm. So, ist das nicht schon viel besser? Und hat unser Patient denn auch tüchtig gegessen? Oje, überhaupt nicht. Hatten Sie denn heute keinen Appetit auf Ihr Frühstück?«

»Eigentlich hätte ich schon Appetit auf Frühstück gehabt. Aber beim Anblick dieses Kleisters ist er mir wieder vergangen. Ein Mann braucht zum Frühstück Speck und Spiegeleier. Heißen Toast mit Butter. Nicht so einen ... so einen ... Mansch.«

George redete wie eine aufgezogene Puppe und war dabei mit den Gedanken ganz woanders. Er machte sich Sorgen.

»Na, na, wir wollen doch, dass es Ihrem Herzen bald wieder bessergeht, nicht wahr? Und deshalb müssen Sie auch gesund essen, Mr Bell. Gutes, nahrhaftes Essen. Viele Ballaststoffe und Obst und nicht diese schrecklich fettigen Bratpfannengeschichten!«

George warf einen Blick auf die Schwester und ihre üppigen Kurven und war schon versucht sie zu fragen, ob sie selbst es denn auch schaffte, auf fettig Gebratenes zu verzichten, aber dann ließ er es doch lieber bleiben. Diese Bettpfannen konnten ganz schön unbequem werden.

»Ich will eine Zigarette.« Er trommelte nervös mit den Fingern. Langsam fing er an, sich richtig aufzuregen.

»Natürlich wollen Sie rauchen. Aber das werden Sie nicht, nicht wahr, Mr Bell? Wir werden doch nicht dem bösen, bösen Teufelchen der Versuchung nachgeben, oder? Wir bleiben stark und ignorieren den Schmacht. Sie haben doch Ihre Nikotinpflaster, richtig?«

Wie ein Häufchen Elend schaute George hinüber zu der Schachtel auf seinem Nachttischchen. »Ich will kein Pflaster, ich will eine Zigarette. Oder noch besser, eine Zigarre. Und hören Sie endlich auf, so verdammt fröhlich zu sein.«

»Aber man muss doch immer guter Dinge bleiben, Mr Bell. Wo kämen wir denn sonst hin? Es gibt genug Gründe, traurig zu sein, wo in Afrika Kinder sterben, und sogar auf der Station oben. Bricht einem das Herz, nicht wahr? Und dann die armen Menschen in Indonesien, die kein Zuhause mehr haben und kein Geld, und dann ist da auf einmal dieses Riesenloch im

Spendentopf, und niemand weiß, wo das Geld hin ist. Ein schrecklicher Zustand, Mr Bell. Aber ich sage immer, man muss dankbar sein für das, was man hat, und fröhlich sein, solange man es noch kann.«

»Spendengelder sind verschwunden? Wohin?«

»Wenn ich das wüsste, wären sie nicht verschwunden, oder?«, erklärte die Schwester eilig, denn ihr fiel siedend heiß wieder ein, dass sie ausgerechnet mit diesem Patienten auf gar keinen Fall über die aktuellen Nachrichten reden sollte. »Jetzt ruhen Sie sich ein bisschen aus und machen sich keine Sorgen.«

»Ganz bestimmt nicht«, knurrte George kaum hörbar, als sie aus dem Zimmer ging. Verzagt griff er zu einem Taschentuch und putzte sich die Nase. Eine der kaum bekannten Nebenwirkungen eines Herzinfarkts, hatte er feststellen müssen, war die Neigung, jederzeit und ohne erfindlichen Grund feuchte Augen zu bekommen. Er hatte bereits diverse Strategien entwickelt, damit umzugehen – einschließlich der Methode, Leute mit Aufträgen aus dem Zimmer zu schicken, sich die Nase zu putzen und dabei heimlich die Augen zu wischen oder laut über seine Allergie gegen Krankenhäuser zu schimpfen. Allerdings war es ihm bisher noch nicht gelungen, gar nicht erst mit Heulerei anzufangen. Die blöde Schwester musste ihm bloß mal über den Kopf streichen, und schon stiegen ihm die Tränen in die Augen, und er verspürte den beinahe unwiderstehlichen Drang, sich an ihre Brust zu drücken und zu flennen wie ein Baby. Es war eine verdammte Schande, und wahrscheinlich waren die Medikamente schuld. Je schneller er hier herauskam, desto besser.

»Ich werde nicht weinen«, hörte er sich sagen und vergrub das Gesicht im Kissen. »Ich bin George Bell, verflucht noch mal, und ich werde nicht weinen.«

»George, was um Himmels willen machst du da?«

George schreckte hoch. Das klang nicht nach der Schwester.

Ganz langsam zog er das Kissen weg.

»Du?«, fragte er verblüfft. »Was machst du denn hier?«

Nervös trommelte Jen mit den Fingern auf der Arbeitsplatte in ihrer Küche herum und wartete darauf, dass das Wasser im Kessel kochte und sie sich eine Tasse Tee aufgießen konnte. Sie gab sich große Mühe, nicht ständig an Paul Song und diesen Telefonanruf zu denken, aber es war, als wolle sie Wasser aus einem sinkenden Boot schaufeln – jedes Mal, wenn sie es schaffte, mal an etwas anderes zu denken, tröpfelte Paul Song wieder in ihre Gedanken, und sie war schon ganz entnervt und durcheinander. Es musste eine Erklärung dafür geben, sagte sie sich. Sie musste ihrem Vater einfach vertrauen und durfte sich nicht einmischen. Denn was war beim letzten Mal herausgekommen, als sie sich hatte hineinziehen lassen – Versteckspiele im Aktenschrank und Indiskretionen zugunsten der Presse. Eine nicht gerade eindrucksvolle Leistung.

Sie ging zurück zum Küchentisch und kramte ihre Unterlagen heraus. Vielleicht konnte sie sich ja auf ihre Arbeit stürzen und alles andere vergessen.

Aufgabe 3: Führen Sie an einem Unternehmen oder einer Branche Ihrer Wahl eine SSMG-Analyse durch, und zwar unter Verwendung im Kurs besprochener Modelle und Theorien.

Sie runzelte die Stirn und fing an, sich Notizen zu machen. *Gewählte Branche: Buchhandel. Gewähltes Unternehmen: Wyman's. Interne Stärken: Daniel ...*

Den Teil strich sie wieder, und endlich fand sie ein bisschen Ablenkung von ihrem Paul-Song-Dilemma. Daniel nämlich, der immer ein willkommener Eindringling in ihre Gedanken war. *Ist ein attraktiver Geschäftsführer eine Stärke, die man zum Vorteil des Unternehmens nutzen könnte?*, fragte sie sich verträumt. Sie seufzte. Wenn sie tatsächlich ein bisschen arbeiten wollte, dann musste sie erst mal ordentlich recherchieren. Sich über Branchenspannen, Gewinnniveaus und all so ein Zeug informieren. Sie müsste in die Bibliothek und ins Internet gehen.

Oder, schoss es ihr plötzlich durch den Kopf, sie könnte den Vormittag dazu nutzen, endlich einen ISDN-Anschluss für ihre Wohnung zu organisieren. Klar könnte man das als Ausweichhandlung interpretieren, aber auf lange Sicht wäre es eine unglaubliche Zeitersparnis. Nie wieder in der Bibliothek von Bell darauf warten, dass endlich ein Rechner frei war, oder, schlimmer noch, in der Stadtbücherei, wo es überhaupt nur zwei Rechner gab. Nie mehr sonntags in Internetcafés herumsitzen, wo pro Stunde abgerechnet wurde. Sie hatte das zwar bisher nie gemacht, aber sie hatte den MBA-Kurs vorher auch einfach nicht ernst genug genommen. Doch dem war jetzt nicht mehr so. Jetzt war es an der Zeit, vollen Einsatz zu zeigen.

Obwohl es natürlich ewig dauern würde. Tage, vielleicht sogar Wochen, und diese Arbeit musste sie am Montag abliefern. Den internen Teil könnte sie am Abend mit Daniel zusammen machen (sie errötete zart bei dem Gedanken, ein bisschen beschämt und gleichzeitig ganz kribbelig, dass sie sogar mitten in einer wichtigen MBA-Arbeit so schamlose Gedanken hatte), aber trotzdem würde sie weitere Informationen über andere Buchhandlungen brauchen – Aktienkurse, Analyseberichte, all so einen Kram.

Wieder seufzte sie. Dazu müsste sie in die Bibliothek gehen.

Aber woher sollte sie die Zeit dazu nehmen? Um drei wollte sie wieder im Krankenhaus sein, also würde sie sich um zwei auf den Weg machen müssen, also blieben ihr nur noch ... drei Stunden. Hoffnungslos – wenn sie erst einmal in der Bibliothek war und lange genug Schlange gestanden hatte, hätte sie nur noch eine, maximal zwei Stunden Zeit.

Es sei denn ...

Ihr Blick fiel auf den Laptop ihres Vaters. Der hatte doch garantiert ein eingebautes Modem. Sie runzelte die Stirn. *Nein, das ging nicht.* Seit sie am Abend zuvor von dem kleinen Abstecher bei ihm zu Hause zurückgekommen war, kämpfte sie gegen die Versuchung, einen klitzekleinen Blick auf seine Dateien zu werfen – nur um nachzuprüfen, dass wirklich alles in

Ordnung war, nur um sich zu vergewissern. Aber das wäre falsch. So etwas konnte sie nicht machen.

Obwohl, würde sie ihn benutzen, wäre sie schneller im Krankenhaus, und er hatte es doch anscheinend recht eilig gehabt, das Ding in die Finger zu bekommen.

Aber es war immer noch sein Computer. Damit würde sie seine Privatsphäre verletzen.

Obwohl sie ja nur den Internetbrowser öffnen würde, und nicht etwa irgendwelche privaten Dateien öffnen oder so etwas in der Art.

Sie öffnete die Tasche.

Okay, sagte sie sich. *Schnelle Situationsanalyse.*

Erste Möglichkeit: In die Bibliothek gehen, den Laptop mitschleppen, Schlange stehen, Recherche machen, zu spät und ganz abgehetzt im Krankenhaus ankommen.

Zweite Möglichkeit: Laptop benutzen. Nur ein bisschen im Web surfen, keinen Blick auf andere Dinge werfen und so auch nicht Dads Privatsphäre verletzen. Noch vor der Zeit und ganz entspannt im Krankenhaus ankommen.

Flink nahm sie den Laptop aus der Tasche, schloss ihn an, steckte das Kabel in die Telefonbuchse und fuhr ihn hoch.

Zwei Stunden später war sie beinahe fertig. Sie hatte Tabellen, Berichte und Leitartikel über die Buchhandelsbranche aus der Financial Times und dem Wall Street Journal heruntergeladen und sogar etwas über Wyman's gefunden, einschließlich eines sehr schmeichelhaften Artikels über Daniel, als er den Posten dort bekommen hatte. Jetzt musste sie das Ganze nur noch auf CD brennen, und dann nichts wie los.

Und sie hatte nicht mal eine einzige Datei ihres Vaters geöffnet.

Obwohl die Versuchung groß gewesen war. Wie gerne hätte sie schnell mal nach »Axiom« gesucht und sich angesehen, was der Rechner gefunden hätte. Aber sie hatte nicht mal mit einem Auge darauf gelinst – die Zeiten, als sie ihren Vater noch bespitzelt hatte, waren ein für alle Male vorbei. Wenn sie eins bei der ganzen Sache gelernt hatte, dann, dass Vertrauen das Aller-wichtigste war.

Vielleicht arbeitete Paul Song ja als Feng-Shui-Bera-ter für ihren Vater, dachte sie ernst. Es könnte ein De-saster mit seinen Kristallen gegeben haben oder so was in der Art – was auch erklären würde, weshalb er so verzweifelt geklungen hatte.

Jen runzelte die Stirn. Sosehr sie sich auch bemühte, sie konnte sich einfach nicht vorstellen, dass ihr Vater sich für Feng Shui oder auch nur für Kristalle erwär-men konnte. Okay, vielleicht hatte ihre Mutter ihn auch gebeten anzurufen, um herauszufinden, wie es ih-rem Exmann ging. Vielleicht hatte Paul sich auch ganz einfach verwählt. Vielleicht ... Jen zuckte die Achseln. Vielleicht musste sie sich ja auch damit abfinden, dass sie es nicht wusste und es vielleicht nie erfahren würde.

Sie nahm einen CD-Rohling und steckte ihn in den Schlitz am Laptop, um die Internetdateien zu spei-chern, die sie herausgesucht hatte. Ein Fenster öffnete sich, und sie verschob ihre Dateien. Dann stutzte sie

– da war eine Excel-Tabelle mit dem Titel »Buchhaltung 2004-05«, und sie konnte sich beim besten Willen nicht erinnern, ob das ihre war oder nicht. Mit einem Doppelklick öffnete sie die Datei, in der Erwartung, den Jahresabschluss eines der Konkurrenten von Wyman's oder eine langweilige Einnahmen-Ausgaben-Tabelle von Bell zu sehen.

Doch diese Tabelle enthielt etwas ganz anderes, und als die Datei sich auf dem Bildschirm öffnete, schnappte Jen vor Schreck nach Luft.

21

»Du!«, rief George noch einmal und zog erstaunt die Augenbrauen hoch. »Also wirklich, ich fühle mich geschmeichelt!«

Harriet sah zu, wie er das Kissen wieder hinter seinen Kopf stopfte und sich dabei verstohlen die Augen wischte. Sie lächelte etwas süffisant.

»Also, weißt du, es steht dir gar nicht gut, dass du hier so hilflos herumliegst. Ich wette, das passt dir überhaupt nicht, oder?«

George sah sie trotzig an. »Ich muss nicht mehr lange hierbleiben«, erklärte er rasch. »Also, was kann ich für dich tun? Brauchst du ein bisschen Bargeld, um deine Firma vor der Pleite zu retten? Ich habe gehört, dir geht so langsam das Geld aus, was mich allerdings nicht weiter überrascht, wenn man bedenkt, dass du etwas dagegen zu haben scheinst, Kunden zu betreuen, die es sich leisten können, dir ein anständiges Honorar zu zahlen.«

Harriet lächelte liebenswürdig und versuchte, sich ihren Ärger nicht anmerken zu lassen. *Darüber hat er doch schon immer gemeckert*, ermahnte sie sich rasch. *Kein Grund, sich jetzt darüber aufzuregen, bloß weil er diesmal ins Schwarze getroffen hatte.*

»Ganz im Gegensatz zu Bell Consulting, die jeden nehmen, der nur genug Kohle mitbringt, ganz egal, wie er daran gekommen ist«, stichelte sie zurück, ging zum Fenster und schaute hinaus. »Du hast aber keinen besonders schönen Ausblick, George. Ich hätte gedacht, du würdest dir das Zimmer mit dem besten Ausblick des ganzen Krankenhauses geben lassen, ein Mann mit deiner ... Autorität.«

Während sie das sagte, betrachtete sie die vielen Schläuche, die überall aus George herausguckten, und seine Augen wurden ganz schmal.

»Ich will keinen Ausblick, ich will nur hier raus, zum Teufel noch mal. So, hast du bloß vor, dich an meiner Hilflosigkeit zu erfreuen, oder bezweckst du irgendetwas mit deinem Besuch? Ich vermute, du brauchst dringend ein bisschen Gesellschaft, nachdem deine Tochter dir endlich auf die Schliche gekommen ist.«

Harriet stierte ihn finster an. »Nun, George Bell, du hältst dich ja für ach so schlau, was? Aber ich durchschaue dich. Jen sehnt sich so sehr nach einem Vater, den sie lieben kann, dass sie sich von deinen Unschuldsbeteuerungen hat blenden lassen, aber ich falle nicht auf diese Augenwischerei herein.«

»War's das?«

Harriet setzte sich auf einen Stuhl gleich neben seinem Bett. »Schon ein paar Kunden verloren wegen dieser Geschichte?«, fragte sie zuckersüß.

George runzelte die Stirn. »Wegen welcher Geschichte?«

Harriet lächelte. »Ach, du willst es wohl aussitzen, was? Ich meine den Artikel in der Times. Die ... wie soll ich es sagen ... Wahrheit über dich und die krummen Dinger, die du mit Axiom gedreht hast. Ich könnte mir vorstellen, dass deine Anwälte in den nächsten Monaten viel zu tun haben werden, oder nicht?«

George starrte Harriet entgeistert an. Ob das der Artikel war, den Malcolm erwähnt hatte? Warum zum Teufel hatte er ihn noch nicht zu sehen bekommen? »Diesen billigen Boulevardblättchen glaubt doch sowieso niemand mehr«, murmelte er trotzig. »Diese Journalisten erfinden einfach irgendwelche Räuberpistolen, um die Seiten voll zu kriegen.«

»Die erfinden also deiner Meinung nach einen Brief von Malcolm Bray an George Bell, in dem der ihm für seine Hilfe dankt?«

George zuckte unmerklich zusammen. »Was für einen Brief? Ich weiß nicht, wovon du sprichst.«

Harriet zog die Augenbrauen hoch. »Ganz sicher weißt du das, wenn du mal kurz nachdenkst. Der Brief, der in diesem Artikel zitiert wurde? Wenn du dich nicht mehr daran erinnerst, hilft dir das hier vielleicht wieder auf die Sprünge.«

Sie zog eine Zeitung auf der Handtasche und reichte sie George, der den Artikel rasch überflog.

»Was zum ... Wie können die es wagen!«, brüllte er aufgebracht. »Aus denen mache ich Hackfleisch. Ich ...«

Harriet runzelte erst die Stirn, dann lächelte sie, und dann lachte sie laut auf. »Ach, du lieber Himmel«, kicherte sie entzückt. »Ach, du liebe Güte. Du hattest ihn noch gar nicht gesehen, oder? Ach herrje, wie komisch.«

»Das ist Blödsinn«, erklärte George fest. »Außerdem hat niemand diesen Brief gesehen. Niemand wusste davon.«

»Einer muss es wohl gewusst haben. Ich kann bloß nicht glauben, dass sie mir nichts davon gesagt hat. Aber andererseits hatte sie schon immer ihren eigenen Kopf.«

Harriet kniff die Augen zusammen und wartete auf Georges Reaktion. Sie hatte keinen Schimmer, ob Jen den Brief tatsächlich gefunden und an die Presse weitergeleitet hatte – ja, sie nahm sogar an, dass sie es nicht gewesen war. Aber sie hoffte doch sehr, George würde es für möglich halten. Es war einfach nicht gut, wenn ihre Tochter und ihr Exmann sich so nahestanden.

George sah seine Exfrau ungläubig an, als ihm klar wurde, dass sie damit Jen meinte. »Das würde sie nicht machen«, erklärte er überzeugt. »Wir haben darüber gesprochen, und wie waren uns einig, es auf sich beruhen zu lassen.«

Harriet riss die Augen weit auf. »Also war sie es tatsächlich«, meinte sie lächelnd. »Das hatte ich mir schon gedacht. Ach George, du bist wirklich schrecklich naiv, weißt du. Hast du wirklich geglaubt, deine Tochter liebt dich und ist auf deiner Seite?«

Sie schüttelte den Kopf. »George, sie hat dich jahrelang nicht zu sehen bekommen. Sie hasst Bell Consulting genauso sehr wie ich. Aber sicher hast du recht. Nein, nachdem du ihr in den vergangenen Jahren so ein liebevoller Vater gewesen bist, würde sie sicher nicht mal im Traum daran denken, dich der Presse ans Messer zu liefern.« Ihre Stimme triefte vor Sarkasmus.

George starrte sie an. »Ich durchschaue dich, weißt du das?«, entgegnete er beherrscht. »An deiner Stelle würde ich lieber nicht den moralischen Trumpf ausspielen.«

Harriets Augen wurden ganz schmal. »Sieh mal, George«, sagte sie schließlich und beschloss, ihren Bluff noch ein bisschen mehr auf die Spitze zu treiben. »Du kämpfst auf verlorenem Posten. Sieh es doch einfach ein – deine Tochter hast du schon vor langer Zeit verloren, mich vor noch längerer, und jetzt verlierst du auch noch deine Firma, deinen guten Ruf und all dein Geld. Und das Beste daran ist, du hast es wirklich verdiene«

»Halt dich da raus, Harriet, ich warne dich«, knurrte George drohend.

»Ach, aber es macht einen Heidenspaß, George«, erwiderte Harriet mit einem kleinen Lächeln. »Hättest du nur damals auf mich gehört, dann wäre das alles nicht passiert. Aber das hast du nicht, und ... tja, da hast du den Salat.« Sie betrachtete ihre Fingernägel und schob ein widerspenstiges Nagelhäutchen nach hinten.

George sah sie fassungslos an. »Hackst du immer noch auf der Geschichte mit Axiom rum? Du kannst es einfach nicht gut sein lassen, was?«

Harriet stand auf. »Warum sollte ich, George? Ich habe dir damals geraten, dich von Axiom zu trennen, als sie das erste Mal gegen die Vorschriften verstoßen haben. Axiom war mein Kunde, und ich habe dir gesagt, ich will den Vertrag kündigen, aber, oh nein, nicht mit Malcolm Bray, nicht mit deinem Kumpel Malcolm. Dein Schulfreund, der dich schon eifersüchtig beäugt hat, als ihr beiden noch in kurzen Hosen herumgelaufen seid. Und du hast es nie gemerkt! Tja, du hast nicht auf mich gehört, und jetzt willst du offensichtlich immer noch nicht auf mich hören, also kann ich ja auch wieder gehen.«

»Du wolltest, dass ich Malcolm fallen lasse, weil du mit ihm geschlafen hast und er dich abserviert hat«, sagte George leise. »Du redest so viel über Anstand, aber ich glaube, sich eines Kunden zu entledigen, weil er sich eine andere gesucht hat, ist nicht besonders anständig, oder?«

Harriet war kurz überrumpelt. Damit hatte sie nicht gerechnet. »Du hast es gewusst?«, fragte sie mit einer Stimme, die kaum mehr war als ein Wispern.

Sie sah, wie George die Augen zusammenkniff, als würde er irgendetwas ganz genau betrachten. Dann drehte er sich um und kramte scheinbar unter seinem Kissen nach etwas, und dabei wischte er sich ganz unauffällig über Augen und Wangen.

»Irgendwie habe ich mir selbst die Schuld daran gegeben«, erklärte er mit erstickter Stimme. »Ich war ja nie da. Malcolm hat eben die Gelegenheit ergriffen.«

»Und da seid ihr immer noch Freunde? Nach all dem seid ihr immer noch Freunde?« Ihre Stimme zitterte. Sie wusste nicht, was sie am meisten aus der Fassung brachte – der Gedanke, dass George es die ganze Zeit gewusst hatte, oder der, dass es ihm offenbar so wenig ausgemacht hatte, dass er immer noch mit diesem Mistkerl befreundet war. Malcolm hatte ihr damals immer wieder erzählt, er liebe sie. Er hatte sie dazu gebracht, ihm zu glauben. Und dann hatte er sie ohne mit der Wimper zu zucken fallen gelassen. Wie konnte George mit einem Mann befreundet sein, der sie beide derart hintergangen hatte?

»Jeder hat seine eigene Art, mit solchen Dingen umzugehen, Harriet.«

Harriet dachte einen Augenblick nach, dann lächelte sie verkniffen. »Ja, George, sieht ganz so aus.« Und damit ging sie hinaus und schloss die Tür hinter sich. Als sie den Flur hinunterging, glaubte sie, einen Mann schluchzen zu hören, und sie erinnerte sich wieder daran, wie sehr sie Krankenhäuser verabscheute.

Jen wurde kalkweiß, als sie die Datei überflog. Lauter Überweisungen von Bell Consulting auf ein indonesisches Nummernkonto. Keine weiteren Angaben, keine Erklärungen. Warum sollte jemand eine solche Tabelle anlegen? Und was machte sie auf dem Rechner ihres Vaters? Sie zermarterte sich das Hirn und bemühte sich nach Kräften, die kleine Stimme im Kopf zu ignorieren, die ihr einflüsterte: »Schmiergeld. Das sind alles Schmiergelder«, aber sie wurde immer lauter. Ob ihre

Mutter doch die ganze Zeit recht gehabt hatte? War sie auf die Lügen ihres Vaters hereingefallen?

Das wollte sie nicht glauben. Verzweifelt versuchte sie, eine logische Erklärung für die Überweisungen zu finden. Sich an irgendetwas zu erinnern, das ihr Vater gesagt hatte und es erklären könnte. Aber ihr fiel nichts ein. Er hatte ein Büro in Indonesien, aber das hier waren keine geschäftlichen Transaktionen – es gab keine Einnahmen und Ausgaben, es gab nur Ausgaben. Das waren Zahlungen für geleistete Dienste. Es konnten nur Bestechungsgelder sein.

Dieser ... dieser miese Mistkerl. Ihr Vater war ein verlogener, betrügerischer Mistkerl. Er hatte sie in den vergangenen Wochen bloß täuschen wollen, damit sie die Wahrheit nicht herausfand. Und sie war auch noch darauf reingefallen – tja, sie blöde Kuh hatte sich einseifen, hatte sich Honig ums Mauls schmieren lassen und ihm geglaubt, ihm wieder vertraut.

Sie atmete schnell, und ihr Herz hämmerte wie wild in ihrer Brust. Was sollte sie jetzt bloß machen? Wem sollte sie davon erzählen?

Sie stand auf und lief nervös auf und ab. Am besten rief sie ihre Mutter an.

Nein. Nein, erst musste sie die Wahrheit erfahren. Sie würde ihrem Vater seinen dämlichen Laptop bringen. Sie würde ihm sagen, was sie entdeckt hatte. Und dann würde sie ihn zwingen, alles zu gestehen und die Wahrheit zu sagen. Sie wollte ihm dabei ins Gesicht sehen, wollte, dass er in ihrem Gesicht sah, wie weh ihr das tat.

Wollte, dass er wusste, dass er nun doch keine Tochter mehr hatte.

Wie in Zeitlupe, so schien es ihr zumindest, setzte sie sich wieder hin und kopierte die Datei auf ihre CD. Dann steckte sie den Laptop ganz ruhig wieder in die Tasche, nahm ihre Handtasche und machte sich auf den Weg zum Krankenhaus, und sie knallte die Haustür so fest hinter sich zu, dass die Nachbarn im Stock darüber ans Fenster gelaufen kamen, um nachzusehen, wer da so wutentbrannt hinausgestürmt war.

»Tut mir leid, Sie haben ihn verpasst.«

Jen guckte die Krankenschwester völlig verständnislos an. »Wie meinen Sie das, ich habe ihn verpasst? Gestern war er noch genau hier. Und er sollte noch hierbleiben – er kann doch nicht mal eben einen kleinen Ausflug machen.«

Die Schwester sah sie ganz seltsam an und Jen wurde klar, dass ihr Ton vielleicht ein klitzekleines bisschen sarkastisch war.

»Tut mir leid«, entschuldigte sie sich rasch. »Was ich eigentlich sagen wollte, wissen Sie vielleicht, wo er ist?«

Die Schwester schüttelte den Kopf. »Zu Hause, vermute ich. Er hat vor etwa einer Stunde hier ausgecheckt.«

»Ausgecheckt?«, fragte Jen entrüstet. »Das ist doch hier ein Krankenhaus und kein Hotel. Wie kann er denn einfach auschecken?«

Die Schwester lächelte milde. »Das ist hier kein Gefängnis«, erklärte sie. »Jeder kann gehen, wann immer er will.«

Jen runzelte die Stirn. »Aber warum sollte er denn gehen? Warum sollte er einfach gehen, wo ich ihm doch heute seine Sachen bringen sollte? Das ergibt doch überhaupt keinen Sinn.«

Wieder verneinte die Schwester. »Ich mische mich da nicht ein«, sagte sie mit einem leichten Schulterzucken.

»Aber ich habe doch seinen Computer dabei«, jammerte Jen überflüssigerweise. »Er hat mich gebeten, ihm seinen Computer vorbeizubringen.«

»Können Sie ihm den nicht nach Hause bringen?«, schlug die Schwester vor.

Jen dachte angestrengt nach und sah sich in dem leeren Zimmer um. Plötzlich fiel ihr Blick auf etwas, das gleich neben dem Bett lag. Dort auf dem Nachttisch lag eine Zeitung. Sie ging hinüber und nahm sie etwas genauer in Augenschein und musste feststellen, dass es genau das war, was sie befürchtet hatte. Es war die Ausgabe der Times mit dem Artikel über den Brief von Malcolm Bray. Ihr rutschte das Herz in. die Hose, als ihr klarwurde, dass irgendwer ihn George gezeigt haben musste und er vermutlich davon ausging, dass sie ihn absichtlich ans Messer geliefert hatte.

»Aber er kann doch nicht nach Hause gegangen sein«, wiederholte sie beharrlich. »Ich muss mit ihm reden.«

Die Schwester nickte verständnisvoll und Jen fragte sich, mit wie vielen übergeschnappten Angehörigen sie sich täglich wohl herumschlagen musste. Wahrscheinlich würde sie heute Abend im Belegschaftsraum – oder wo auch immer Krankenschwestern Pause machten – von der durchgeknallten Tochter erzählen, die einfach nicht glauben wollte, dass ihr Vater das Krankenhaus verlassen hatte und nach Hause gegangen war. »Traurig war das«, stellte sie sich vor, würde sie sagen. »Sah gar nicht wie eine Verrückte aus, aber das beweist mal wieder, man kann es nie wissen...«

»Sicher würde er sich freuen, wenn sie bei ihm zu Hause vorbeischauen«, schlug die Schwester noch einmal vor.

Jen hätte am liebsten mit dem Fuß aufgestampft und geheult wie ein Kleinkind. Sie wollte nicht zu ihm nach Hause fahren. Sie wollte, dass ihr Vater hier in seinem Bett lag und gezwungen war, ihr zuzuhören, und sie ihn anschreien konnte, ihm die Gardinenpredigt halten, die sie sich auf dem Weg hierher ausgedacht und dann auswendig gelernt hatte. Die ihn für den Rest seiner Tage verfolgen und die ihm klarmachen sollte, wie viele Unzulänglichkeiten er hatte und wie allein er auf der Welt war. Zu Hause hatte er vermutlich Menschen um sich. Und er befand sich auf seinem Territorium, dort hatte er die Hausmacht. Es wäre einfach nicht dasselbe.

»Ich kann ihn gerne mitnehmen.«

Jen fuhr hoch und drehte sich auf dem Absatz um. Ein Mitarbeiter von Bell stand in der Tür. Sie erkannte ihn. Es war dieser eine, der Jack hieß.

»Das ist nicht nötig«, erklärte sie fest. »Mein Vater hat mich gebeten, ihm den Computer zu bringen, und das mache ich auch.«

Er streckte die Hand aus und lächelte aalglatt. »Mr Bell hat mich aber gebeten herzukommen und mir den

Rechner von Ihnen aushändigen zu lassen. Was Ihnen die Mühe erspart, zu ihm nach Hause zu fahren. Ich schätze, Sie müssten auch sein Handy haben?«

Jen starrte ihn fassungslos an. Diese beiden Dinge waren ihre einzigen Druckmittel, sie waren die einzigen Sachen, von denen sie wusste, dass ihr Vater sie dringend brauchte. Wenn sie die jetzt widerstandslos rausrückte, gab es für ihn keinen Grund mehr, ihr die Tür aufzumachen. Er hatte ganz offensichtlich den Artikel gelesen, hatte sich offensichtlich an zehn Fingern abzählen können, dass sie ihm von Anfang an nicht über den Weg getraut hatte, zur Zeitung gerannt war und ihn ans Messer geliefert hatte. Tja, vielleicht war es ja auch besser so. Vielleicht hatte er es gar nicht anders verdient.

»Wenn es Ihnen recht ist?«, ergänzte Jack mit dem Anflug eines Lächelns, aber eiskaltem, berechnendem Blick.

»Meinetwegen«, murmelte Jen schließlich und drückte ihm beides in die Hand. »Aber Sie können ihm von mir ausrichten, dass ich ihn hasse. Dass er, was mich angeht, keine Tochter mehr hat.«

Fast erwartete sie, die Titelmelodie von Denver Clan müsse bei diesem Abgang von irgendwoher zu hören sein, und sie stürmte aus dem Zimmer und rannte den ganzen Weg bis zur U-Bahn.

22

»Okay, Leute, setzt euch bitte«, sagte Jay, als Jen, Lara und Alan am nächsten Morgen im Gänsemarsch in den Hörsaal spazierten. »Ich möchte euch Dr. Marjorie Pike vorstellen, die mit euch über strategische Entscheidungen und Evaluierung sprechen wird. Marjorie hat ihren MBA am Henley Management College und ihren Doktor in den USA an der Wharton Business School gemacht, wo sie in den vergangenen fünf Jahren auch gelehrt hat. Wir dürfen uns also glücklich schätzen, dass sie heute hier bei uns ist. Und jetzt übergebe ich das Wort an Marjorie.«

Die drei Nachzügler huschten schnell zu den wenigen freien Plätzen, während Marjorie langsam, aber energisch nach vorne schritt, eine kleine Frau mit schneeweißem Teint und schwarzem Haar, das zu einem Knoten hochgesteckt war. Mit ihrem durchdringenden Blick schien sie jeden Einzelnen im Saal zu durchbohren. Niemand machte einen Mucks.

»Entscheidungen, Entscheidungen, Entscheidungen«, sagte sie bedächtig. »Einen MBA-Kurs machen oder sich im Marketing-Bereich weiterqualifizieren? In den USA oder in Großbritannien arbeiten? Dieses Haus kaufen oder jenes – oder drückt man sich um eine Entscheidung und wartet die weitere Entwicklung auf dem Immobilienmarkt ab? Jeden Tag haben wir die Qual der Wahl und müssen Entscheidungen treffen. Das Problem ist nur, dass wir uns meistens falsch entscheiden – noch auf ein Bier bleiben oder lieber nach Hause gehen, solange man noch einen klaren Kopf hat? Für gewöhnlich genehmigen wir uns noch ein letztes Bier, und das bereuen wir im Allgemeinen dann am nächsten Morgen. Und während eine einzelne Fehlentscheidung vielleicht noch nicht so sehr ins Gewicht fallen mag, wenn man bloß die falsche Sorte Zahnpasta mit nach Hause bringt, so ist sie doch absolut unverzeihlich, wenn man Milliarden Dollar von Anteilseignern in das falsche Projekt investiert. Stimmt's?«

Jen nickte verdrießlich. Sie wusste mittlerweile mehr über Fehlentscheidungen, als sie je hatte wissen wollen. Ehrlich gesagt sah sie sich inzwischen als echte Expertin auf diesem Gebiet.

»Was also tun?«, sagte Marjorie gerade. »Sie haben Stärken und Schwächen analysiert. Sie haben Risiken und Chancen abgewogen. Wie verwandelt man diese Ergebnisse nun in Wahlmöglichkeiten, und wie trifft man letztendlich eine Entscheidung?«

Allgemeines Schweigen. Dann hob Alan die Hand.

»Ja?«

»Also«, begann er zögernd, »man überlegt sich Maßnahmen, mittels derer man die vorhandenen

Möglichkeiten nutzen kann, und andere, mit denen sich die Risiken minimieren lassen.«

»Wie?«

»Na ja, wenn eine Möglichkeit bestünde ... sagen wir, neue Kunden zu gewinnen – eine neue Kundenschicht, meine ich –, dann betreibt man ein bisschen Marktforschung, um herauszufinden, ob man eine Chance hat. Ob es realisierbar ist, meine ich. Und wenn ein mögliches Risiko ein Konkurrent sein könnte, der es, nun ja, auf dieselben Kunden abgesehen hat, dann müsste man sich noch mehr anstrengen, damit er sie nicht kriegt ... die Kunden, meine ich. Also müsste man, Sie wissen schon, vielleicht eine massive Werbekampagne starten oder so etwas ...«

Er verstummte. Jen sah ihn irritiert an und fragte sich, wa rum er dabei so übereifrig klang. Sie nahm an, da ging bloß mal wieder seine übliche streberhafte Begeisterung für alles, was mit Strategie zu tun hatte, mit ihm durch. Aber auch dafür wirkte er ziemlich aufgeregt, wie er da so nervös auf seinem Stuhl herumzappelte. Kurz schaute sie ihn durchdringend an, doch dann schweiften ihre Gedanken schon wieder ab und sie musste an ihren Vater denken. Der hatte seine Möglichkeiten auf jeden Fall voll ausgenutzt. Und sie hatte sich von ihm nach Strich und Faden ausnutzen lassen. Aber so ungeschoren sollte er nicht davonkommen. Sie wusste zwar noch nicht so recht, was sie wegen dieser Tabelle unternehmen sollte, aber irgendetwas wollte sie damit auf jeden Fall machen. Sie vielleicht am besten zur Polizei bringen.

»Gut. Das ist sehr gut«, rief Marjorie begeistert. »Aber in einer solchen Situation könnte man sich doch auch zu einer Konsolidierung entschließen, nicht wahr? Ein oder zwei Konkurrenten aufkaufen, und vielleicht sogar die Zulieferer. Was, wenn sich mehr als eine Möglichkeit bietet? Was, wenn man einen neuen Markt erschließen könnte oder das Image des Produkts für einen neuen Kundenkreis ändern möchte oder sich darauf konzentrieren, den vorhandenen Marktanteil zu vergrößern? Was dann?«

Alan runzelte die Stirn. »Das Image ändern«, murmelte er ernst. »Daran hatte ich noch nicht gedacht.« Er begann hektisch zu kritzeln und Jen verdrehte herablassend die Augen.

»Im Lehrbuch sieht die Sache mit den strategischen Möglichkeiten ganz einfach aus«, fuhr Marjorie fort. »Man sucht sich ein paar Pferde aus, guckt, ob sie gut laufen, und dann, zack, trifft man seine Entscheidung. Im wahren Leben ist das nicht ganz so leicht. Im wahren Leben ist es meist ungeordnet und kompliziert und man muss nicht nur die geschäftlichen Notwendigkeiten bedenken, sondern darf auch die Menschen und ihre Persönlichkeiten nicht vergessen. Eine Möglichkeit wäre es vielleicht, einen Zuschusszweig des Unternehmens zu verkaufen. Aber wenn der Geschäftsführer dieses Unternehmens besagten Zweig selbst aufgebaut hat und daran hängt, ist der Verkauf dieser Sparte sicher keine realisierbare Option. Okay, nennt mir bitte ein Bespiel, ein Unternehmen, dass Sie bereits analysiert haben und das wir uns etwas genauer ansehen können, um die wichtigsten Punkte kurz zu beleuchten.«

Suchend sah sie sich im Raum um und alle schauten sich betreten an. Bis dann schließlich jemand ganz hinten die verhängnisvollen Worte sprach: »Wir haben uns schon mehrfach mit Kondomherstellern befasst.«

Vereinzeltes Gekicher war zu hören, aber nur gedämpft – irgendwie gehörte Marjorie nicht zu den Menschen, mit denen man es sich verscherzen wollte. Aber sie nahm es ganz locker.

»Kondomhersteller? Interessant. Also gut. Und da ich davon ausgehe, dass sie die komischen Aspekte über Stärken und Schwächen von Kondomen bereits zur Genüge ausgereizt haben, was wären also die sich bietenden Möglichkeiten eines Kondomherstellers?«

»Sexspielzeug«, rief jemand in den Raum.

»Die Durchdringung des Marktes«, krakelte jemand anders, was ihm einen kurzen Applaus einbrachte.

»Vordringen in neue Märkte«, warf ein anderer ein.

»Okay, danke schön«, ging Marjorie dazwischen und notierte alles auf der Tafel, während hinter ihr noch gekichert wurde. »Also, wir haben es demnach zu tun mit Marktdurchdringung, mit dem Vordringen in neue Märkte und der Einführung neuer Produkte, ja? Und wie entscheiden wir uns nun für eine dieser Möglichkeiten?«

»Na ja, es muss irgendwie passen«, bemerkte jemand trocken. Marjorie ignorierte den Witz geflissentlich.

»Klar, strategisch muss es passen. Aber was heißt das konkret? Sie«, sagte sie und zeigte auf Alan, der sich sofort kerzengerade hinsetzte.

»Tja«, erklärte er ernst, »ich denke, man muss sich seiner neuen Marke anpassen. Das Produkt, meine ich. Man muss das Produkt der Marke anpassen.« Er wirkte ein bisschen fahrig. »Also müsste man seine Marke verändern, ehe man einen neuen Markt erschließt, wie, Sie wissen schon, Sexspielzeug.«

»Ja«, stimmte Marjorie ihm etwas unsicher zu. »Ich würde das vermutlich von der anderen Seite angehen: Man muss sich seinen Marktwert ansehen und sein Alleinstellungsmerkmal und darf nicht versuchen, einen neuen Markt zu erschließen, wenn es nicht passt. Hat man seiner Marke einmal geschadet, hat man vielleicht bald kein Unternehmen mehr. Wobei natürlich nichts wirklich unantastbar ist – manche Unternehmen haben ihre Strategien erfolgreich geändert, wie IBM zum Beispiel, die erst reine Hersteller waren und sich heute mehr auf Beratung konzentrieren. Aber man muss sehr optimistisch sein – oder auch verzweifelt –, um so was durchzuziehen. So, was noch?«

»Realisierbarkeit«, antwortete Alan. »Man muss ermitteln, ob man als Unternehmen über die internen Möglichkeiten verfügt, die es dazu braucht. Wenn ja, dann wäre es vielleicht möglich, die ... Marke erfolgreich anzupassen.«

»Okay«, sagte Marjorie mit leicht gerunzelter Stirn, »nennen Sie doch mal ein paar Beispiele.«

»Man müsste herausfinden, was der Kunde will, und sich dann überlegen, ob man ihm das Entsprechende bieten kann. Das, was er sich wünscht, meine ich.«

Marjorie guckte Alan befremdet an.

Der wurde rot und räusperte sich. »Ich meine, wenn man den europäischen Markt erobern will, muss man sich fragen, ob man die Infrastruktur dafür hat«, ergänzte er rasch. »Ob man irgendwelche europäischen Sprachen spricht. So etwas in der Art.«

»Großartig. Das ist gut«, sagte Marjorie, und Alan sank erleichtert auf seinem Stuhl in sich zusammen. »Was ich Ihnen damit klarmachen will, ist, dass Sie, wenn Sie vor einer Entscheidung stehen, möglicherweise denken könnten, Sie hätten den Hauptanteil der ganzen Arbeit schon getan, aber tatsächlich geht sie gerade erst richtig los. Sie müssen alles genau durchdenken und auch das Abwegigste und das Banalste berücksichtigen. Sie müssen wissen, was in Ihrem Unternehmen passiert und was außerhalb – und dazu gehören die Marotten Ihres Führungsteams genauso wie die Politik der gegenwärtigen Regierung. Sie müssen abwägen, ob eine Möglichkeit realisierbar ist, ob sie glaubwürdig und ob sie annehmbar ist. Welche Risiken gibt es? Kann man mit ihnen fertig werden? Also, um auf unseren Kondomhersteller zurückzukommen: Überlegen wir doch mal, welche Risiken sich ergeben, wenn man einen neuen Markt erobern will ...«

Jen runzelte die Stirn. Sie musste sich dringend über die ihr verbleibenden Möglichkeiten klarwerden

– auch wenn sie sich nicht ganz sicher war, ob sie dabei ein Wirtschaftsmodell zu Hilfe nehmen wollte.

»Auswahlmöglichkeiten, sagst du?«

Bill wirkte nachdenklich.

»Ja. Ich war gerade in einer Vorlesung über strategische Entscheidungsfindung, und ich habe mich gefragt, wie man zu einem Entschluss kommt, wenn man keine Ahnung hat, was man als Nächstes tun soll.«

Bill strich sich über den Bart, der inzwischen gut fünf Zentimeter lang war. »Weißt du was, ich würde dir gerne eine kleine Geschichte erzählen, wenn es dir recht ist.«

Jen nickte.

»Es war einmal ein junger Spund. Die ganze Welt stand ihm offen, er kam ganz frisch von der Uni. Er fing also an, bei Unternehmensberatungen, bei verschiedenen Firmen, einfach überall Klinken zu putzen, kannst du mir folgen?«

Jen nickte ernst.

»Okay, er redet also mit diesen Typen und drückt ihnen seinen Lebenslauf in die Hand, und die bieten ihm alles Mögliche an – ein tolles Gehalt, freiwillige Sozialleistungen, eigenes Büro, eigenes Auto, Handy ...«

Jen zog die Augenbrauen hoch.

»Also, das Ganze ist schon ein Weilchen her. Damals waren Handys noch richtige Statussymbole.«

Jen zuckte die Achseln.

»Egal, er steckt also in einem echten Dilemma. Wohin soll er gehen? Was soll er tun? Also macht er einen langen Spaziergang, um einen klaren Kopf zu bekommen.

Zermartert sich das Hirn, ob das Büro besser ist als das Handy oder das Gehalt besser als die Zusatzleistungen. Und während er also herumläuft, wird ihm klar, dass das alles bloß Firlefanz ist, oberflächlicher Kleinkram. Und dass er sich lieber überlegen sollte, was er im Leben errei chen will, wo er in fünf oder zehn Jahren gerne wäre. Und weißt du, was er dann kapiert?«

Jen schüttelte den Kopf.

»Dass er das alles gar nicht will. Er will weder das Geld noch den schicken Anzug noch das coole Auto. Er will etwas Sinnvolleres. Er will Menschen helfen. Also dreht er sich auf dem Absatz um, geht zurück zur Uni und fängt noch mal ein neues Studium an, Lebensberatung diesmal, nicht Wirtschaftsanalyse. Verstehst du, was ich damit sagen will?«

»Dass ich lieber jemand anderen nach Wirtschaftsanalyse fragen sollte?«

Bill wirkte gekränkt und Jen grinste ihn an.

»Ach so, das war ein Scherz. Ach, verstehe. Witzig! Das ist witzig! Aber mal im Ernst, was ich damit sagen wollte, ist, dass du in dich hineinhören musst. Es gibt immer verschiedene Möglichkeiten. Aber die sind hier, in deinem Herzen, nicht im Kopf. Stimmt es, oder habe ich recht? Hm? Hm?« Bill knuffte Jen freundschaftlich gegen den Arm und sie grinste ihn an.

»Da hast du wohl recht«, erwiderte sie, aber sie musste sich eingestehen, dass sie in diesem Moment noch keine Ahnung hatte, wie Bills Geschichte ihr weiterhelfen sollte.

Daniel lehnte sich auf seinem Stuhl zurück und sah seinem Vorstand direkt in die Augen. Zeit für einen offenen Schlagabtausch. Er musste Robert davon überzeugen, dass Kostensenkung und Wachstum ohne Maß und Ziel nicht die richtige Vorgehensweise waren. Er hatte Pläne für Neuerungen in petto, mit denen er den Buchhandel ins 22. Jahrhundert befördern würde, vom 21. ganz zu schweigen, und Robert würde gar nicht anders können, als sich beeindruckt zeigen. *Buchhandel ist eine Kunst*, würde er sagen. *Es geht nicht darum, möglichst hohe Stapel aufzutürmen und die Bücher wie Ramsch möglichst billig zu verkaufen – nein, man muss den Leser verstehen, in seinen Kopf kriechen und ihm all seine Wünsche erfüllen.*

Er lächelte zufrieden. Tatsächlich war es das erste Mal seit Monaten, dass ihm sein Job wieder richtig Spaß machte. Das Essen mit Anita hatte den Funken der Begeisterung wieder entzündet und ihm bewusstgemacht, dass seine Ideen richtig gut waren. Jetzt musste er nur noch Robert davon überzeugen.

»Also, wie Sie sehen«, erklärte er zuversichtlich, »kann man zwar die finanzielle Rentabilität prüfen und dann subsequent die Kosten reduzieren. Aber ich glaube, die Zukunft unseres Unternehmens liegt vielmehr in der Innovation. Wir müssen die Leute dazu bringen, dass sie es lieben zu lesen, statt verzweifelt zu versuchen, die Preise zu senken, um die Kunden damit in die Läden zu locken. Bücher sind überhaupt nicht teuer, verglichen mit anderen Unterhaltungsmedien, und sie versprechen viele Stunden Lesevergnügen. Wir müssen uns in unsere Kunden hineinversetzen und uns etwas einfallen lassen, das sie vollkommen begeistert. Uns wieder darauf besinnen, worum es in diesem Unternehmen eigentlich geht – um Bücher nämlich.«

Robert Brown nahm die Brille von der Nase, putzte sie und setzte sie wieder auf. Dann sah er Daniel nachdenklich an. »Sie glauben also, dass es in diesem Unternehmen um Bücher geht?«, fragte er.

Daniel runzelte die Stirn. Worauf wollte Robert denn damit hinaus? »Ja«, antwortete er schlicht und hob automatisch die Hand, um sich durch die Haare zu fahren. »Ja, natürlich.«

»Verstehe. Die Sache ist aber dummerweise die, dass es für mich in diesem Unternehmen einzig und allein um die Aktionäre geht. Den Wert ihrer Anteile zu erhöhen. Dividenden, diese Dinge.«

Daniel sah ihn ungeduldig an. Was sollte das werden, eine Lehrstunde in Betriebswirtschaft vom Vorstandsmitglied persönlich? »Durchaus«, erwiderte er mit einem verkniffenen Lächeln. »Und das ist auch sehr wichtig. Aber das tun wir, indem wir Bücher verkaufen. Machen wir das gut, schlagen unsere Aktionäre garantiert Purzelbäume vor Freude.«

Robert nickte. »Sehen Sie mal, Daniel. Sie haben eine tolle kleine Buchhandelskette aufgebaut. Das haben Sie wirklich großartig gemacht. Aber jetzt arbeiten Sie für uns. Wir sind ein großes Unternehmen. Und wir erwarten große Profite. Genau wie unsere Aktionäre.«

Daniel musste schlucken und spürte, wie es ihm den Hals zuschnürte. »Sie wollen also nichts von meinen Ideen hören?«, fragte er.

»Wie ich schon sagte, ist der Vorstand momentan der Meinung, dass wir bei den bewährten Strategien bleiben sollten. Kostensenkung, Preisreduzierung, vielleicht auch noch ein paar mehr Angebote nach dem Motto ›Vier kaufen, drei bezahlen‹. Und in der Zwischenzeit sehen Sie sich nach einer lohnenden Übernahme um. Es geht hier bloß um Marktanteile, Daniel, darüber ist sich der Vorstand sehr wohl im Klaren.«

»Der Vorstand oder Sie?«, fragte Daniel verbittert, drehte sich zur Seite, schaute aus dem Fenster und betrachtete die wundervolle Aussicht auf London, die er von seinem Bürofenster aus hatte. Dort der Buckingham Palace und Big Ben, und da drüben in der Ferne konnte man sogar gerade so ein Stückchen des Lon don Eye ausmachen. Ein toller Blick. Und sie stand für alles, was er sich so hart erarbeitet hatte. Er wusste nicht so recht, ob er das einfach so aufgeben konnte.

Robert antwortete nicht.

»Sie haben meine Kette aufgrund ihrer Innovationen aufgekauft«, fuhr Daniel fort. »Weil wir besser, schneller und cleverer waren als alle anderen Buchhandlungen.«

»Wir haben Sie aufgekauft, weil es für uns ein profitables Unternehmen war, Daniel. Und weil wir erwarten konnten, dass mit der richtigen Strategie noch mehr Geld zu machen wäre.«

Daniel holte tief Luft und atmete dann langsam wieder aus.

»Denken Sie mal darüber nach, Mr Peterson«, sagte Robert und stand auf. »Ich rechne fest damit, dass Sie sich bei der Präsentation vor dem Vorstand nächste Woche ganz auf Kostenreduzierung und Preissenkung konzentrieren. Wir erwarten Vorschläge zur Wertsteigerung und keine überkandidelten Hirngespinste. Ich hoffe, dass mein Vertrauen gerechtfertigt ist.«

Als er gegangen war, ging Daniel zurück zu seinem Rechner, öffnete seine Präsentation und drückte Löschen. Er schäumte vor Wut. Noch nie war er so wütend gewesen. Er sah zu, wie die Arbeit vieler Tage einfach verschwand, sah zu, wie die Ideen, die ihn so begeistert hatten, wieder zu leeren Seiten wurden. Und erst als das Telefon klingelte und er nach dem Hörer griff, merkte er, dass seine Hände zitterten.

»Daniel Peterson«, meldete er sich barsch.

»Daniel, hier ist Anita. Hör zu, tut mir leid, dass es so kurzfristig ist, aber ich wollte dich fragen, ob du heute Mittag Zeit hättest, mit mir zu essen. Ich habe mit unserem Vorstandsvorsitzenden über deine Idee mit der Eigenmarke geredet und er fand sie großartig. Ich soll ihn mit weiteren Einzelheiten versorgen ...«

»Vergiss es«, knurrte Daniel mutlos. »Das kann ich mir abschminken.«

»Aber deine Präsentation hat doch noch nicht mal stattgefunden, oder?«

»Robert wollte nichts davon wissen.«

»Dann geh doch mit mir etwas essen, und wir sorgen dafür, dass es so verlockend klingt, dass er einfach nicht widerstehen kann.«

Daniel seufzte. »Also gut«, murmelte er. Vielleicht war ein nettes Mittagessen ja gar keine so üble Idee. Wenn er hier nicht bald herauskam, würde er am Ende noch die Tür eintreten.

»Wunderbar. Um eins im Wolseley?«

»Okay.«

Daniel hatte schon wieder aufgelegt, ehe Anita sich verabschieden konnte, und kehrte zu seiner Löschtaste zurück.

Jen spazierte aus Bills Büro den Gang hinunter und hätte beinahe Lara und Alan angerempelt, die aus der anderen Richtung kamen.

»Alles in Ordnung?«, fragte Lara besorgt.

Jen zuckte die Achseln. »Alles bestens.«

»Lust auf eine heiße Schokolade? Ein ordentlicher Zuckerrausch am Montagmorgen hebt meine Laune immer ungemein.«

Jen schüttelte den Kopf. »Nein ... ich glaube, ich mache einen kleinen Spaziergang.«

Lara nickte verständnisvoll. »Ach, na gut, ich sollte wohl auch lieber in die Bib gehen und ein bisschen was tun.«

Plötzlich räusperte Alan sich vernehmlich. »Ich hätte Lust auf eine heiße Schokolade.«

Lara und Jen drehten sich um und sahen ihn erstaunt an, und er wurde rot.

»Was?«, fragte Lara.

»Heiße Schokolade. Ich würde mitkommen und eine mit dir trinken, wenn Jen zu viel zu tun hat.«

»Ach so«, meinte Lara und wirkte ein wenig irritiert. »Also gut. Danke.«

»Gern geschehen«, entgegnete Alan und lächelte fröhlich. »So, du magst also heiße Schokolade, ja? Irgendwelche speziellen Vorlieben? Eine Lieblingsmarke?«

Lara zog die Augenbrauen hoch. »Komischer Kauz«, bemerkte sie, aber es klang nicht unfreundlich.

Dann drehte sie sich noch einmal zu Jen um. »Da siehst du ja, was passiert, wenn du mich im Stich lässt«, flüsterte sie. »Wenn ich den ganzen Vormittag über innerbetriebliche Umstrukturierung von Unternehmensprozessen reden muss, ist das deine Schuld!«

23

Jen stiefelte aus den Bell Towers ins Freie und lief durch den St.-James-Park in Richtung Daniels Büro. Sie hatte beschlossen, ihn mit einem Kaffee zu überraschen, und versuchte sich einzureden, ihn damit ein bisschen aufmuntern zu wollen, auch wenn sie insgeheim natürlich wusste, dass sie selbst einfach jemanden zum Reden brauchte. Ob sie ihm auch noch ein Stück Kuchen kaufen sollte?

Schnell schaute sie bei Pret a Manger hinein und kaufte zwei Café Latte und zwei Stückchen sehr süßen, sehr saftigen Lemon Drizzle Cake. Einem so leckeren Kuchen konnte einfach niemand widerstehen.

Der Blick auf die Uhr verriet: zwölf Uhr mittags. Was, wenn er gerade zum Essen gegangen war? Oder in einer Konferenz saß? Wahrscheinlich hockte er die halbe Zeit in langweiligen Sitzungen, und wenn sie einfach so auftauchte, würde er sie vielleicht für völlig verrückt halten.

Ob sie ihn anrufen sollte?, überlegte sie, verwarf diese Idee aber gleich wieder. Sie wollte ihn einfach sehen, und wenn es nur für ein paar Minuten wäre. Sie musste Daniels Gesicht sehen, sich vergewissern, dass wenigstens ein paar Dinge in ihrem Leben noch in Ordnung waren. Sie würde nur schnell auf ein kleines Schwätzchen reinschauen, und sollte er zu beschäftigt sein, dann würde sie eben später wiederkommen.

Wyman's war leicht zu finden – ein großes, gedrungenes Gebäude, eingequetscht zwischen zwei grauen Regierungsgebäuden mit einem großen Aluminiumschild davor – aber irgendwie ganz anders, als sie erwartet hatte. Obwohl sie wusste, dass Daniel hier Geschäftsführer war, hatte sie sich immer vorgestellt, dass er über einem Buchladen arbeitete – oder zumindest in einem alten Gebäude aus dem 18. Jahrhundert mit abgewetzten Holzböden und vollgestopften Bücherregalen ringsum. Was mal wieder bewies, wie wenig sie doch von der Welt wusste, dachte sie bei sich, als sie sich verdrossen am Empfang einschrieb und in den vierten Stock geschickt wurde.

Während sie dastand und auf den Fahrstuhl wartete, ließ sie den Blick durch die Eingangshalle wandern, und da lief ihr doch ein angenehmer kleiner Schauer den Rücken hinunter. Das hier war sozusagen Daniels Firma. Er konnte damit tun und lassen, was er wollte, überlegte sie. Gleich neben dem Aufzug stand eine große Vase voller Lilien und Jen sog genießerisch den lieblich süßen Duft ein. Vielleicht würde sie ja mal in einem solchen Laden arbeiten, wenn sie bei Bell Consulting fertig war, malte sie sich aus. In einem netten, altmodischen Unternehmen, das einfach nur Bücher verkaufte und sich nicht in Schmiergeldaffären und krumme Geschäfte verwickeln ließ.

Der Aufzug hielt im vierten Stock, dort ging sie dann den Korridor entlang und kam in einen kleinen, offenen Bereich, an den sich ein Büro anschloss. Ihr Herz machte einen kleinen Hüpfer, als sie Daniel erblickte, der dort hinter dem Schreibtisch saß und den Bildschirm anstarrte, und sie lächelte der Dame, die an einem Schreibtisch vor seinem Büro saß und sicher seine Sekretärin war, kurz zu.

»Ich möchte zu Daniel«, erklärte sie atemlos. »Ich habe ihm einen Kaffee mitgebracht.«

Die Dame schaute sie völlig unbeeindruckt an. »Steht nicht im Kalender«, entgegnete sie sachlich.

»Der Kaffee?«, fragte Jen verwirrt.

»Ein Termin«, erwiderte die Dame. »Ihr Name?«

»Jen?« Daniel erschien an der Tür und die Dame zuckte die Achseln. »Was machst du denn hier?«

»Kaffee?«, antwortete Jen prompt und hielt die Becher in die Höhe. Er sah nicht gerade erfreut aus, sie zu sehen, wie sie sehr wohl bemerkte, und sie versuchte, das ungute Gefühl in der Magengegend zu verdrängen, das sie plötzlich befiel. »Ich habe dir Kaffee und Kuchen mitgebracht.«

Daniel hielt ihr die Tür auf und sie betrat sein Büro.

»Ich hatte gehofft, du hättest Zeit für eine kleine persönliche Tutorenstunde über meine Arbeit, unter vier Augen«, erklärte sie lächelnd. »Und ich wollte dich dafür mit Kaffee und Lemon Drizzle Cake bezahlen.«

Daniel schaute sie irritiert an. »Jetzt?«, fragte er entgeistert. »Du erwartest jetzt ein Tutorium?«

Jen schüttelte den Kopf. Das lief gerade überhaupt nicht nach Plan. Sie hatte gehofft, er würde sich freuen, sie zu sehen – schließlich hatte er das ganze Wochenende gearbeitet und sie hatte gedacht, sie könnte ihm vielleicht gefehlt haben.

»Nein«, erwiderte sie schnell. »Natürlich nicht. Das war ein Witz. Also, wie läuft's bei dir?«

Daniel zuckte die Achseln. »Ich arbeite an einer Präsentation. Die muss ich nächsten Montag dem Vorstand vorstellen ...« Er warf einen Blick auf seinen Wandkalender, auf dem die Präsentation deutlich sichtbar vermerkt war. 16.30 Uhr: D-DAY.

»D-Day?«, fragte Jen mit einem kleinen Lächeln. »Wie damals bei der Landung in der Normandie? Das Ganze ist also so etwas wie eine Invasion, ja?«

»So was in der Art.«

Er wirkte geistesabwesend, als hörte er ihr kaum zu, und plötzlich wünschte Jen, sie wäre nicht hergekommen. Sie hatte sich dieses Treffen ganz anders vorgestellt – sie hatte sich ausgemalt, Daniel würde sie fest in die Arme schließen und ihr zuhören, wenn sie ihm erzählte, was geschehen war, und anschließend würde er ihr einen einfühlsamen, wertvollen Ratschlag geben, was sie nun tun sollte ...

Sie runzelte die Stirn. Vielleicht war sie ja auch einfach zu egoistisch, wenn sie erwartete, dass sich alles nur um sie drehte, wo er doch offensichtlich ganz andere Dinge im Kopf hatte.

»Mach dir keine Sorgen wegen deiner Präsentation«, ermutigte sie ihn so zuversichtlich es ging, denn schließlich befand sich auch ihr Selbstvertrauen gerade im unaufhaltsamen Sturzflug. »All diese tollen Ideen, von denen du mir erzählt hast, und ich muss gestehen, die meisten davon haben den Weg in meine Arbeit gefunden ...«

In der Hoffnung auf ein kleines Lächeln sah sie Daniel an, doch der machte immer noch ein Gesicht wie sieben Tage Regenwetter. »Und, womit wirst du anfangen?«, fuhr sie eilig fort und platzierte derweil Kaffee und Kuchen auf dem Tisch. »Mit der Zusammenarbeit mit einem Verlag, also ich meine, dem Co-Branding? Das finde ich großartig. Oder willst du zuerst über die Buchclubs reden? Ich sage dir, wenn du auf die Anspruchsgruppen zu sprechen kommst, werden sie total aus dem Häuschen sein ...« Jen brach ab, als sie merkte, dass Daniel sie nicht einmal ansah.

»Stimmt was nicht?«, erkundigte sie sich vorsichtig. »Hast du dich gegen die Idee mit den Buchclubs entschieden, oder was?« Sie hoffte nicht, denn gerade diese Idee stammte von ihr.

»Das waren alles total schwachsinnige Ideen«, erklärte Daniel herablassend. »Diese Firma ist für ihre Aktionäre da und nicht für einen Haufen Leute, die sich möglicherweise durch einen Buchclub dazu bringen ließen, mehr zu lesen, oder auch nicht.«

Jen runzelte die Stirn. »Das ist doch nicht dein Ernst«, sagte sie rasch. »Komm schon, erkläre mir diese Idee mit der Markenbildung noch mal. Ich habe mir nämlich überlegt, dass man sich auf ein oder zwei große Verlage beschränken sollte, weil man sonst –«

»Hast du nicht zugehört?«, unterbrach Daniel sie unwirsch. »Ich habe gesagt, das waren schwachsinnige Ideen. Nichts davon wird verwirklicht. Stattdessen muss ich diese dämlichen Verleger dazu bringen, mir bessere Angebote zu machen. Ich muss die Konkurrenz unterbieten. Muss es irgendwie schaffen, unsere Gewinnspanne zu verbessern. Vielleicht sollten wir in Zukunft gar keine Bücher mehr verkaufen – ich denke, DVDs bieten augenblicklich einen wesentlich höheren Bruttogewinn ...«

Jen sah ihn entrüstet an. Er klang schon genau wie ihr Vater. Vielmehr, wie sie angenommen hatte, dass ihr Vater sein müsste, ehe sie ihn neu kennengelernt hatte. Oder ... sie schüttelte sich. Wem wollte sie etwas vormachen? Sie hatte doch keine Ahnung, wie ihr Vater wirklich war. Und genau da lag der Hase im Pfeffer. Aber sie wusste sehr wohl, dass Daniel sich gerade wie ein Idiot aufführte.

»Ich weiß ja nicht, was mit dir los ist«, sagte sie ruhig, »aber der einzige Schwachsinn ist der, den du gerade von dir gibst.«

Sie griff zu ihrem Kaffee und trank einen großen Schluck. Sie merkte, wie sie langsam begann, sich aufzuregen, und sie wollte keinen Streit vom Zaun brechen, nicht gerade jetzt. Sie war hergekommen, weil sie sich von Daniel ein bisschen Bestätigung erhofft hatte, und nicht, um sich mit ihm zu streiten.

Aber Unterstützung durfte sie wohl nicht erwarten. Nein, jetzt funkelte Daniel sie auch noch wütend an. »Du findest also, ich rede Schwachsinn? Ach, sei doch nicht so naiv, Jen. Ich dachte, du bist diejenige, die hier Betriebswirtschaft studiert.«

»Naiv?« Jetzt wurde Jen richtig wütend. Was nahm der sich überhaupt heraus, so mit ihr zu reden?

»Du hast mich schon verstanden. Ach, das hat doch sowieso keinen Zweck. Geh, schreib deine Arbeit, Jen. Schreib all diese großartigen Ideen auf – die sind wie geschaffen für eine Studienarbeit. Es ist nur so, dass sie in der realen Welt nicht funktionieren, okay?« Er ging zurück zu seinem Schreibtisch und setzte sich vor den Rechner.

»Du bist kein Geschäftsführer, du bist ein verdammter Tyrann«, schimpfte Jen hitzig. »Und ich dachte, du seist nett. Ich habe dich für interessant und witzig gehalten, dabei bist du bloß ...«

»Bloß was?«, fragte Daniel, ohne den Blick vom Bildschirm zu wenden. Offenbar war auch er inzwischen stinksauer.

»Tja, ehrlich gesagt bist du bloß ein echter Mistkerl«, entgegnete Jen, stand auf und schob ihren Kaffee beiseite. »Das ist nicht der Daniel, den ich kenne, und ich habe auch keine Lust mehr, hier zu sein, wenn's recht ist.«

»Okay, dann hau doch ab«, zischte Daniel erbost mit vor Wut blitzenden Augen. »Geh und erzähl es jemandem, den es interessiert.«

»Weißt du was, Daniel, ich dachte, es würde dich interessieren. Habe ich echt geglaubt«, schnaubte Jen, stürmte aus dem Büro und versuchte den belustigten Blick seiner Sekretärin zu ignorieren.

Den Aufzug ließ sie links liegen, rannte die Treppe hinunter und stürzte aus dem Gebäude, so schnell sie konnte. *Was war bloß passiert?*, fragte sie sich, als sie wutentbrannt die Straße entlangstapfte und versuchte, Daniels Reaktion zu verstehen. Ob er sich urplötzlich in ein menschenfressendes Ungeheuer verwandelte, sobald er sein Büro betrat? Oder hatte sie etwas gesagt, worüber er sich geärgert hatte?

Sie kramte ihr Handy hervor und starrte es ein paar Minuten lang an, in der Hoffnung, er würde anrufen und sich bei ihr entschuldigen, aber es schwieg hartnäckig. Vielleicht liegt es ja an mir, schoss es ihr dann unvermittelt durch den Kopf. Vielleicht langweile ich ihn schon, vielleicht gehe ich ihm auf die Nerven. Ich habe ihn das ganze Wochenende nicht zu sehen bekommen, vielleicht war das ja schon ein Hinweis …

Jen schüttelte sich. Nein, unmöglich, das wollte sie einfach nicht glauben. So war Daniel nicht. Obwohl sie ihn bisher auch nicht für einen streitsüchtigen Idioten gehalten hatte, und da hatte sie sich eindeutig geirrt.

Langsam beruhigte Jen sich wieder und beschloss, noch einen Kaffee trinken zu gehen. Sie hatten keinen Bissen von ihrem leckeren Lemon Drizzle Cake gegessen, und wenn Daniel wieder zur Vernunft kam und sie anrief, um sich zu entschuldigen, wollte sie in der Nähe sein.

24

Als Anita eine Stunde später ins Wolseley kam und Daniel ganz mutlos aus dem Fenster starren sah, zog sie erstaunt die Augenbrauen hoch.

»Daniel, da bist du ja. Hast du eine Ahnung, wie ich mich freue, dass du heute Zeit hast. Ich habe neulich ein derart interessantes Gespräch geführt ...« Sie brach ab, als sie merkte, dass Daniel nicht einmal ansatzweise lächelte. »Steht es denn wirklich so schlimm?«, fragte sie ernst und legte die Hand auf seine.

»Noch schlimmer.«

»Willst du es mir erzählen?«

»Ich habe Jen gesagt, sie soll verschwinden.«

»Okay, das ist ziemlich schlimm. Womit hat sie das denn verdient?«

»Sie hat mir gesagt, im Buchhandel ginge es nicht bloß um große Gewinnspannen.«

Anita runzelte die Stirn. »Hä? Ich würde doch annehmen, da müsstest du ganz ihrer Meinung sein.«

Daniel vergrub das Gesicht in den Händen. »Natürlich bin ich ihrer Meinung. Genau dasselbe hatte ich kurz vorher zu meinem Vorstandsfritzen gesagt. Aber der hat mir klargemacht, wenn ich meine Marschrichtung für die Fünfjahresplanung, die ich dem Vorstand nächste Woche präsentieren soll, nicht radikal ändere, kann ich mich nach einem neuen Job umsehen.«

»Das hat er gesagt?«

»Nein. Aber ich weiß, dass er das gemeint hat.«

Anita rief den Kellner an den Tisch und bestellte Wein und Oliven zum Knabbern. »Und das hast du an deiner Freundin ausgelassen? Sehr clever.«

»Ich habe mich hundeelend gefühlt, sie ist sauer geworden und dadurch habe ich mich noch schlechter gefühlt, und ich ... ich habe die Beherrschung verloren. Herrje, Anita, irgendwie ist im Moment alles so schwierig.«

Anita schüttelte den Kopf. »Das stimmt nicht. Du stehst bloß mal vor einem Berg, den du nicht mit links bezwingen kannst. Daniel, du hast eine erstaunliche Karriere hingelegt, du bist sehr erfolgreich, aber vielleicht verleitet dich das auch zu der Annahme, alles sei kinderleicht. Wenn man etwas will, muss man darum kämpfen.«

»Meinst du Wyman's oder Jen?«

»Vermutlich beide, aber ich glaube, mit der Wyman's-Problematik kenne ich mich besser aus ...«

»Ich komme mir so hilflos vor.« Daniel zuckte die Achseln. »So ... machtlos.«

Kritisch zog Anita eine Augenbraue hoch. »Okay, wir bewegen uns hier eindeutig auf unbekanntem Terrain. Daniel, willst du wirklich meinen Rat hören?«

Er nickte.

»Hör auf, dich in Selbstmitleid zu suhlen«, sagte Anita streng. »Rede Klartext und sei bereit, die Konsequenzen zu tragen und zu gehen, wenn sie dir nicht zuhören wollen. Aber als Allererstes solltest du dich bei deiner Freundin entschuldigen.« Darauf folgte ein langes Schweigen, und Daniel beugte sich schließlich über den Tisch und drückte Anita einen Kuss auf die Lippen.

»Die Beobachtung des Selbstmordkandidaten kann eingestellt werden«, erklärte er ernst. »Du hast wie immer den Nagel auf den Kopf getroffen und mir vor Augen gehalten, was ich falsch mache. Und wie immer stehe ich tief in deiner Schuld.«

Anita lächelte. »Und wie immer darfst du mich zum Essen einladen, um deine Schulden abzuarbeiten, und du darfst dir anhören, was ich über den neuen Titel zu sagen habe, der im kommenden Herbst erscheint und von dem du ganz sicher mehrere Tausend Exemplare kaufen wirst ...«

Jen starrte in ihre leere Kaffeetasse. Eine Stunde und zwanzig Minuten waren vergangen und noch immer kein Anruf. Das war mehr als verwirrend – das war absolut seltsam.

Ob er wütend auf sie war? Sie schüttelte den Kopf Wieso sollte er wütend auf sie sein? Sie hatte ihm doch bloß die Wahrheit gesagt – dass er sich wie ein Idiot aufführte.

Jen wand sich vor Unbehagen. Vielleicht war sie ein bisschen zu weit gegangen – aber das war er auch. Es hatte sie so gekränkt, als er sie angeschrien hatte. Fast war es ihr vorgekommen, als hätte er sich in jemand anderen verwandelt.

Vielleicht war er ja auch jemand anders, grübelte sie. Vielleicht kannte sie ihn ja doch nicht so gut, wie sie geglaubt hatte.

Nein, unmöglich. Sie sollte ihn anrufen und ihn zur Rede stellen. Es musste doch irgendeine Erklärung, musste einen guten Grund für seinen Ausbruch geben.

Jen seufzte. Sie konnte ihn unmöglich anrufen. Er musste sie anrufen. Würde sie sich bei ihm melden, wäre das, als wolle sie sich entschuldigen. Und sie hatte nicht die geringste Absicht, das zu tun, vor allem, weil er sich nicht die Mühe machte, sie anzurufen.

Bedrückt warf Jen wieder einen Blick auf ihr Handy, um nachzusehen, ob sie überhaupt Empfang hatte. Hatte sie. Gut, dachte sie gereizt. Soll mir recht sein. Wenn er Spielchen spielen will, dann gehe ich wieder zurück zu Bell, statt meine Zeit zu verplempern.

Sie machte sich auf in Richtung Bell Towers, entlang der Piccadilly, und im Gehen schimpfte sie halblaut vor sich hin. »Verdammte Männer«, brummelte sie empört. »Die sind doch alle gleich. Am Anfang denkt man immer, sie sind nett, und dann entpuppen sie sich als genauso schlimm wie alle anderen. Absolut und vollkommen egoi...«

Plötzlich blieb Jen wie angewurzelt stehen. Sie stand genau vor dem Wolseley, einem ihrer Lieblingsrestaurants, und jemand, der Daniel zum Verwechseln ähnlich sah, saß mit einer umwerfenden Blondine an einem der Tische.

Sie runzelte die Stirn. Das konnte doch unmöglich er sein. Oder doch?

In der Hoffnung, der freundliche Restaurantangestellte an der Tür möge sie nicht für allzu merkwürdig halten, schlich sie sich ein bisschen näher heran, um den Typen drinnen etwas genauer in Augenschein zu nehmen. Er war es. Schockiert klappte ihr die Kinnlade runter – seit über einer Stunde klammerte sie sich an ihren Kaffee und wartete darauf, dass er sie anrief, während er in aller Seelenruhe zu Mittag aß? Das war unglaublich. Unerträglich.

Sie machte einen Schritt zurück, damit er sie nicht dort an der Tür entdeckte, und beobachtete mit Schrecken, wie die beiden sich unterhielten. Die Frau hatte eine Hand auf seine Hand gelegt, und sie wirkten sehr ... vertraut. Auf einmal wurde Jen ganz schlecht. Am liebsten wäre sie fortgelaufen, aber sie konnte nicht. Stattdessen stand sie wie angewurzelt da und musste zusehen, wie die Frau Daniel lieblich anlächelte, und dann, wie Daniel sich hinüberbeugte und die Frau mitten auf den Mund küsste.

Jen taumelte, als hätte ihr jemand ins Gesicht geschlagen. Darum also war er so aufgewühlt gewesen, darum hatte er sie so schnell loswerden wollen. Er hatte eine andere. Wie lange das wohl schon ging?, fragte sie sich bitter. Und wann genau hatte er es ihr sagen wollen?

Als Daniel sich wieder hinsetzte und zurücklehnte, ein breites, zufriedenes Grinsen im Gesicht, drehte Jen sich auf dem Absatz um und begann zu rennen. Sie musste hier weg, und zwar so schnell wie möglich.

Wann werde ich es endlich lernen?, fragte sie sich, während ihr beim Laufen dicke Tränen über die Wangen liefen. Wann kapiere ich endlich, dass es im Leben meist kein Happy End gibt? Das Leben ist grausam und gemein und die Menschen sind Fieslinge und lügen und betrügen einen, sogar die Menschen, die man liebt …

Nach ein paar Minuten verlangsamte sie ihr Tempo etwas, sie atmete schwer und vom Weinen schmerzte ihr der Hals. Sie war ganz in der Nähe von Bell Consulting, aber irgendwie sträubte sich alles in ihr dagegen, hineinzugehen. Zum einen sah sie entsetzlich aus, zum anderen aber, viel wichtiger noch, war ihr einfach nicht danach. Am liebsten wäre sie in ein großes Bett gekrabbelt und hätte sich die Decke über den Kopf gezogen, bis es nicht mehr wehtat. Man konnte sich wirklich auf niemanden mehr verlassen, dachte sie todunglücklich. Jedes Mal, wenn sie jemandem vertraute, wurde sie enttäuscht, und der Betreffende trampelte auf ihren Gefühlen rum. Tja, in Zukunft würde sie niemandem mehr vertrauen. Anders ging es eben nicht.

Und selbst wenn ich Vorlesungen habe, dachte sie trotzig, *heißt das ja nicht, dass ich hingehen muss. Warum auch? Ich hasse Bell Consulting. Ich hasse sie alle.*

Und damit winkte sie ein Taxi heran, stieg hinten ein und schaffte es gerade so, dem Fahrer ihre Adresse zu nennen, ehe sie sich wie ein Häufchen Elend auf dem Rücksitz zusammenrollte.

Als sie nach Hause kam, kochte Jen sich einen Kaffee und beschloss dann, ihn im Garten zu trinken. Sie ging nach draußen, zitterte leicht und zog die Wolljacke enger um sich.

In ihrem kleinen Garten war es bitterkalt, doch ungeachtet des eisigen Wetters tat er trotzig, als sei schon Frühling – überall erschienen kleine Knospen, und nach den langen, kalten und kahlen Wintermonaten spross nun das erste Grün. Wehmütig sah Jen sich um. Die Natur wirkte so erwartungsvoll, so optimistisch, doch statt sie, wie sonst immer, aufzumuntern, bestärkte es sie jetzt nur in ihrem Trübsinn. Sie wollte einfach nicht optimistisch in die Zukunft blicken. Das hatte ihr doch den ganzen Ärger erst eingehandelt.

Sie wollte sich gerade hinsetzen, da klingelte es an der Tür, und ihr Herz setzte kurz aus. Ob das Daniel war? Ob er ihr eine wirklich plausible Erklärung für diesen Kuss liefern konnte? Ob er sich entschuldigen und alles wieder in Ordnung bringen würde?

Schnell lief sie zur Tür und öffnete. Doch schnell wich die freudige Erregung Enttäuschung und Erleichterung, als sie feststellen musste, dass er es nicht war.

»Gavin«, seufzte sie. »Was machst du denn hier?«

»Okay, Prinzessin«, meinte Gavin leutselig und drückte ihr einen flüchtigen Kuss auf die Wange. »Ich habe da ein paar ziemlich durchgeknallte Nachrichten auf meiner Mailbox und die Anruferin klang irgendwie nach dir. Na, fällt der Groschen?«

Jen runzelte die Stirn. »Komm lieber rein.«

Sie machte Tee für sich und Gavin und dann setzten sie sich an den Küchentisch.

»Danke, Jen. Also, wärst du jetzt so nett, mir mal zu erklären, was zum Teufel diese wirren Nachrichten zu bedeuten haben?«

Jen verdrehte die Augen. Ihre Wut auf Gavin war längst verraucht und sie konnte sich kaum dazu aufraffen, ihm die ganze Sache zu erklären.

»Es ging um diesen Brief«, sagte sie kläglich und rührte einen Löffel Zucker in ihren Tee.

»Welchen Brief?«

»Du hast der Times das mit dem Brief gesteckt, den ich dir gezeigt habe, da liegt mein Problem. Obwohl das inzwischen auch schon egal ist.« Ihre Stimme klang matt und teilnahmslos.

Gavin schaute sie vollkommen entgeistert an. »Was?«

»Der Brief, Gavin«, raunzte Jen ungeduldig. »Weihnachten stand es in der Times. Und, hör zu, es ist okay, ich hab's verdaut, ich war bloß ... na ja, ich dachte, ich könnte dir vertrauen, aber da habe ich mich wohl geirrt ...«

Er stellte seine Teetasse ab. »Jen, ich habe nicht die geringste Ahnung, wovon du sprichst. Ich war in Schottland. Ich habe mit keinem einzigen Journalisten geredet.«

Jen seufzte. »Hör zu, ich weiß nicht, warum du mich anlügst, aber es ist nämlich inzwischen egal.«

»Es ist nicht egal, weil ich nämlich nicht lüge, verdammt noch mal!« Seine Stimme klang plötzlich ganz schrill, und Jen runzelte die Stirn.

»Ehrlich? Du warst es wirklich nicht? Aber wer könnte ihn denn sonst noch gesehen haben?«

»Das weiß ich doch nicht, Herrgott, in Zukunft werde ich nicht mehr hier übernachten, wenn das der Dank dafür ist. Wie oft muss ich dir denn noch sagen, dass ich es nicht war? Muss wohl einer deiner anderen Lover gewesen sein ...« Er beobachtete sie ganz genau und wartete ihre Reaktion ab.

»Ich habe keinen neuen Lover«, murmelte sie traurig, schmeckte den Worten nach und merkte zu spät, dass die Heulphase noch nicht vorbei war.

Gavin sprang auf und nahm sie in den Arm. »Nicht doch, Süße, nicht doch, ist schon gut. Ich bin ja bei dir ...«

Für einen kurzen Augenblick genoss Jen diese Umarmung. Vorhin hatte sie sich nichts sehnlicher gewünscht als eine kleine Umarmung und ein freundliches Wort, aber stattdessen hatte Daniel sie bloß angeschrien. Gavin war zwar nicht unbedingt ihre erste Wahl als Lieblingströster, aber besser als nichts.

»Es ist nicht gut«, jammerte sie. »Nichts ist gut. Ich habe mich mit Daniel gestritten, und Dad ... tja, ich dachte, ich könnte ihm vertrauen, und, buhuhuhu.«

Den Kopf auf Gavins Schulter, heulte sie los, und er strich ihr sanft über das Haar. »Reg dich doch über den nicht auf«, versuchte er sie zu trösten. »Dieser komische Daniel war sowieso nicht der Richtige für dich.«

»Ich hatte gerade angefangen, mich in ihn zu verlieben«, schluchzte Jen und verlor vollends die Beherrschung. Den Tränen freien Lauf zu lassen war ein gutes Gefühl.

»Nein, hast du nicht. Das dachtest du nur. Alles wird gut, warte es nur ab, du wirst schon sehen.«

Jen schluchzte noch ein paar Mal und riss sich dann zusammen. »Du hast ganz ehrlich niemandem von dem Brief erzählt?«, fragte sie laut schniefend.

»Ich schwöre.«

»Aber wer dann?« Ihre Frage war rein rhetorisch, was Gavin allerdings nicht zu bemerken schien.

»Dieser Idiot, mit dem du angebandelt hast? Oder deine Mutter, was ist mit der?«

Jen schüttelte den Kopf. »Denen habe ich nichts davon gesagt.«

Gavin wirkte erfreut, das zu hören. »Kluges Kind. Rede nur mit Leuten, denen du vertrauen kannst.«

Jen sah ihn mit hochgezogenen Augenbrauen kritisch an.

»Hör zu, Jen«, sagte er ernst und nahm ihre Hand. »Vergessen wir doch den ganzen Mist, okay? Wir passen doch gut zusammen, du und ich. Wenn dieser Blödmann aus dem Spiel ist und du damit fertig bist, die Privatdetektivin zu spielen, könnten wir doch da weitermachen, wo wir aufgehört haben, oder?«

Jen musterte ihn deutlich kühler als vorhin. »Privatdetektivin spielen?«

»Ach, du weißt schon, diese ganze Geschichte mit der Firmenspionage, dieses Spielchen mit Daddy hinterherschnüffeln. Ich wollte ja eigentlich nichts sagen, aber das war doch ziemlich erbärmlich, findest du nicht?«

»Daddy hinterherschnüffeln? Du glaubst also, das hätte ich die ganze Zeit gemacht?«

Gavin wirkte verwirrt.

»Weißt du was, fast hättest du mich eben rumgekriegt«, meinte sie mit traurigem Lächeln.

»Fast?«, fragte Gavin hoffnungsvoll.

»Auf Wiedersehen, Gavin. Ich glaube, es ist Zeit für dich zu gehen.«

Gavin nahm ihre Hand. »Pass auf, das mit dem Privatdetektiv spielen habe ich nicht so gemeint«, erklärte er ernst. »Komm schon, Jen. Du und ich – wir sind doch ein gutes Team, oder nicht? Wir hatten viel Spaß. Das hat mir gefehlt.«

Mit einem Blick auf seine Hand zuckte Jen die Achseln. »Wir waren mal ein gutes Team«, stimmte sie ihm zu. »Aber das ist vorbei.«

»Das sagst du doch nur wegen diesem Typ, oder?« Gavin ließ nicht locker. »Sieh mal, der ist doch jetzt Geschichte. Du hast mich mal geliebt, weißt du nicht mehr?«

Ärgerlich verzog Jen das Gesicht. Da hatte er wohl recht. Aber irgendwie konnte sie sich überhaupt nicht mehr daran erinnern, Gavin mal geliebt zu haben. Und auch nicht daran, dass sie bei dem Gedanken, ihn zu verlieren, so verzweifelt gewesen wäre.

»Gavin, bitte nicht«, sagte sie leise.

Er sah sie eindringlich an, dann zog er seine Hand weg und lächelte schief. »Keine Chance auf eine letzte Abschiedsnummer?«, fragte er fröhlich.

Jen guckte ihn mit hochgezogenen Brauen an.

»Na ja, ruf mich an, wenn du's dir anders überlegst.«

Gutgelaunt winkte er ihr zu, als er aus dem Haus ging, und sie sah ihm nach, bis er um die Ecke verschwunden war. Wenn er die Wahrheit gesagt hatte über diesen Brief, wer hatte dann geplaudert?, fragte sie sich. Und wichtiger noch, wem um alles in der Welt konnte sie jetzt noch trauen?

Ein paar Minuten später zog Jen sich aus, um ein Bad zu nehmen. Sie hatte Wasser in die Wanne laufen lassen, Kerzen angezündet und eine CD von Groove Armada aufgelegt, und nun ließ sie sich in das warme Wasser gleiten und spürte gleich, wie sie sich entspannte.

Dann schloss sie die Augen und probierte eine Entspannungstechnik aus, die sie von Angel gelernt hatte – man stellt sich vor, man ist an seinem Lieblingsort, und versucht, ihn mit allen Sinnen zu erspüren, und so kann man seinen Verstand davon überzeugen, man sei wirklich dort. Angel nannte das den »Drei-Minuten-Urlaub«.

Jen malte sich aus, sie sei irgendwo am Strand und könne den warmen, weichen Sand zwischen den Zehen fühlen. Sie ginge hinein in das tiefblaue Meer und spüre die warmen Sonnenstrahlen auf ihrer Haut. Dann baute sie Sandburgen, schaufelte sorgfältig den Sand in ihr Eimerchen, das sie dann umdrehte und vorsichtig anhob, um ihr Meisterwerk nicht zu zerstören. Sie wollte einen Burggraben, vier Türme und sogar eine Unterkunft für das Gesinde bauen. Doch während sie noch daran arbeitete, stieg die Flut, also legte sie noch einen Zahn zu – aber das Meer war zu schnell, es verwüstete ihre Burg und riss eine ganze Seite mit sich. Verzweifelt versuchte sie zu retten, was noch zu retten war, aber der Sand hatte sich mit Wasser vollgesogen und zerfloss ihr unter den Händen. Ihre Eltern schrien ihr irgendwelche Ratschläge zu, aber die konnte sie nicht richtig verstehen, weil sie beide gleich zeitig redeten, und als sie sahen, dass es zu spät war, drehten sie sich um und ließen sie allein.

Abrupt setzte Jen sich auf. Ein lautes Klingeln hatte sie geweckt. Schnell hüpfte sie aus der Wanne und zog ihren warmen Frotteebademantel über. Dann schlüpfte sie in ihre Schaffellpuschen und flitzte in die Küche, wo ihr Handy lag und wie wild vibrierte. Auf dem Display blinkte die Anzeige MUM.

Jen rutschte das Herz in die Hose. Auf das Gespräch mit ihrer Mutter hatte sie sich lange vorbereitet, hatte es genau durchdacht und dann tagelang erfolgreich verdrängt. Jetzt war der Berg zum Propheten gekommen und sie hatte völlig vergessen, was sie eigentlich sagen wollte.

»Mum?«, sagte sie fragend und wünschte, sie wäre in der Wanne geblieben.

»Ach, dann erinnerst du dich also noch an mich?«

»Ja, Mum«, erwiderte Jen seufzend und fragte sich schuldbewusst, ob ein totaler Gedächtnisverlust augenblicklich nicht eine verlockende Alternative wäre.

»Es tut mir wirklich leid.«

»Jen, ich wollte dir sagen, dass es mir leidtut.«

»Jen, hör zu, wegen heute Nachmittag. Ich habe überreagiert, und ich wollte mich bei dir entschuldigen ...«, murmelte Daniel auf der Suche nach der besten Einleitung halblaut vor sich hin, als er aus der U-Bahn nach oben kam und sich auf den zwanzigminütigen Weg zu Jens Wohnung machte. Kurz hatte er in Erwägung gezogen, sie anzurufen, hatte es aber schnell wieder verworfen, weil ihm das zu unpersönlich erschien und man sich am Telefon auch nicht gut versöhnen konnte, das wusste schließlich jeder. Erstens kam es dabei oft zu Missverständnissen – wenn man den anderen nicht sieht, weiß man nie so genau, ob man es schon riskieren kann, einen Witz zu reißen. Und zweitens kann man am Ende höchstens auf eine Verabredung in naher Zukunft hoffen, aber wenn man sich persönlich wieder aussöhnte, konnte man sich ... na ja, wieder richtig versöhnen.

Ganz langsam, Daniel, nur nichts überstürzen, ermahnte er sich, als er sich vorstellte, wie er und Jen sich immer und immer wieder versöhnten. Erst mal musste er sie davon überzeugen, dass er kein totales Arschloch war.

»Au!«

Ein Schrei entfuhr ihm, als jemand ihn unsanft anrempelte. Können die Leute nicht aufpassen, wo sie hinlaufen, verdammt noch mal, dachte er wütend und blickte, als er aufschaute, geradewegs in ein Gesicht, das ihm irgendwie bekannt vorkam. Doch gleich verwarf er den Gedanken wieder, weil er niemanden kannte, der aussah, als habe er die letzten Wochen auf der Straße gelebt.

»Sie sollten lieber die Augen aufmachen«, fuhr ihn dieser Kerl auch noch an. Daniel war empört.

»Ich?«, fragte er fassungslos. »Sie rempeln doch hier ahnungslose Leute an.«

Der Typ schaute ihn ungläubig an. »Du bist der Ex von Jen, stimmt's?«

Daniel runzelte die Stirn. Klar. Das war ihr Exfreund. Der Penner. »Ich glaube, du verwechselst da was«, erwiderte er prompt, obwohl er eigentlich gar nicht mit diesem Typen reden wollte. »Der Ex bist du. Ich bin Jens aktueller Freund.«

»Das hört sich aus ihrem Mund aber ganz anders an.«

»Du warst bei ihr?« Daniel hätte sich treten können, als er das sagte. Er wollte gar nicht wissen, ob dieser Penner bei Jen gewesen war. Er wollte ihn nicht auch noch ermutigen.

Der Penner sah ihn an, und ein spöttisches Lächeln umspielte seine Lippen. »Hör mal, Kumpel«, setzte er an, als wolle er Daniel in ein großes Geheimnis einweihen. »Die Sache ist nämlich die, ich und Jen ... also, da läuft noch viel mehr als, tja, dass ich bloß ihr Ex bin. Wir sind uns immer noch sehr nahe. Und was sie betrifft, sie will dich nie wiedersehen.«

Daniels Augen wurden ganz schmal. »Tja, wenn das so ist, dann soll sie mir das selber sagen«, erklärte er bestimmt.

Der Penner grinste. »Du hast mehr Mumm als ich, das muss man dir lassen. Ich glaube, ich würde nicht zu ihr nach Hause gehen, bloß um mir anhören zu müssen, ich soll mich zum Teufel scheren, aber jedem das Seine. Aber lass dir gesagt sein, Kumpel, der Zug ist abgefahren, sozusagen. Und ich ... na ja, ich bin wieder aufgesprungen, wenn du verstehst.«

Daniel starrte ihn an. Jen gab sich mit jemandem ab, der sie als Zug bezeichnete? Egal, das war einfach unmöglich. Er hatte sie erst vor ein paar Stunden gesehen, und da hatte sie diesen Scherzkeks mit keinem Wort erwähnt.

»Trotzdem, ich muss dann mal weiter«, sagte er, und der Penner zuckte die Achseln.

»Soll mir recht sein. Wir sehen uns dann gleich.«

»Was?«, fragte Daniel schneidend.

»Ich hole bloß schnell ein Fläschchen Wein, ich bin also gleich wieder da. Bestimmt kannst du dann einen Schluck vertragen, schätze ich mal.«

»Du gehst gleich wieder zurück zu Jen?«

Der Penner nickte. »Wir feiern gerade unsere Wiedervereinigung«, erklärte er. »Ehrlich gesagt, Kumpel, hast du mir einen großen Gefallen getan, dass du so mit ihr umgesprungen bist. Da ist ihr endlich ein Licht aufgegangen. Besten Dank.«

Daniel wurde auf einmal ein bisschen übel. Was hatte er bloß getan? Jen war wieder mit diesem ... diesem Idioten zusammen, und er konnte es ihr nicht mal verübeln. Wer wollte schon einen Kerl, der gleich aus der Haut fuhr, wenn man mal kurz bei ihm im Büro vorbeischaute?

»Scheint, als sei mein Timing ziemlich mies«, murmelte er leise.

»Sag ich doch«, entgegnete der Penner achselzuckend. »Der Zug ist abgefahren, Kumpel.«

Ganz langsam drehte Daniel sich um und ging, und der Blumenstrauß, den er gekauft hatte, hing schlaff in seiner Hand.

Gavin sah ihm hinterher, dann drehte er sich um. Er hatte Jen einen Gefallen getan, redete er sich ein. Manchmal musste man seine Freunde schützen – vor anderen, aber auch vor sich selbst.

»Tja, eigentlich hätte ich ja erwartet, dass du mich anrufst und dich bei mir entschuldigst. Aber da du bisher keine Anstalten dazu gemacht hast, dachte ich, ich rufe dich an.«

»Du findest also nicht, dass du mir eine Entschuldigung schuldest?«, fragte Jen im Bemühen, sich nichts anmerken zu lassen. »Dafür, dass du mich angelogen hast?«

»Das habe ich dir doch schon erklärt«, entgegnete Harriet gereizt. »Ich wollte dich nur beschützen, weiter nichts. Mütter tun so was, weißt du.«

»Ich wollte deinen Schutz nicht, ich wollte die Wahrheit.« Harriet seufzte. »Du hast überhaupt nicht gewusst, was du wolltest, und ich bin mir nicht sicher, ob du es jetzt weißt. Aber wie dem auch sei, ich wollte dir nur sagen, dass deine kleine Indiskretion gegenüber der Presse deinen Vater schwer erschüttert hat. Sehr schwer erschüttert. Was mich vermuten lässt, dass er irgendwo einen wunden Punkt hat. Vielleicht fürchtet er, dass du noch mehr weißt –«

»Woher weißt du das?«

»Woher weiß ich was, Liebes?«

»Dass er erschüttert ist. Und von dem Brief, denn von dem habe ich dir gegenüber nie etwas erwähnt. Wie hast du das herausgefunden, und woher weißt du, dass Dad erschüttert ist?«

Harriet seufzte. »Ach so, das. Du warst schon immer sehr detailverliebt, nicht wahr? Tja, ich habe das einfach angenommen, weil ich mir nicht vorstellen konnte, wer es sonst gewesen sein sollte. Und als ich deinem Vater gegenüber diesen Artikel erwähnt habe, hat er mir bestätigt, dass du es gewesen sein musst. Also ehrlich, Liebes, und ich hatte mir doch tatsächlich Sorgen gemacht, du könntest auf seinen Charme reingefallen sein. Ich war richtig stolz auf dich, weißt du –«

»Du hast es ihm gesagt?«, unterbrach Jen sie. »Wann?«

»Ich würde mir wirklich wünschen, du würdest mir nicht immer so ins Wort fallen, Liebes. Ich habe ihn im Krankenhaus besucht. Was für mich ein großes Opfer bedeutet hat, du weißt ja, wie ich diese schrecklichen Anstalten hasse, aber ich muss sagen, es hat sich gelohnt. Sein Gesicht ... also, das war ein Bild für die Götter ...«

Jen spürte die Wut in sich aufsteigen und mit ihr böse, hitzige Worte, die ihr schon auf der Zunge lagen. Doch statt sie, wie sonst immer, einfach auszuspucken, schluckte sie sie wieder hinunter und versuchte, sie zu verdrängen. Sie hatte genug Streit gehabt. Sie musste lernen, ihr aufbrausendes Gemüt zu beherrschen. Und außerdem, was machte es schon, dass Harriet die Katze aus dem Sack gelassen hatte? Irgendwann hätte er es sowieso erfahren, und da es ganz danach aussah, dass er tatsächlich so ein korruptes Schwein war, wie ihre Mutter immer behauptet hatte, war es vermutlich besser so.

»Toll«, murmelte sie ohne Begeisterung.

»Und?«, hakte ihre Mutter erwartungsvoll nach.

»Und?«

»Und, was hast du rausbekommen? Heute Nachmittag war ein Bericht im Fernsehen, die Polizei in Indonesien hat eine Niete gezogen – sie haben nicht den geringsten Beweis für die Zahlung von Bestechungsgeldern gefunden, was mich nicht weiter überrascht, weil ja niemand ohne Not gesteht, Schmiergelder gezahlt zu haben, oder? Die Sache ist doch die, Jen, wenn wir die Wahrheit nicht ans Licht bringen, dann schafft es auch sonst niemand.«

Jen dachte kurz nach. Wenn sie ihrer Mutter alles erzählte, würde das die Dinge sehr vereinfachen. Harriet wüsste, was mit der Tabelle zu tun war. Sie wüsste, was zu tun war. Punkt.

Also, warum rückte sie nicht raus mit der Sprache?

»Na ja, so einiges«, sagte sie schließlich. »Aber du musst mir versprechen, dass du Paul nichts davon erzählst.«

»Paul? Wie meinst du das, Liebes?«

»Ich meine, du musst mir versprechen, dass du ihm nichts davon sagst, was ich dir jetzt erzähle.«

Harriet seufzte. »Es stimmt also wirklich. Paul hat mich davor gewarnt.«

»Wovor hat er dich gewarnt?«, fragte Jen sofort, und ihre Nackenhaare sträubten sich.

»Ich weiß, dass du Paul noch nie leiden konntest, aber du musst ihn ja nicht gleich verteufeln«, schimpfte Harriet empört. »Paul hat mit dieser Sache nichts zu tun. Er ist so ziemlich der einzige Mensch, dem ich überhaupt noch vertrauen kann, nachdem du mit dem Feind auf Schmusekurs gegangen bist.«

»Mir kannst du vertrauen!«, protestierte Jen entrüstet. »Du kennst Paul doch kaum, und wenn du hörst, was ich zu erzählen habe –«

»Ich will es nicht, Jennifer. Ich will es nicht hören, verstanden? Er hat bezweifelt, dass du die Richtige für diese Aufgabe bist, und ich hätte auf ihn hören sollen.«

Jen runzelte die Stirn. »Du hast mit Paul über meine Arbeit bei Bell Consulting geredet?«

»Aber ja doch, Liebes. Wir haben keine Geheimnisse voreinander.«

»Das wiederum wage ich zu bezweifeln«, sagte Jen sarkastisch beim Gedanken an Pauls Anruf bei ihrem Vater.

»Jen, bis du dich wieder wie ein zivilisierter Mensch benimmst, haben wir uns, was mich angeht, nichts mehr zu sagen.«

»Schön«, entgegnete Jen aufgebracht. »Da bin ich ganz deiner Meinung.«

Wütend knallte sie den Hörer auf und ließ sich auf einen Stuhl fallen. Der heutige Tag würde als

schlimmster Tag ihres Lebens in die Geschichte eingehen, da war sie sich sicher. Und irgendwie hatte sie das
ungute Gefühl, dass es in absehbarer Zeit nicht viel besser werden würde.

25

Angel hatte einen strahlenden, rosigen Teint und ihre Augen leuchteten.

»Sagtest du nicht, du hättest einen Kater?«, fragte Jen, als sie sich zum Brunch trafen und sie das Gesicht ihrer Freundin auf eindeutige Anzeichen wie blutunterlaufene Augen oder fahle Haut hin untersuchte.

»Hab ich ja auch«, erklärte Angel, die dieser Behauptung zum Trotz aussah, als hätte sie gerade einen einwöchigen Wellness-Urlaub hinter sich. »Ich sehe schrecklich aus.«

Jen zog die Augenbrauen hoch und griff nach der Speisekarte. »Du aber auch, Jen, wenn ich ehrlich bin. Was ist los?«

Jen legte die Karte wieder hin. »Wie kann es sein«, fragte sie, »dass sich innerhalb von nur zwei Tagen das ganze Leben so radikal ändern kann, und das auch noch zum Schlechten? Ich kapier das einfach nicht.«

Angel runzelte die Stirn. »Dein Leben hat sich verschlechtert? Wie denn das? Es ist doch nichts mit deinem Vater, oder?«

Jen starrte geradeaus auf den Tisch. Angel würde nie triumphieren und ›Ich hab's dir doch gleich gesagt‹ sagen, würde Jen nie vorhalten, dass sie jetzt nicht so in der Patsche säße, wenn sie auf Angel gehört und ein bisschen besser auf sich aufgepasst hätte, statt sich Hals über Kopf in etwas hineinzustürzen und vollkommen aus dem Häuschen zu sein, weil sie ihren Vater wiederhatte. Aber im Raum stehen würde es trotzdem.

»Du hattest recht«, murmelte Jen also bloß. »Er ist nicht der, für den ich ihn gehalten habe. Oder vielmehr, er ist der, für den ich ihn gehalten habe, ehe ich mir eingeredet hatte, er sei ganz anders.«

Verwirrt zog Angel die Nase kraus. »Könntest du das noch mal ganz langsam von vorne erklären?«

Jen seufzte. Sie wusste gar nicht, wo sie mit dem Erklären anfangen sollte. Mit ihrem Vater und dieser seltsamen Tabelle? Mit ihrer Mutter und Paul Song? Mit Gavin, mit Daniel und dieser Frau ...? Als sie die Liste durchging, stiegen ihr schon wieder Tränen in die Augen, aber die schluckte sie tapfer hinunter. Das war jetzt nicht der richtige Zeitpunkt, um in Selbstmitleid zu versinken. Diesmal musste sie etwas tun.

Sie fing an zu erzählen und konnte zusehen, wie Angels Augen sich vor Erstaunen weiteten. Hin und wieder rief sie »Nein!« oder »Hat er nicht!« oder »Hast du nicht!«, und dann nickte Jen nur weise und bestätigte, dass, ja, dieses tatsächlich passiert war oder, ja, sie jenes tatsächlich getan hatte.

Schließlich war sie fertig und lehnte sich erschöpft zurück. Angel sagte eine Weile gar nichts, als müsse sie das alles erst mal verdauen. Dann sah sie ihre Freundin an.

»Und was willst du jetzt unternehmen? Wen willst du informieren? Und warum bist du nicht schon längst hingegangen und hast diesem Daniel einen ordentlichen Tritt in den Hintern gegeben?«

Jen musste lächeln, als sie sich vorstellte, wie sie in Daniels Büro schneite und damit drohte, ihn zu verhauen.

»Um ehrlich zu sein, ich weiß es nicht«, gab sie zu. »Ich habe versucht, es Mum zu erzählen, aber als ich Paul Song erwähnte, hat sie sich gleich wieder angegriffen gefühlt.«

»Und du meinst wirklich, er hat etwas damit zu tun?«

Jen zuckte die Achseln. »Ich hoffe nicht, schon allein wegen Mum, aber es sieht nicht gut aus, oder? Ich meine, warum sollte er meinen Vater sonst zu Hause anrufen? Und dieser blöde Holzklotz, von dem er behauptet hat, er sei aus China, der aber in Wirklichkeit aus Indonesien stammt ... das kann doch alles kein Zufall sein.«

»Hast du inzwischen herausgefunden, wofür diese Zahlungen waren?«

Jen schüttelte den Kopf. »Nein, aber das kriege ich schon noch raus. Geld, das auf ein Nummernkonto fließt, immer wieder fällt der Name Axiom ... Ich habe mir diese Tabelle bestimmt schon tausend Mal angeguckt und ich komme einfach zu keiner anderen Erklärung, als dass es sich um Bestechungsgelder handeln muss.«

»Dann solltest du zur Polizei gehen.«

»Ich weiß.«

»Aber?«

Angel durchbohrte Jen fast mit ihren Blicken und die rutschte unbehaglich auf ihrem Stuhl hin und her. »Das mache ich ja auch noch«, erwiderte Jen ausweichend. »Ich weiß bloß nicht ... was ich denen sagen soll.«

»Hast du schon mit deinem Vater gesprochen?«

Jen schüttelte den Kopf.

»Meinst du nicht, das wäre besser?«

Jen zuckte die Achseln. »Vielleicht. Bisher hat mir dazu einfach die Kraft gefehlt. Und ich bin immer noch schrecklich wütend auf ihn.«

»Das ist doch gut so. Rede mit ihm, solange du diese Wut noch im Bauch hast. Komm schon, Jen. Du kannst dich nicht davor drücken.«

Jen seufzte. Angel hatte ja recht. Seit Tagen schob sie es auf die lange Bank, weil sie sich irgendwie nicht dazu aufraffen konnte, überhaupt etwas zu tun. Am liebsten hätte sie sich einfach irgendwo versteckt, getan, als sei nichts gewesen, und sich eingeredet, sie sei nicht dafür verantwortlich. Was sonst gar nicht ihre Art war – normalerweise stürzte sie sich in alles hinein, ohne lange nachzudenken – und jetzt hielt sie einfach die Füße still.

»Wahrscheinlich willst du einfach deinen Vater nicht noch einmal verlieren«, bemerkte Angel nachdenklich. »Aber wenn es stimmt, was du sagst, dann hast du ihn, denke ich, schon lange verloren.«

»Und Mum auch. Und Daniel«, jammerte Jen trübsinnig. »Aber Schluss jetzt mit der Heulerei, fürs Erste habe ich genug von meinen Problemen geredet. Wie geht es dir? Wie laufen die Hochzeitsvorbereitungen?«

Angels Miene hellte sich merklich auf. »Diese Feier wird so was von abgefahren«, erzählte sie und verdrehte die Augen. »Sämtliche Beteiligten werfen mit Geld nur so um sich, die Klamotten sind vollkommen verrückt und beide Elternpaare sind derart gestresst, dass sie jederzeit überschnappen können. Wie einfach, glaubst du, ist es, in London einen Elefanten für eine Hochzeit zu mieten? Ziemlich schwer, oder? Nun ja, wir kriegen zwei ...«

Und während Angel weitererzählte, ertappte Jen sich dabei, wie sie ein wenig neidisch den Geschichten über ihre weit verzweigte Großfamilie lauschte. Jeder wusste über jeden Bescheid, und es wurde erwartet, dass man zusammenhielt und an einem Strang zog. Und obwohl Angel sich hin und wieder beklagte, merkte Jen doch, dass es ihr im Grunde ganz gut gefiel. Wie beruhigend, dachte Jen, zu so einer verschworenen Gemeinschaft zu gehören. Wie gut zu wissen, dass man, was immer auch geschieht, seinen Familienclan um sich hat, der einen unterstützt, an einem rumnörgelt und einem ganz genau sagt, was man mal wieder falsch macht. Wenn Jen mit ihren Vermutungen nicht falsch lag, würde sie wahrscheinlich nie wieder mit ihrem Vater reden und ihre Mutter würde Paul Song verlieren, was sie Jen vielleicht nie verzeihen würde.

»... also musste ich an der Regenrinne runterrutschen. Das war so aufregend – als sei ich wieder ein Teenager.«

Jen zog die Stirn kraus. Hatte sie da gerade etwas Interessantes verpasst? »Du bist eine Regenrinne runtergerutscht?«, hakte sie nach.

»Ja! Na ja, ich wollte schließlich nicht meiner Familie auf die Nase binden, dass ich mich mit dem Mann treffe, mit dem sie mich verkuppeln wollen!«

»Du triffst dich mit dem Mann, mit dem die dich verkuppeln wollen, und das willst du ihnen verheimlichen? Du verwirrst mich.«

Angel verdrehte die Augen. »Jen, mitdenken, bitte! Er ist ein Wahnsinnstyp und ich mag ihn sehr. Das Letzte, was ich jetzt brauchen kann, ist, dass meine Eltern auf die Idee kommen, sie könnten mich in eine arrangierte Ehe mit ihm drängen.«

Jen runzelte die Stirn und schüttelte dann den Kopf. »Und du bist der Meinung, ich würde alles komplizierter machen, als es ist«, bemerkte sie mit einem kleinen Lächeln.

Am nächsten Morgen war Jen wieder in Bills engem Büro, sie saß ganz gerade und wollte gleich wieder gehen. Sie hatte einen Plan, den sie am Abend zuvor nach ihrem Brunch mit Angel ausgeheckt hatte, und den wollte sie jetzt in die Tat umsetzen.

Erstens: Schluss machen mit Bell. Sie wollte nichts mehr mit Bell Consulting zu tun haben und wollte auch keinen MBA-Abschluss machen, vor allem nicht, weil sie Daniel nie wiedersehen wollte.

Zweitens: Ihrem Vater die Meinung sagen und ihm klarmachen, dass sie alles ausplaudern und auch der Polizei einen kleinen Tipp geben würde.

Drittens: Ihrer Mutter die Wahrheit über Paul Song sagen. Sie würde Harriet zwingen ihr zuzuhören, ob sie nun wollte oder nicht.

Viertens: Mit Daniel Klartext reden. Ihm sagen, dass sie ihn im Restaurant gesehen hatte, dass sie wusste, was er hinter ihrem Rücken trieb, und dass sie sich so etwas nicht bieten lassen würde.

Punkt vier war natürlich der, vor dem es ihr am meisten graute und den sie ganz nach hinten geschoben hatte, um sich noch ein bisschen davor zu drücken. Ihren Vater anzuschreien war ja schon unangenehm genug, aber noch viel schlimmer war es, den Mann, den sie liebte, zur Rede zu stellen. Oder vielmehr den Mann, den sie zu lieben geglaubt hatte. Vor allem, weil er ihre Gefühle nicht zu erwidern schien. Aber eins nach dem anderen. Zunächst musste sie sich um Punkt eins kümmern.

»Und, wie geht es dir heute, Jennifer?«, fragte Bill mit breitem Lächeln. »Wie läuft es mit dem Studium?«

Jen sah Bill direkt in die Augen. »Um ehrlich zu sein, war ich in den letzten Tagen ziemlich selten hier. Ich ... ich habe mir überlegt, den Kurs abzubrechen.«

Schlagartig war das Lächeln aus Bills Gesicht verschwunden. Er wirkte ziemlich betroffen.

»Du willst den Kurs abbrechen? Aber es lief doch alles so gut! Wenn du Panik hast wegen der Studienarbeiten, das brauchst du nicht. Ich kann dir bei der Recherche helfen ... ist eigentlich kinderleicht.«

Jen lächelte. »Danke, Bill, aber mit den Arbeiten hat es nichts zu tun. Ich bin bloß zu dem Schluss gekommen, dass ich mit großen Konzernen und Unternehmen wie Bell Consulting in Zukunft nichts mehr zu tun haben will.«

Bill schien besorgt und strich sich über den Bart. »Verstehe. Da vertrittst du einen harten Standpunkt. Möchtest du mir die Gründe dafür erklären?«

»Soweit ich das sehe, besteht der Sinn und Zweck sämtlicher Unternehmen darin, den Leuten das Geld aus der Tasche zu ziehen, und damit will ich nichts zu tun haben. Und was Bell angeht ... tja, sagen wir einfach, ich möchte auch keine Unternehmensberaterin mehr werden.«

Bill nickte. »Klar«, entgegnete er. »Die Geschäftswelt ist wirklich grässlich. Da schuften diese armen Leute bis zum Umfallen, um Güter und Dienstleistungen anzubieten, die andere Menschen brauchen. Scheußlich, da muss ich dir recht geben.«

Jen schnitt eine Grimasse, als sie merkte, dass Bill sie auf den Arm nahm. »Sie mögen vielleicht Güter und Dienstleistungen zur Verfügung stellen, aber doch nur, weil sie damit Geld verdienen«, erklärte sie unbeirrt.

Bill runzelte die Stirn.

»Klingt in meinen Ohren wie eine ziemlich naive Vorstellung vom Geschäftsleben«, widersprach er ernst.

Jen sah ihn mit hochgezogener Augenbraue kritisch an. »Naiv?«, fragte sie entrüstet. »Ich glaube kaum.« Sie war der Ansicht, dass sie, wenn überhaupt, schon viel zu zynisch geworden war.

Bill strich sich über den Bart. »Okay, dann darf ich dir vielleicht eine Frage stellen. Nehmen wir Pharmakonzerne. Was tun die?«

Jen setzte sich gerade hin. »Ganz einfach. Sie entwickeln Medikamente, die dann mit gigantischem Profit vertrieben werden, und bringen Regierungen dazu, anderen Unternehmen zu verbieten, diese Medikamente preiswerter herzustellen, auch wenn dadurch auf der ganzen Welt Menschenleben gerettet werden könnten. Pharmakonzerne sind abscheulich. Richtig ekelhaft.«

Bill lächelte. »Du bist also der Meinung, wenn sie ein Medikament entwickelt haben, sollen sie es umsonst vertreiben?«

»Sie sollten es zum Herstellungspreis vertreiben, statt den Leuten das letzte Hemd abzuknöpfen.«

»Aber müsste der Verkaufspreis nicht auch die Kosten für Forschung und Entwicklung abdecken, für die oft zahllose Wissenschaftler jahrelang teure Experimente durchführen müssen?«

»Ja, aber ...«

»Aber?«

»Aber sie machen trotzdem noch einen Riesengewinn.«

»Weshalb wiederum Anleger gerne investieren, wodurch wiederum mehr Geld für die Forschung zur Verfügung steht.«

»Die entwickeln doch bloß Medikamente, mit denen sich Geld verdienen lässt«, murmelte Jen mürrisch.

»Und wenn sich damit kein Profit machen ließe, meinst du, dann wären die Investitionen genauso hoch?«

Jen runzelte die Stirn. »Vermutlich nicht ...«, setzte sie an, brach dann aber ab.

»So furchtbar ist das Geschäftsleben nicht«, erklärte Bill freundlich. »Gewiss, es braucht Regeln, einen Verhaltenskodex. Aber Geldverdienen ist an sich nichts Schlechtes. Obwohl das für manche Menschen sicher ein größerer Anreiz ist als für andere ...«

»Und was ist mit Korruption?«, wollte Jen wissen. »In den meisten Unternehmen ist das doch an der Tagesordnung.«

»Nicht so sehr wie in vielen Regierungen.«

Für einen Augenblick saß Jen ganz still. Was er wohl sagen würde, wenn sie ihm von der Tabelle erzählte, die sie im Computer ihres Vaters gefunden hatte, fragte sie sich. Ob er dann auch noch der Meinung wäre, Korruption sei gar nicht so weit verbreitet?

»Jen, hör nicht auf. Nicht jetzt. Wenn dir diese Themen so zusetzen, dann unternimm etwas dagegen – aber zieh nicht einfach den Schwanz ein. Ich habe dich immer für eine Kämpferin gehalten ...«

Jen starrte ihn an. »Aber ...«, stammelte sie und ließ das Wort dann einfach in der Luft hängen.

»Aber ist ein tolles Wort, um sich von einer Situation zu distanzieren. Möchtest du das?«

Jen nickte, dann schüttelte sie den Kopf. Das war das Letzte, was sie wollte. Aber bei Bell bleiben? Unmöglich.

Oder? Angestrengt runzelte sie die Stirn und merkte dann, dass Bill sie hoffnungsvoll ansah.

»Du bleibst also dabei?«, fragte er, während Jen noch mit sich rang. Vielleicht wäre es wirklich feige, jetzt einfach aufzugeben und das Weite zu suchen.

»Ich weiß noch nicht«, antwortete sie langsam und fragte sich, was bloß aus ihrem schlauen Plan geworden war. »Aber ich denke auf jeden Fall noch mal darüber nach.«

»Okay, aber während du nachdenkst, solltest du deine Recherchearbeit nicht vergessen. Und hast du nicht auch bald Abgabetermin für eine Arbeit?«

Jen lächelte schwach. »Aber diese ganze Geschäftemacherei verabscheue ich immer noch«, erklärte sie trotzig.

»Das hört man gerne. Wir sehen uns bald?«

Gegen ihren Willen nickte Jen. Wenn der zweite Punkt auf ihrer Liste genauso toll über die Bühne ging, würde man sie wahrscheinlich ohnehin vor die Tür setzen.

»Wie Sie sehen, Mrs Keller, befinden Sie sich in einer misslichen Lage. Unter diesen Umständen müssten wir eine zusätzliche Sicherheit verlangen oder aber Ihnen nahelegen, dass Ihre Firma sich um alternative Finanzierungsmöglichkeiten bemüht ...«

»Ms Keller.«

»Wie bitte?« Der junge Mann im Anzug rutschte unbehaglich auf seinem Stuhl herum. Solche Gespräche konnte er auf den Tod nicht ausstehen. Und er konnte einfach nicht begreifen, warum sein Chef diesen Termin nicht persönlich übernommen hatte. Der hatte es gut, im letzten Moment hatte er sich gedrückt und einen angeblich noch wichtigeren Termin vorgeschoben. Wahrscheinlich schlürfte er gerade einen Kaffee in irgendeinem Starbucks und kam sich unheimlich clever vor, weil er dieses unangenehme Gespräch auf jemand anders abgewälzt hatte.

»Ms Keller, bitte. Sie haben Mrs Keller zu mir gesagt. Ich bin nicht verheiratet.«

»Gut. Gut. Entschuldigen Sie bitte.« Man würde doch annehmen, sie hätte wichtigere Sorgen, dachte er, während er sich fragte, wie lange das hier wohl noch dauern würde.

»Also, von welcher Art zusätzlicher Sicherheiten reden wir hier?«

»Ach, Sie wissen schon, Grundbesitz. Andere Wertsachen – ein alter Meister, der noch irgendwo in der Ecke steht, so etwas in der Art.« Er sah Harriet an und hätte sich in den Hintern treten können. Ein denkbar schlechter Zeitpunkt für einen Witz, einen kleinen Lacher. Nein, immer ernst bleiben. Wie ein Bestatter.

»Mein Haus ist, glaube ich ...«

»Schon mit einer Hypothek belastet, ja.«

»Und unsere Betriebseinnahmen reichen nicht ...«

»Nein, die reichen nicht aus, um die künftigen Zahlungen zu garantieren, Ms. Keller, nein. Genau das ist unser Problem. Sehen Sie, Banken sind keine Risikokapitalanleger: Wir profitieren nicht von Ihrem Erfolg. Wir bekommen bloß unsere Rückzahlungen mit den entsprechenden Zinsen. Wenn Sie doppelt so gut ab-schneiden wie erwartet, kriegen wir immer noch den-selben Betrag. Wir scheuen Risiken, darum geht es. Also, falls Sie keine andere Finanzierungsmöglichkeit sehen ...«

»Sie meinen, dann muss ich meine Firma verkaufen?«

Der junge Mann rutschte wieder unbehaglich auf dem Stuhl herum. »Wie schon gesagt, Sie haben noch ein paar Tage Zeit, um zu entscheiden, was Sie tun möchten. Sie könnten verkaufen, oder Sie könnten sich jemanden suchen, der Geld hat, oder ...« Er ließ den Satz unvollendet. *Oder Sie können Konkurs anmelden*, ging ihm eben nicht so einfach über die Lippen. »Nur, sollten Sie sich entschließen, sich zurückzuziehen«, fuhr er fort, überzeugt, dass Ms. Keller ihn auch so verstand, »bleibt Ihnen nicht mehr viel Zeit, also wäre es wohl besser, Sie würden sich vorher überlegen, was Sie dann machen.«

Harriet funkelte ihn wütend an und er zog ein wenig den Kopf ein. »Bitte gehen Sie jetzt«, sagte sie leise, also packte er seine Unterlagen, stopfte sie in seine Akten-tasche, ohne sich da rum zu kümmern, dass sie nicht mehr richtig zuging, und sah zu, dass er schnellstmög-lich aus der Tür kam.

Fünf Minuten später verließ Harriet ihr Büro und stürmte im Laufschritt in das Café auf der anderen Straßenseite. Als sie wieder herauskam, zog sie den Mantel fester um sich und hielt ihren Bio-Kaffee fest umklammert. Seit Tagen hatte sie das Bürogebäude von Green Futures nicht mehr bei Tageslicht verlassen, wie ihr gerade aufging – nicht mal, um sich ein Sandwich zu besorgen –, und eigentlich war es ganz schön, den kühlen Wind im Gesicht zu spüren.

Ihr Blick wanderte an ihrem Bürogebäude hoch und sie seufzte. Ihr war nicht danach, gleich wieder hineinzugehen. Noch nicht. Sie war zu müde, zu kampfesmüde. Fast kam es ihr vor, als stünde sie in einem Krieg mutterseelenallein auf dem Schlachtfeld – und sie war sich nicht mehr sicher, ob sie überhaupt noch weiterkämpfen wollte.

Sie drehte sich um und lief die Straße hinunter, bis sie eine Bank entdeckte. Wie lange war das her, seit sie das letzte Mal dagesessen und einfach bloß Leute beobachtet hatte? Viel zu lange. Bestimmt ein paar Jahre. Immer gab es Wichtigeres zu tun, immer war da jemand, mit dem man reden musste.

Sie setzte sich und nippte an ihrem Kaffee, der herrlich cremig schmeckte.

Dann runzelte sie die Stirn. Eigentlich stimmte es gar nicht, dass immer jemand zum Reden da war, wenn man es genau betrachtete. Bei der Arbeit gab es Leute, die etwas von ihr wollten, ihre Zeit, ihre Meinung, ihr Vertrauensbekunden. Aber abge sehen davon musste sie zunehmend feststellen, dass sie außerhalb des Büros nicht viele Menschen zum Reden hatte. Jen war so schwierig geworden, so reizbar, und Paul verschwand immer wieder ohne Vorwarnung, um Kundengespräche zu führen, oder was auch immer er machte, wenn er nicht bei ihr war.

Das war alles nur Georges Schuld, dachte sie verbittert. Sie hätte ihn nie heiraten sollen. Hätte sich nicht von ihm dazu verführen lassen dürfen, sich in ihn zu verlieben.

Sie schloss die Augen und erinnerte sich schaudernd daran, wie es gewesen war, als sie noch mit George verheiratet war. Nie hatte sie gewusst, ob er nicht vielleicht zu einem Geschäftstermin jettete, ohne ihr Bescheid zu sagen. Nie wurde sie ernst genommen. Und dann Jen, die ihn so abgöttisch geliebt hatte. Die vollkommen überzeugt gewesen war, er sei wunderbar. Das hatte sie einfach nicht ertragen können.

Und wer hätte ihr da schon verübeln können, dass sie eine Affäre angefangen hatte, ja, gleich den Avancen des Erstbesten nachgegeben hatte?

Harriet seufzte. Natürlich konnte man ihr das verübeln. Sie nahm es sich ja selbst übel, hatte es sich seither immer übelgenommen. Dieser Dreckskerl Malcolm hatte sie benutzt. Und als sie dahintergekommen war, was er vorhatte, da hatte George ihr partout nicht zuhören wollen. *Er hat sich für Malcolm und gegen mich entschieden,* dachte sie verbittert. *Ihm waren Geschäft und Profit wichtiger als Liebe und Anstand.* Und daran hatte sich bis heute nichts geändert.

Tja, aber das würde sie nicht zulassen, beschloss Harriet. George würde die Quittung dafür bekommen, und wenn es das Letzte war, was sie tat. Und wenn seine und Malcolms profitbesessene Firmen dann zusammenbrachen, würde Green Futures endlich zu einem neuen Höhenflug ansetzen. Sie würde zurückschlagen.

Irgendwie würde sie ihre Firma vor dem Ruin bewahren. Irgendwo musste doch Geld aufzutreiben sein, irgendwer würde ihr bestimmt einen Kredit gewähren, es wäre ja nur zur Überbrückung.

Sie stürzte ihren Kaffee herunter und warf einen Blick auf die Uhr. Zeit, ins Büro zurückzugehen.

Aber gerade als sie aufstehen wollte, setzte sich jemand direkt neben sie. Sie guckte hoch und riss erstaunt die Augen auf. »Malcolm. Was ... was machst du denn hier?«

Malcolm Bray lächelte. »Schön, dich zu sehen, Harriet. Hast du ein paar Minuten Zeit?«

»Kann ich Ihnen irgendwie helfen?«

Jen sah die Verkäuferin flüchtig an und schüttelte den Kopf. Sie hatte ihre Freistunde genutzt, um zu Books Etc. zu gehen und sich ein bisschen umzusehen, zum einen, weil es nun ganz danach aussah, als müsse sie ihre Hausarbeit nun doch noch fertig schreiben, zum anderen, weil sie irgendetwas tun wollte, um Daniel zu ärgern, auch wenn er es nie erfahren würde. In einen Laden von Wyman's wollte sie nie wieder einen Fuß setzen, das war klar. Und wenn ihre Arbeit dann fertig war, hatte sie sich überlegt, sie einer anderen Buchhandlung zu schicken, bloß um ihm eins auszuwischen. Irgendjemand musste schließlich die Ideen umsetzen, die sie gemeinsam ausgebrütet hatten, und wenn er es nicht wollte, dann hatte er es nicht anders verdient. Sollten seine Konkurrenten ihn doch mit seinen eigenen Mitteln schlagen.

Ziellos bummelte sie eine Weile durch den Laden und versuchte sich plausible Gründe dafür einfallen zu lassen, warum Ratgeber auf der linken Ladenseite stehen sollten und Kochbücher auf der rechten, aber nach einer Weile gab sie schließlich auf. Vielleicht, so musste sie sich eingestehen, war es doch ein bisschen naiv zu glauben, sie könne sich voll und ganz auf ihre Arbeit konzentrieren, wenn gleichzeitig so viele andere Dinge auf dem Spiel standen. Eine Million Mal hatte sie sich überlegt, was sie ihrem Vater sagen wollte, und genauso oft hatte sie es wieder verworfen. Und jedes Mal, wenn sie nur daran dachte, hämmerte ihr das Herz wie wild in der Brust. Sie guckte auf die Uhr. Es war elf Uhr, sie hatte also noch drei Stunden Zeit bis zu dem Treffen. Um halb zwölf hatte sie eine Vorlesung, die sie hoffentlich bis halb eins ein bisschen ablenken würde. Und danach musste sie dann noch eineinhalb Stunden mit bis zum Hals klopfendem Herzen warten.

Jen merkte, dass die Verkäuferin sie schon ganz komisch ansah, und sie beschloss, dass es Zeit war zu gehen. Auf dem Weg würde sie sich noch schnell einen Kaffee besorgen und dann ganz gemütlich zu den Bell Towers zurückschlendern. Aber als sie sich noch mal umdrehte, fiel ihr Blick auf ein Buch. Oder vielmehr auf das Cover. Darauf war das Foto eines Mannes zu sehen, den sie erkannte, den sie, wie ihr nach kurzem, angestrengt stirnrunzelndem Nachdenken einfiel, vor etlichen Monaten bei dieser Wohltätigkeitsgala mit Paul Song gesehen hatte.

Schnell ging sie hin, es stand in der Ecke mit den Biografien, und griff interessiert danach. Sie stutzte. Das Buch, das sie da in der Hand hielt, war die Biografie eines erfolgreichen Unternehmers. Und der hieß Malcolm Bray.

26

Jen steuerte auf ihren Stammplatz im Hörsaal zu, gleich neben Lara und Alan. Die beiden unterhielten sich leise.

»Wie geht's?«, fragte Lara grinsend, und Jen lächelte und war ganz erleichtert, Lara nicht sofort angerufen zu haben, als sie beschlossen hatte, den Kurs hinzuschmeißen. Langsam, aber sicher lernte sie, sich zu zügeln und nicht alles zu überstürzen. Deshalb musste sie nun auch nicht erklären, warum sie zu der Vorlesung antanzte, dachte sie und war ausnahmsweise hochzufrieden mit sich.

Im gleichen Augenblick kam Jay herein und allmählich wurde es ruhig.

»So«, begann er dramatisch. »Es tut mir leid, euch enttäuschen zu müssen, aber heute bekommt ihr bloß mich. Dieser Teil des Kurses nennt sich *Schlussfolgerungen* und damit beginnt der letzte Abschnitt über strategische Analyse. Im nächsten Semester liegt der Schwerpunkt dann auf euren Wahlfächern und euren Abschlussarbeiten. Aber erst mal möchte ich, dass ihr euch fragt: Welche Schlüsse können wir aus der strategischen Analyse ziehen? Welche Schlüsse habt ihr aus diesem Kurs gezogen? Und zu welchen Schlüssen seid ihr über euch selbst gekommen?« Jay ließ den Blick durch den Saal schweifen und tiefes Schweigen machte sich breit.

»Leute, Leute, doch nicht alle auf einmal«, witzelte er. »Okay, es möchte also niemand mit seinen Schlussfolgerungen herausrü cken. Dann lasst uns doch mal einen Augenblick nachdenken, ja? Das Dumme an Schlussfolgerungen ist, dass man sie nur schwer formulieren kann und sie recht unbeständig sind. Ich will euch das genauer erklären. Wir haben also unser Unternehmen genau unter die Lupe genommen – würde mir bitte jemand ein Unternehmen nennen ...«

»Durex«, rief jemand. »Mates«, brüllte ein anderer. Jay zuckte die Achseln.

»Tja, da bin ich wohl selbst schuld, was? Okay, nehmen wir also euren heiß geliebten Kondomhersteller. Ihr seid also fertig mit der Analyse, glaubt, euch über Stärken und Schwächen im Klaren zu sein, habt Risiken und Chancen identifiziert. Ihr entwickelt strategische Möglichkeiten, und dann kommt ihr zu eurer Schlussfolgerung – die ich vielleicht lieber Empfehlung nennen sollte. Wie dem auch sei, von diesem Augenblick an müsst ihr den Kopf hinhalten. Ihr sagt ›macht dies‹ oder ›macht das‹ oder ›steht still‹ oder ›steht Kopf‹ – was auch immer ihr sagt, es ist das, was ihr aufgrund eurer Analyse als richtig erachtet. Und vielleicht habt ihr sogar recht. Vielleicht habt ihr die perfekte

Antwort. Doch dann – am Tag, nachdem ihr eure Präsentation fertig habt, alles ganz schön und ordentlich, und sie dem Generaldirektor in einer schicken Plastikhülle überreicht habt, entdeckt jemand ein Heilmittel gegen AIDS. Oder jemand erfindet eine neue Barrieremethode, die den Markt für Kondome zu vernichten droht. Ein Konkurrent zieht sich zurück. Der Generaldirektor wird wegen Untauglichkeit gefeuert und der Neue will eine ganz neue Herangehensweise. Irgendwas passiert. Dauernd. Und in dem Augenblick, in dem ihr zu euren Schlussfolgerungen gekommen seid, sind sie auch schon wieder veraltet. Was heißt das also – dass es sowieso sinnlos ist, Schlüsse zu ziehen? Sinnlos, überhaupt etwas zu tun, weil sich sowieso alles ständig verändert? Nein. Nein, ganz und gar nicht. Generaldirektoren werden nicht so schnell gefeuert. Wissenschaftler entdecken nicht jeden Tag Heilmittel gegen schreckliche Krankheiten. Im Grunde genommen müsst ihr bloß eine Marschrichtung einschlagen, euch für einen Weg entscheiden und dann euer Bestes geben. Aber was ihr euch auf keinen Fall leisten könnt, ist zu denken, eure Schlussfolgerungen seien auch nächste Woche, nächsten Monat oder gar im nächsten Jahr noch gültig. Die Menschen ändern sich, die Unternehmenslandschaft ändert sich, genauso wie Umwelt und Kunden. Ihr müsst am Ball bleiben, eure Analyse immer wieder zur Hand und unter die Lupe nehmen. Habt ihr möglicherweise etwas übersehen? Klingt es immer noch plausibel? Wenn nicht, müsst ihr dann vielleicht eure Strategie anpassen?

Aber, okay, mit dieser Warnung noch in den Ohren, was sollten unsere Schlussfolgerungen enthalten?«

Jay sah sich um und Alan hob die Hand. »Einen Aktionsplan?«

»Super«, erwiderte Jay. »Aber nicht unbedingt. Der Aktionsplan kommt möglicherweise erst später. Was noch?«

»Empfehlungen«, tönte ein Typ von ganz hinten.

»Haargenau«, rief Jay. »Ich habe euch vorhin schon einen kleinen Tipp gegeben, stimmt's? Empfehlungen also. Ihr sagt also im Grunde genommen ›So sieht's aus, und ich empfehle Ihnen, um Ihre Marke aufzubauen/Ihren Profit zu steigern/Ihre Aktionäre aufzumuntern, Firma X aufzukaufen oder in Markt Y vorzustoßen‹. Keiner will einen Bericht sehen, in dem steht ›Ja, alles bestens, Sie haben da verschiedene Möglichkeiten, die mir alle gleich gut erscheinen.‹ Dafür werdet ihr nicht bezahlt. Man will euren Rat. Klar, ihr könnt so viele Warnungen einbauen, wie ihr wollt – ihr wärt dumm, wenn ihr sagen würdet ›Kaufen Sie Firma X‹, ohne sämtliche Annahmen für einen solchen Fall und die nötigen Voraussetzungen für einen solchen Schritt aufzuzählen. Aber setzt euch nicht zwischen alle Stühle. Viel zu viele Berater sind einfach viel zu unschlüssig, und das bringt unsere Branche in Verruf. Wir bei Bell suchen Leute, die ihre Meinung sagen und sich nicht scheuen, sich auf eine Seite zu schlagen.«

Jen lehnte sich zurück und runzelte die Stirn. Sie scheute sich jedenfalls nicht davor, sich auf eine Seite

zu schlagen. Bloß dass sie sich mit schönster Regelmäßigkeit für die falsche entschied.

»Und oft wird es auch nicht eindeutig sein«, erklärte
Jay. »Vielleicht bieten sich zwei sehr unterschiedliche
Möglichkeiten, die beide große Vor- und etliche Nachteile mit sich bringen, wie also soll man da zu einer Entscheidung kommen? Tja, dann muss man abwägen. Die
Risiken abschätzen. Man muss an die betroffenen Menschen denken und sich überlegen, mit welcher Vari-
ante sie besser fahren würden – manchmal entscheidet
man sich für die riskantere Möglichkeit, weil die der
gegenwärtigen Führungsetage am meisten entgegen-
kommt. Und hin und wieder, wenn man wirklich keine
Fakten findet, die einem bei der Entscheidungsfindung
helfen können, muss man in sich hineinhorchen und
auf seinen Bauch hören. Keine besonders wissenschaft-
liche Methode, aber das Bauchgefühl kann sehr stark
sein und man sollte es nicht ignorieren.«

Jen holte tief Luft. Ihr Bauchgefühl könnte eindeuti-
ger nicht sein. Jetzt musste sie nur noch tun, was ihr
Bauch ihr sagte.

Um Punkt zwei Uhr stand Jen vor dem Büro ihres Vaters.

»Jen«, begrüßte er sie, als sie hineinmarschierte, und
die beiden beäugten sich misstrauisch.

»Möchtest du dich setzen?«, fragte er. Jen dachte einen Moment nach und überlegte, ob sie sich im Sitzen
oder Stehen wohler fühlen würde, dann nahm sie auf
dem Stuhl Platz, den ihr Vater ihr angeboten hatte.

»Danke für den Laptop und das Handy. Und entschuldige, dass ich nicht da sein konnte, um sie persönlich in Empfang zu nehmen – ich hatte ... na ja, gewisse Dinge zu erledigen. Ich nehme an, es geht um diesen Zeitungsartikel«, fuhr George verächtlich fort. »Und ich muss zugeben, dass ich enttäuscht war.«

Jen guckte ihn finster an. »Lass diesen Bullshit«, knurrte sie, was sie allerdings am liebsten gleich wieder zurückgenommen hätte, schließlich war sie nicht Bruce Willis, und bei ihr klang es irgendwie lächerlich.

George zog eine Augenbraue hoch.

»Dieser Artikel, das war ich nicht, obwohl ich wünschte, ich wäre es gewesen. Ich bin hier, weil ich deine Tabelle gesehen habe«, erklärte Jen rasch. »Die mit den Überweisungen nach Indonesien. Du hast mir dein Wort darauf gegeben, dass du nichts damit zu tun hast ...«

Ihre Stimme überschlug sich beinahe vor Anspannung und Aufregung, und sie schluckte schwer.

»Du hast in meinen privaten Dateien herumgeschnüffelt?«, fragte George kalt.

»Nein. Nicht mit Absicht, aber ich habe sie trotzdem gesehen. Ich habe im Internet recherchiert und dabei deinen Computer benutzt und da war diese Datei, von der ich dachte, ich hätte sie vielleicht runtergeladen ...« Jen stockte. Warum verteidigte sie sich eigentlich? Sie war schließlich nicht in einen Korruptionsfall verwickelt.

»Außerdem ist es völlig unwichtig, wie ich sie gefunden habe«, erklärte sie bestimmt. »Wichtig ist augenblicklich nur, dass du ein Lügner und Betrüger bist und ... wie konntest du nur? Wie konntest du bloß diesem Drecskerl Malcolm Bray helfen, die Ausschreibungen zu gewinnen?«

George sah sie einen Moment lang an, dann wendete er den Blick ab. »Jen, erinnerst du dich noch daran, was ich dir über Vertrauen gesagt habe? Darüber, wie wichtig es ist, Menschen vertrauen zu können?«

Jen nickte kaum merklich.

»Nun ja, ich finde, du solltest mir bei dieser Geschichte vertrauen, meinst du nicht?«

Jen runzelte die Stirn. »Warum sollte ich? Womit hast du mein Vertrauen denn bitte verdient? Ich weiß, was ich gesehen habe ...«

»Eine Tabelle, mehr nicht, Jen, und du hast keine Ahnung, worum es darin geht. Ich glaube, es wäre für alle Beteiligten besser, wenn du dich da raushältst.«

»Ist das alles?«, fragte Jen aufgebracht. »Du willst mir nicht sagen, was los ist? Dich nicht entschuldigen? Erwartest du allen Ernstes, dass ich jetzt einfach nach Hause gehe und den Mund halte?«

»Genau das erwarte ich. So, sonst noch was?« Seine Stimme hatte einen warnenden Unterton und in Jen stieg die Wut hoch.

Sie starrte ihren Vater an, sah in seine undurchdringlichen blauen Augen und suchte darin nach irgendetwas – Schuld, vielleicht –, doch da war nichts.

»Nein«, sagte sie schließlich. »Ich glaube, das ist alles.«

Sie verließ das Büro und wusste nicht so recht, ob sie Punkt zwei von der Liste streichen sollte. Sie hatte mit vielem gerechnet – einem Streit, Drohungen, Betteln und Flehen –, aber nicht mit dieser ausweichenden »Du solltest mir vertrauen«-Plattitüde. Und ganz sicher nicht, in herablassendem Tonfall gesagt zu bekommen, sie solle ihre Nase nicht in seine Angelegenheiten stecken.

Tja, zum Teufel damit. Sie würde genauso wenig den Mund über diese Geschichte halten, wie ihr Vater sie davon überzeugen konnte, dass diese Kontobewegungen in Indonesien etwas anderes waren als Schmiergeldzahlungen. Sie würde ihren Aktionsplan durchziehen. Es würde ihm noch leidtun, dass er sie so abgewimmelt hatte, dachte sie bitter. George Bell würde schon noch sehen, mit wem er es zu tun hatte.

Schnell zog sie das Handy heraus und wählte die Nummer ihrer Mutter. Diesmal musste Harriet ihr zuhören – sie musste die Wahrheit erfahren, nicht bloß über George, sondern auch über Paul und sein Geheimtreffen mit Malcolm Bray.

»Hallo, Harriets Apparat.«

Hannah war dran. »Hallo, Hannah, hier ist Jen. Ich muss mit meiner Mum reden.«

»Ja, das geht wohl leider nicht. Sie ist in einer Besprechung und will nicht gestört werden.«

»Was für eine Besprechung? Mit wem?«

Es entstand eine Pause. »Offen gestanden, das ist ein bisschen komisch, Jen. Vor etwa einer Stunde ist hier so ein Typ reingeschneit, und seitdem sitzen die beiden in ihrem Büro. Und Geoffrey behauptet, er kennt den Kerl. Sagt, er hieße Malcolm Braid oder so ähnlich. Der arme Geoffrey lungert die ganze Zeit vor ihrer Tür rum, in der Hoffnung, sie würde ihn vielleicht dazu bitten, aber sie ignoriert ihn einfach ...«

Jen schnappte nach Luft. »Bist du ganz sicher? Malcolm Bray ist bei ihr?«

»Hör zu, ich weiß es nicht, okay? Aber das hat Geoffrey behauptet. Willst du mit ihm reden?«

»Nein«, murmelte Jen geistesabwesend. Sie dachte krampfhaft nach. Aus welchem Grund nur sollte ihre Mutter sich mit Malcolm Bray treffen? Was war da los? »Nein. Aber ist Paul da?«

»Paul Song? Nein, den habe ich heute noch nicht gesehen.«

»Na gut«, sagte Jen entschieden. »Ich komme gleich rüber.« »Wie du willst. Bye, Jen.«

Jen schaltete ihr Handy ab und spürte plötzlich, dass jemand sie von hinten mit Blicken förmlich durchbohrte. Sie drehte sich um und dort stand ihr Vater. Er war aus seinem Büro gekommen und schaute sie finster an.

»Was ist denn noch?«, fragte sie gereizt.

»Jen, es tut mir leid, ich wollte ... habe ich richtig gehört, hast du gerade Malcolm Bray erwähnt?«

Jen sah ihren Vater abweisend an. »Ja, hast du. Aus irgendwelchen unerfindlichen Gründen ist er gerade mit Mum in einer Besprechung. Ich sage dir, wenn sie deinetwegen in irgendetwas hineingezogen wird, werde ich dir das nie verzeihen.«

»Wir müssen da sofort hin«, rief George entschlossen.

»Wie meinst du das, ›wir‹?«, fragte Jen. »Ich glaube, du hast schon genug angerichtet.«

»Jen, das ist wichtig. Wir nehmen meinen Wagen – wenn du einverstanden bist?«

Jen runzelte die Stirn. Sie hatte ihren Vater noch nie so aufgewühlt gesehen – aber worüber regte er sich bloß so auf? Machte er sich Sorgen um Harriet, oder befürchtete er vielleicht doch eher, Malcolm Bray könnte mehr ausplaudern, als ihm recht wäre? So oder so gab es nur einen Weg, das herauszufinden. »Also gut«, erklärte sie stolz. »Aber ich glaube, dann sollten wir lieber keine Zeit verlieren.«

27

Harriet starrte durch die gläsernen Wände ihres Büros nach draußen. Normalerweise ließ sie den Blick gern durch die offene Büroetage schweifen und sah ihren Angestellten beim Arbeiten zu. Doch heute sah sie nur den Anfang vom Ende. Malcolm hatte ihr eine Stunde Zeit gegeben, um eine Entscheidung zu treffen – gerade so lange, wie er brauchte, um sich einen Kaffee zu holen und die Zeitung zu lesen. Zwei ganz banale Tätigkeiten, die er inzwischen erledigt hatte, und nun saß sie da und musste über die Zukunft ihrer Firma entscheiden.

Sie griff nach den Unterlagen mit den offenen Forderungen und starrte ratlos darauf. Green Futures hatte Schulden in Höhe von … na ja, soweit sie das überblickte, hatten sie mehr Schulden, als sie hoffen durften, in den kommenden fünf Jahren einzunehmen. Vielleicht wäre so etwas wie ›Enttäuschte Hoffnungen‹ ein treffenderer Name für die Firma. Oder sogar ›No Futures‹. Wie hatte sie sich bloß einreden können, es sei alles in bester Ordnung? Und wo steckte Paul, wenn sie ihn am dringendsten brauchte? In letzter Zeit hatte sie ihn kaum gesehen – vermutlich verließ er das sinkende Schiff, und wer könnte ihm das schon verdenken?

Harriet lächelte wehmütig. Mit einem Schlag fühlte sie sich um Jahre gealtert. Vielleicht lag das an der allzu späten Einsicht, zu der man naturgemäß immer erst dann gelangt, wenn es schon zu spät ist. Was hatte sie gewollt, als sie damals angefangen hatte?

Die Welt retten? Nein, das hatte sie bloß sich selbst und allen anderen eingeredet, aber tatsächlich ging es um etwas viel Einfacheres. Und viel weniger Nobles. Sie wollte es allen beweisen. Sie wollte George unter die Nase reiben, was er alles falsch machte.

Harriet seufzte. Wie verliebt sie damals in George gewesen war. Er war so ... so anziehend. Irgendwie aufregend. Und wie gerne sie mit ihm zusammengearbeitet hatte, auch wenn er ein echter Dickschädel war. Natürlich hatte es ständig Meinungsverschiedenheiten gegeben, aber die hatten ihr nichts ausgemacht. Ihre Auseinandersetzungen hatten ihnen richtig Spaß gemacht, tagelang hatten sie diskutieren können. Sie hatte sich lebendig gefühlt, als sei sie Teil eines großen Ganzen.

Damals hatte sie es überhaupt nicht verkraftet, als George aufhörte, sich mit ihr zu streiten, und sie stattdessen ignorierte. Nicht allzu lange nach ihrer Hochzeit hatte sie von Sitzungen erfahren, von denen man ihr nichts gesagt hatte. Und als sie dann aus dem Mutterschutz in die Firma zurückgekehrt war, da war die Zahl ihrer Kunden merklich geschrumpft. George hatte Jen als Grund dafür vorgeschoben. Harriet sei nun

Mutter und werde zu Hause gebraucht. Doch Harriet wollte nicht zu Hause herumhocken, umringt von einem Haufen Windeln und unerträglichen Weibern, die ihre Zeit damit verschwendeten, ihr von den Freuden des Stillens vorzuschwärmen. Sie hielt es einfach nicht aus, Abend um Abend allein herumzusitzen, während George zur Kundenbelustigung um die Häuser zog oder mit seinen Kumpeln etwas trinken ging. Sie konnte es nicht ertragen, wie er einfach durch sie hindurchsah, denn langsam beschlich sie die Befürchtung, dass er sie gar nicht mehr richtig liebte.

Und dann war Malcolm Bray aufgetaucht.

Harriet drehte sich um und sah aus dem Fenster. Malcolm war das genaue Gegenteil von George gewesen. Die beiden waren zwar zusammen zur Schule gegangen, aber damit endeten ihre Gemeinsamkeiten auch schon. George war frech und laut, Malcolm eher still und nachdenklich. George war impulsiv und entschlussfreudig, Malcolm dagegen ließ sich viel Zeit mit seinen Entscheidungen. Und während George seine Meinung geradeheraus äußerte, war Malcolm eher verschlossen – obwohl Harriet das damals natürlich nicht gleich auffiel. Zwei Jahre hatte Malcolm gebraucht, sie rumzukriegen, zwei Jahre lang hatte er sie umgarnt, sie schließlich davon überzeugt, George habe selbst eine Affäre und er, Malcolm, liebe sie wirklich und würde sie nicht jeden Abend allein zu Hause sitzen lassen.

Harriet schüttelte den Kopf angesichts ihrer eigenen Dummheit. Zwei Jahre hatte er gebraucht, sie zu verführen, und nur zwei Monate, um sie kleinzukriegen.

Danach hatte er sie sitzen lassen und ihr gesagt, sie sei für ihn nutzlos geworden. Was er wollte, hatte er bekommen – metaphorisch gesprochen hatte er seinen alten Schulfreund gefickt, auf den er schon neidisch war, seit George Schulsprecher geworden war und es nach Cambridge geschafft hatte. Und das, obwohl er gegen gut die Hälfte aller Schulregeln verstoßen und kaum mal einen Blick in seine Bücher geworfen hatte, wohingegen Malcolm, der immer verbissen büffelte und sich immer strikt an die Vorschriften hielt, weder das eine noch das andere geschafft hatte.

»Harriet?«, sagte Malcolm gereizt. »Hörst du mir überhaupt zu?«

Schweigend liefen Jen und George die Treppe hinunter zur Tiefgarage, wo der Jaguar auf sie wartete.

Sie stiegen ein und George ließ den Motor an, kurvte durch die Tiefgarage und am St. James Park kamen sie wieder nach oben in den strahlenden Sonnenschein.

»Paul Song«, fragte Jen geradeheraus. »Warum hat er dich angerufen?«

George schaltete das Radio ein.

»Ich sagte, warum hat Paul Song dich angerufen?«

»Hat er mich angerufen, ja? Interessant.«

Entnervt verdrehte Jen die Augen. »Du sagst, ich soll dir vertrauen, aber das tue ich nicht. Und zwar, weil du lügst und Geheimnisse vor mir hast, und das, ohne rot zu werden.« Sie guckte stur geradeaus, während sie das sagte. Ohne die durchdringenden Blicke ihres Vaters fühlte sie sich schon viel stärker.

»Genau das ist doch Vertrauen«, entgegnete George. Er klang angespannt. »Würde ich dir alles erzählen, müsstest du mir doch nicht mehr vertrauen, oder? Jemandem vertrauen heißt, ein Risiko einzugehen und seine Zweifel zu unterdrücken. Meinst du nicht?«

Jen sah ihn an. Er blickte starr auf die Straße, und eine Vene an seiner Schläfe pulsierte heftig. »Ich weiß nicht, warum du mitkommst«, stichelte sie nach kurzem Schweigen weiter. »Außer du hast Angst, Mum könnte der Wahrheit zu nahe kommen.« Schnell schaute sie ihren Vater wieder an, um seine Reaktion zu beobachten, doch sein Gesicht war vollkommen reglos.

»So«, sagte er schließlich. »Da wären wir.«

Jen nickte, als er vor dem Gebäude anhielt. »Hier kannst du nicht parken«, warnte sie ihn. »Die schleppen dich sofort ab.«

George schaute sie an. »Nennen wir es einfach den etwas teureren Parkservice, okay?«

Er schaltete den Motor ab, dann stiegen beide aus und George zog sein Handy aus der Tasche.

»Paul«, hörte Jen ihn sagen. »Ja, wir stehen gerade vor Green Futures. Wir gehen jetzt rein. Du kümmerst dich um die Anrufe? Gut, wir sehen uns gleich.«

Jen klappte den Mund auf, um etwas zu fragen, überlegte es sich aber dann anders. Ein ungutes Gefühl sagte ihr, dass sie die Antwort noch schnell genug bekommen würde.

Harriet bemühte sich verzweifelt, das Ganze nicht persönlich zu nehmen und sachlich zu bleiben. Es war bloß ein Geschäftsabschluss, sagte sie sich immer wieder. Es war der einzige Ausweg.

Aber noch während ihr diese Worte durch den Kopf gingen, wäre sie am liebsten laut »Nein!« schreiend weggelaufen. So ging das doch nicht. Nie wieder würde sie in den Spiegel sehen können, wenn sie das durchzog und ihre Seele dem Teufel verkaufte – oder vielmehr Malcolm Bray. Aber was blieb ihr sonst übrig? Friss oder stirb, lautete die Devise, und Harriet war unschlüssig, welche der beiden Alternativen sie vorzog.

Sie schaute Malcolm an und erschauderte.

»Weißt du, was in unserer Broschüre steht?«, fragte sie.

Malcolm schüttelte den Kopf.

»Darin steht, Green Futures arbeitet nur mit Unternehmen zusammen, die die gleichen Ziele und Absichten verfolgen wie wir. Nämlich die Welt ein bisschen besser zu machen. Mit den Anspruchsgruppen zusammenzuarbeiten statt gegen sie. In unserem Handeln fair und eine Bereicherung für unsere Gesellschaft zu sein ...«

Malcolm nickte geduldig. »Und darum sind wir ja auch so darauf aus, mit euch zusammenzuarbeiten. Um euch zu ... unterstützen.«

Der Schatten eines Lächelns lag auf seinem Gesicht und Harriet hätte ihm am liebsten etwas an den Kopf geworfen.

»Außerdem dachte ich, zwischen den Zeilen deines Firmenmottos stünde ohnehin ›es Bell Consulting heimzahlen‹«, fuhr Malcolm fort. »Heften wir unseren kleinen Vertrag doch einfach unter dieser Überschrift ab, ja?«

Harriet sah ihn mit eiskaltem Blick an. Das Schlimmste war, dass er recht hatte. Sie hatte es Bell Consulting heimzahlen wollen, vor allem George. Aber selbst davon war sie nicht mehr so richtig überzeugt. Sie war eigentlich von nichts mehr so richtig überzeugt. Und so langsam lief ihr die Zeit davon.

»Sieh mal, Harriet, zerbrich dir doch nicht deinen hübschen Kopf über diese überholten Unternehmensstrategien«, meinte Malcolm liebenswürdig. »Unterschreib doch einfach den Vertrag. Axiom bezahlt deine Schulden, deine Firma wird gerettet, wir erklären der ganzen Welt, wir hätten eingesehen, was für ein schrecklicher Fehler es war, mit einer derart skrupellosen Firma wie Bell Consulting zusammenzuarbeiten, und dann veranstalten wir eine nette kleine Pressekonferenz, bei der du den Zeitungen von unserem Wiederaufbauprogramm erzählen darfst.« Er wies auf den Kugelschreiber, den Harriet in der Hand hielt.

»Und du meinst wirklich, man wird dir abnehmen, du hättest nichts davon gewusst?«

»Die suchen doch bloß einen Sündenbock und dafür kriegen sie Bell Consulting. Damit lassen sich die Zeitungen ein paar Monate lang füllen.«

»Aber ...«, stammelte Harriet und ihre Hand zitterte, »aber was ist, wenn ich dir nicht glaube?«

Schlagartig löste sich Malcolms leutselige Fassade in Luft auf. »Harriet, meine Liebe, von nun an wäre ich an deiner Stelle äußerst vorsichtig, was du sagst. Dieser

Vertrag, dieses Geschäft, unterbreite ich dir nur auf der Grundlage, dass du unsere Position voll und ganz akzeptierst. Nämlich dass Bell Consulting ohne unser Wissen und Zutun im vergangenen Jahr in der Folge der Tsunami-Katastrophe eine Reihe illegaler und unmoralischer Geschäftsabschlüsse für uns zustande gebracht hat, aber, ich betone abermals, ohne unser Wissen. Dass sie seitdem stillschweigend Regierungsbeamten Schweigegeld gezahlt haben, um ihre Machenschaften zu vertuschen, weil sie feststellen mussten, dass wir kein Interesse an Aufträgen haben, an die wir nicht mit ehrlichen Mitteln gekommen sind. Dass wir ebenso verärgert und empört waren wie alle anderen, als wir schließlich die Wahrheit erfahren haben. Dass wir uns nun an Green Futures gewandt haben, weil wir unmöglich weiterhin mit einem gewissenlosen Menschen wie George Bell zusammenarbeiten können.«

»Und was ist mit den Häusern, die eingestürzt sind? Den Vorschriften, die nicht eingehalten wurden?«

»Eine Tragödie, für die Köpfe rollen werden. Ich glaube, selbst das können wir Bell anhängen, wenn wir uns ein bisschen anstrengen.«

Harriet schloss ganz kurz die Augen. Was sie da machte, würde George vernichten. Aber hatte er das nicht verdient? Am liebsten wäre es ihr gewesen, George und Malcolm wären zusammen untergegangen, aber immer noch besser einer als keiner, oder? Sie tat das Richtige, redete sie sich ein. Wenn ihr dabei bloß nicht so furchtbar übel wäre.

»Aber woher wisst ihr denn jetzt plötzlich die Wahrheit?«

Malcolm lächelte. »Wir haben eine Quelle in Indonesien. Der Mann wird bezeugen, dass Bell Consulting ihm Schmiergelder gezahlt hat. Keine Sorge, Harriet, ich habe an alles gedacht.«

»Und ... was, wenn ich nicht unterschreibe? Was, wenn ich dir nicht glaube, dass du nichts damit zu tun hattest?«

Malcolm bedachte Harriet mit einem kühlen Blick. »So dumm wirst du doch nicht sein«, höhnte er. »Du würdest doch nicht riskieren, dass George Bell zusieht, wie du untergehst, und im Nachhinein doch recht behält. Und außerdem, wenn du nicht unterschreibst, könnte es durchaus sein, dass auch du plötzlich in diesen Fall verwickelt wirst.«

Harriet runzelte die Stirn. »Rede keinen Blödsinn, Malcolm.« Wieder lächelte er. »Soll das heißen, du weißt es nicht, Harriet?«

Sie schüttelte den Kopf und kniff die Augen zusammen.

»Ich dachte, es wäre dir vielleicht aufgefallen«, meinte Malcolm aalglatt, »dass einer deiner Mitarbeiter als Überbringer zahlreicher Bestechungsgelder fungiert hat, die von Großbritannien nach Indonesien geflossen sind. Dein Freund Paul Song hat George anscheinend gute Dienste geleistet, hat Geld hin- und hergeschoben und ihn mit den richtigen Leuten bekannt gemacht. Natürlich wird er für uns aussagen, aber wenn es dir lieber wäre, könnte er ebenso gut mit dem Finger auf dich zeigen ...«

»Paul ...?«

Malcolm lachte. »Ja, Harriet, Paul. Und das von einer Frau, die sich für eine so tolle Menschenkennerin hält!«

»Du lügst«, rief Harriet. »Du lügst mir ins Gesicht.«

Malcolm schüttelte den Kopf. »Netter Kerl, fand ich. Ich habe ihn letztes Jahr in Indonesien kennengelernt. Sehr hilfsbereit und er hat sehr gute Kontakte. Um ehrlich zu sein, es war meine Idee, dass er sich bei dir einschleichen sollte. Mir gefiel die Ironie dabei, dass unser Kontaktmann für Harriet Keller arbeitet.«

Mit selbstzufriedenem Gesicht gluckste er in sich hinein. Har riet wurde kreidebleich.

»Das glaube ich dir nicht.«

»Weißt du was, das ist mir ziemlich egal. Kommen wir einfach zum Schluss, ja?«

Harriet sank gegen die Lehne ihres Stuhls. Nicht Paul. Nicht ihr engster Vertrauter. Das war zu viel auf einmal. Gerade war ihre Firma dabei, mit Pauken und Trompeten unterzugehen, und nun stellte sich auch noch heraus, dass der einzige Mensch, dem sie noch vertraut hatte, eigentlich nichts als ihre Verachtung verdiente.

Hätte sie bloß alles anders gemacht, dachte sie verzweifelt. Hätte sie bloß ...

Langsam schaute Harriet auf und sah Malcolm an. Sie steckte in der Klemme, mehr noch, sie war schachmatt gesetzt. Wenn sie unterschrieb, konnte sie zwar ihre Firma retten, würde aber alles andere verlieren. Sie würde nachts nicht mal mehr ruhig schlafen können. Wenn sie nicht unterschrieb, würde die Firma zerschlagen und ihr bliebe nichts ...

Sie seufzte und wappnete sich. George hatte recht, sagte sie sich. Bei Geschäften ging es nur ums Geldverdienen. Und weil sie dieses kleine Detail ignoriert hatte, saß sie jetzt in der Tinte und musste genau das tun, was sie mit ihrer Firma eigentlich hatte vermeiden wollen.

»Nun denn«, seufzte sie schließlich. Ihr Stolz war gebrochen. »Bringen wir's hinter uns, ja?«

»Welcher Stock?«, fragte George unter den staunenden Blicken einer verwirrten Empfangsdame, die ihnen nachschaute, als sie schnurstracks zum Aufzug marschierten.

»Sie müssen ihn hier anmelden«, rief sie Jen hinterher und wies auf George. »Sie können nicht einfach ...«

Aber die beiden waren viel zu ungeduldig, um auf den Aufzug zu warten, und waren schon die Treppe hinaufgestürmt und verschwunden.

»Also, du musst hier auf der ersten Seite unterschreiben, dann dein Kürzel unter den Paragrafen auf Seite drei setzen, und dann hier, hier und hier unterzeichnen. Ach ja, und wir brauchen zwei Zeugen.«

Malcolm stand auf. »Soll ich deine Sekretärin hereinrufen?«, fragte er.

Harriet nickte. Das ist alles gar nicht wahr, sagte sie sich. Das ist bloß ein böser Traum.

Sie nahm den Stift, den Malcolm ihr hinhielt, und begann zu schreiben.

28

»Das würde ich an deiner Stelle lieber nicht tun.«

Jen, die hinter ihrem Vater stand, sah, wie Harriet erschrocken aufschaute, als die Tür aufgestoßen wurde und ihr Exmann plötzlich vor ihr stand. »Was ... was machst du denn hier, George?«, fragte sie und wurde blass. »Jen ... was ... ich verstehe das nicht.«

Jen machte den Mund auf, um etwas zu sagen, doch George kam ihr zuvor.

»Mich würde vor allem interessieren, was mein Freund Malcolm hier macht«, meldete sich George mit drohender Stimme zu Wort und betrat entschlossen den Raum.

Jen folgte ihm auf dem Fuß und hockte sich auf einen Stuhl. Die Spannung knisterte im ganzen Raum wie statische Elektrizität – Malcolm stierte George finster an, ihre Mutter sah aus, als müsse sie sich gleich übergeben, und ihr Vater lief im Zimmer auf und ab wie ein eingesperrter Tiger, der sich jederzeit auf jemanden stürzen könnte.

»Unterschreibst du da gerade etwas, Harriet?«, fragte er, als sein Blick auf die Papiere fiel, die verdächtig nach einem Vertrag aussahen.

Beunruhigt griff Malcolm nach einigen Blättern und schob sie möglichst unauffällig über die Unterlagen, die vor Harriet auf dem Schreibtisch lagen. »Nichts, das dich was anginge, George«, erwiderte er mit einem verkniffenen Lächeln. »Bloß eine kleine Transaktion. Wie steht's denn so bei dir? Wir sollten demnächst mal wieder zusammen Mittag essen ...«

»Mittag essen. Ja, klar«, murmelte George nachdenklich, dann schüttelte er den Kopf.

Jen sah erst ihn verächtlich an und dann ihre Mutter. Was auch immer hier vor sich ging, es machte sie krank. Was sie betraf, so hatten sie einander redlich verdient, und noch viel mehr. Ob das immer so lief?, fragte sie sich – krumme Geschäfte hinter verschlossenen Türen, Drohungen und Versprechen, die wie Geldscheine die Runde machten?

»Ja, siehst du, Malcolm, das Problem ist«, fuhr George fort, »dass ich nicht zu den Leuten gehöre, die mit einem hinterhältigen Schweinehund wie dir gemütlich Essen gehen.«

Jen runzelte die Stirn und Malcolm fuhr wie vom Blitz getroffen hoch. »George«, knurrte er warnend. »Nicht hier.«

»Och, ich finde, das hier ist genau der richtige Ort und die richtige Zeit, findest du nicht?«, erwiderte George ungerührt, während Jen und ihre Mutter nur stumm danebensaßen. »Lass mich raten, was hier los ist.

Harriet, du bist pleite, und unser Malcolm hier ist verzweifelt. Ich wittere miese Geschäfte ...«

Jen starrte ihn an. »Mach dich nicht lächerlich«, zischte sie gereizt. »Mum würde doch nie mit so einem wie Malcolm Bray Geschäfte machen. Wenn hier jemand mit so einem Geschäfte macht, dann ja wohl eher du ...«

Sie sah ihre Mutter an und hoffte auf deren Unterstützung, doch dann bemerkte sie, dass Harriet starr geradeaus auf den Schreibtisch guckte. Und dann sah sie den Stift in ihrer Hand.

»Mum?«, fragte Jen alarmiert. »Mum, sag ihm, dass das nicht wahr ist ...«

»Ich wollte nur meine Firma retten«, erklärte sie mit leiser Stimme. »Dein Vater hatte sich ja sein eigenes Grab geschaufelt und ich sah eine Möglichkeit ...«

»Du hast tatsächlich vor, mit Malcom Bray Geschäfte zu machen?«

»Ja, und das wird sie auch«, fiel Malcolm ihr ins Wort und stand auf.

»Hör zu, George, ich weiß ja nicht, was für eine Show du hier abziehen wolltest, aber dafür ist es jetzt zu spät. Ich habe die Behörden bereits darüber informiert, dass du für einen gigantischen Korruptionsskandal verantwortlich bist – und Harriet hat bereits zugestimmt, uns als Kunden anzunehmen, da Axiom selbstverständlich beabsichtigt, sich von Bell Consulting zu distanzieren. An deiner Stelle würde ich mir Gedanken um meine eigene Zukunft machen, statt meine Nase in anderer Leute Angelegenheiten zu stecken.«

Jen starrte erst Malcolm an und dann ihren Vater. »Es stimmt also«, keuchte sie. »Du steckst wirklich dahinter. Du ... du verdammter Mistkerl.«

George verzog immer noch keine Miene. »Harriet, leg diesen Stift weg.«

Harriet schaute ihn trotzig an. »Sag mir nicht, was ich zu tun habe, George. Sag mir nie wieder, was ich zu tun habe.«

»Also schön, bitte. Bitte leg den Stift weg. Verrate dich nicht selbst, Harriet. Lass es nicht so weit kommen.«

Harriets Hand zuckte leicht über dem Vertrag. »Ich habe keine andere Wahl, George«, flüsterte sie. »Mir bleibt nichts anderes übrig.«

George runzelte die Stirn. »Es gibt immer eine Alternative. Wir helfen dir aus der Klemme, wenn du Geld brauchst. Herrje, man verkauft doch seine Seele nicht gleich dem Teufel, wenn's mal ein bisschen hart auf hart kommt.«

»Vielleicht könnte Dad ja ein paar Leute für dich schmieren«, bemerkte Jen bissig. »Nicht wahr, Dad?«

George drehte sich zu ihr um und sah sie durchdringend an. »Du musst mich wirklich hassen, nicht?«, bemerkte er traurig.

»Ich hasse dich nicht, Dad, ich verachte dich. Weil du mich dazu gebracht hast, dir zu glauben. Weil du mich glauben gemacht hast, ich hätte wieder einen Vater. Ich habe dir vertraut.«

»Und könntest du mir noch einmal vertrauen? Wenn ich dich darum bitten würde? Jetzt, in diesem Moment, meine ich?«

Jen blickte ihn finster an. »Warum sollte ich?«

»Weil ich dich darum bitte. Also, würdest du?«

Jen zögerte, sah die unsichere Hand ihrer Mutter, das ernste Gesicht ihres Vaters. Sie wusste überhaupt nicht mehr, was sie denken sollte. Aber tief in ihrem Inneren wollte sie glauben, dass ihr Vater nichts damit zu tun hatte und dass es für alles eine vollkommen logische Erklärung gab. Auch wenn sie wusste, dass es höchst unwahrscheinlich war, so wollte ihr Herz ihm doch vertrauen.

»Also gut«, murmelte sie leise. »Aber wenn du mich enttäuschst ...«

George nickte. »Malcolm hat recht, ich stecke hinter der ganzen Sache«, erklärte er langsam, während Jen ihn mit Argusaugen beobachtete. »Oder vielmehr, ich stecke hinter den jüngsten Entwicklungen. Ich war ziemlich baff, als ich hörte, dass Axiom in Asien einen Auftrag nach dem anderen zugeschlagen bekam, obwohl ihre Arbeit, das wusste ich, minderwertige Pfuscherei war. Und als ich dann habe läuten hören, es hätten angeblich größere Geldsummen den Besitzer gewechselt, da war ... nun ja, da war mein Interesse geweckt.«

Malcolm beäugte George misstrauisch, doch es war Harriet, die dann das Wort ergriff.

»Ich habe es gewusst«, rief sie plötzlich. »Ich habe gewusst, dass du dahintersteckst. Und du hast gewusst, dass Paul da mit drinsteckt, und trotzdem hast du zugelassen, dass er für mich arbeitet, dass ich ihn ins Vertrauen ziehe –«

»Paul?«, ging Jen dazwischen. »Was hat Paul denn damit zu tun?«

»Frag deinen Vater«, knurrte Harriet. »Dem scheint es ja ungeheuren Spaß zu machen, mit Menschen zu spielen.«

Jen schaute ihren Vater erwartungsvoll an, und George grinste übers ganze Gesicht.

»Auch damit hast du recht«, sagte er. »Ich spiele sehr gerne mit Menschen. Und was Paul angeht, tja, der ist wirklich hervorragend auf seinem Gebiet. Ein grottenschlechter Feng-Shui-Experte, aber man kann wohl nicht alles haben.«

»Wie kannst du es wagen!«, schimpfte Harriet. »Du hast mir mein Leben schon einmal ruiniert und jetzt versuchst du es wieder.«

George sah sie mit hochgezogenen Augenbrauen an. »Wie ich Malcolm kenne«, bemerkte er hämisch, »und ich glaube, ich kenne ihn gut, würde ich annehmen, du warst gerade dabei, mir mein Leben zu ruinieren, also sind wir wohl quitt. Davon abgesehen habe ich dir dein Leben nicht ruiniert. Ich habe einen Fehler gemacht, das gebe ich zu, und zwar den, Malcolm zu vertrauen. Ich dachte, man könne sich auf das Ehrenwort eines alten Schulfreunds verlassen, und genau das habe ich auch getan. Aber ich bereue es. Glaub mir, ich bereue es.«

Jen runzelte die Stirn. »Wovon redest du?«, fragte sie ungeduldig. »Wann hat er dir wofür sein Ehrenwort gegeben?«

»Er hat mir versichert, in seiner Firma ginge alles mit rechten Dingen zu, alles sei legal. Das ist Jahre her. Deine Mutter hat mich damals bekniet, ihm die Freundschaft aufzukündigen und die geschäftlichen Verbindungen zu seiner Firma abzubrechen, aber ich wollte davon nichts hören. Auf sein Wort habe ich damals mehr gegeben als auf das deiner Mutter, was, wie ich nun einsehen muss, ein großer Fehler war. Ein Fehler, für den wir alle nun auf irgendeine Weise einen hohen Preis zahlen.«

Jen funkelte ihn böse an. »Was soll das heißen?«

»Er meint, dass ich mich deshalb von ihm habe scheiden lassen. Deshalb und … wegen gewisser anderer Dinge«, erklärte Harriet düster.

Malcolm hob die Augenbrauen. »Na, das freut mich aber, dass ich einen solchen Einfluss auf euer beider Leben hatte«, zischte er. »So, Harriet, vielleicht könntest du den Rest deiner Familie bitten zu gehen, damit wir mit unserer kleinen Besprechung fortfahren können?«

»Ich gehe nirgendwo hin«, verkündete Jen entschlossen. »Ich will wissen, was hier los ist.«

George lachte leise in sich hinein und schaute kurz auf seine Uhr. »Dann will ich es dir mal erklären«, sagte er ruhig. »Malcolm Bray bekommt endlich das, was er verdient, das ist los.«

Malcolm runzelte die Stirn. »George, warum verschwindest du nicht einfach?«, schnaubte er zornig.

»Och, das werde ich«, entgegnete George liebenswürdig. »Aber erst, wenn die Polizei da ist.«

Malcolm und Harriet schauten erstaunt auf.

»Ich will hier keine Polizei«, protestierte Harriet prompt. »Paul ist auch gar nicht da. Er ist ...«

»In fünf Minuten zur Stelle«, unterbrach George sie. Genau wie die Polizei. Tut mir leid, Malcolm, aber es sieht nicht gut für dich aus, alter Freund.«

Malcolm schüttelte den Kopf. »George, ich weiß ja nicht, was du beweisen willst, aber die Polizei zu rufen bringt dich bloß noch schneller in den Knast. Du hast die Schmiergeldzahlungen organisiert, du hast das Geld überwiesen. Das wird Bell Consulting nicht überleben ...«

»Tja, und genau da irrst du dich«, widersprach George. »Denn es ist so, du hast gedacht, ich schmiere einen Regierungsbeamten für dich, nämlich über unseren Freund Paul, dabei hast du die ganze Zeit Entschädigungszahlungen für die armen Menschen gezahlt, deren Häuser du gebaut hast – obwohl bauen wohl nicht die richtige Bezeichnung für diese armseligen Bruchbuden ist, die deine Firma da hochgezogen hat.«

Malcolm starrte ihn fassungslos an. »Sollte das irgendein lächerlicher Trick deinerseits sein, deine Spuren zu verwischen, George, dann wirst du damit kein Glück haben ...«

»Kein Trick«, entgegnete George, dann hielt er kurz inne. »Obwohl, das ist eigentlich gelogen. Es war ein Trick. Bloß dass du reingelegt wurdest, nicht ich. Denn ich kann dir sagen, unser Freund Paul mag vielleicht ein ziemlich erbärmlicher Feng-Shui-Berater sein, aber als verdeckter Ermittler ist er einsame Spitze. Einer der Besten.«

Dann wandte er sich an Jen. »Du kannst dir sicher vorstellen, dass die indonesische Regierung sehr an der Aufklärung dieser Korruptionsvorwürfe interessiert war.«

Jen nickte stumm.

»Tja, Paul hat dich in den letzten Monaten auf Schritt und Tritt verfolgt und dich beobachtet, Malcolm. Ihm ist kein noch so kleines Bestechungsgeld entgangen, und keine Lüge. Leider ist es uns nicht gelungen, irgendeine deiner Schmiergeldzahlungen zurückzuverfolgen, die du leisten musstest, um überhaupt an die Aufträge für die Wiederaufbaumaßnahmen nach dem Tsunami zu kommen. Aber Paul und ich haben trotzdem einen Haufen Beweismittel gesammelt über deine dann folgenden Versuche, einen Beamten zu bestechen, der mit der Untersuchung des Falls beauftragt war. Und über deine Drohungen natürlich. Zuckerbrot und Peitsche, was, Malcolm?«

Malcolm sah George mit versteinerter Miene an.

»Aber dass du der Times an Weihnachten diesen Brief zugespielt hast, ist mir erst heute Morgen aufgegangen. Ganz schön blöd von mir. Und da habe ich mir dann auch gleich gedacht, du könntest etwas wie das hier abziehen.«

Jen sah, wie Malcolm die Augen zusammenkniff, und ihr Vater zwinkerte ihr verschwörerisch zu.

»Mach dir nichts vor, Malcolm, das Spiel ist aus. Du hast mir meine Frau genommen und jetzt wolltest du mir auch noch meine Firma nehmen, und mich tröstet nur der Gedanke, dass ich es dir nun zumindest teilweise heimzahlen kann.«

Jen schaute ihren Vater schockiert an. »Du ... du ...«, stammelte sie und brachte einfach keinen vollständigen Satz zustande.

»Das muss ich mir ja wohl nicht anhören«, schimpfte Malcolm, raffte seine Unterlagen zusammen und wollte zur Tür hinaus verschwinden. »Von euch beiden habe ich ein für alle Male die Nase voll. Harriet, vergiss unseren Deal. Und George ...«

Weiter kam er nicht, denn plötzlich erschien Paul Song in der Tür, zwei Polizisten im Schlepptau. Er lächelte Jen höflich zu, verbeugte sich leicht vor Harriet und zeigte dann auf Malcolm, dem daraufhin umgehend Handschellen angelegt wurden.

»Du bist ein Mistkerl, George«, fluchte Malcolm bitterböse, als er abgeführt wurde. »Für mich warst du immer schon der letzte Dreck, nur damit du es weißt.«

»Scheint so«, entgegnete George gelassen. »Und du, Malcolm, hast das alles redlich verdient.«

»Du hattest wirklich was mit Malcolm? Igitt.«

Sie saßen in einem Pub gleich um die Ecke von Bell Consulting. Jen sah ihre Mutter mit großen Augen ungläubig an und klammerte sich an einen Gin Tonic, während George an der Theke eine neue Runde bestellte. Jen hatte den Schreck, dass ihr Vater sich nun doch als der Gute entpuppt hatte, noch nicht ganz überwunden, und Harriet kämpfte mit der Erkenntnis, dass ihr Feng-Shui-Berater und engster Vertrauter in Wirklichkeit ein ehemaliges Mitglied der indonesischen

Miliz und Polizeibeamter war, der ihre kostbaren Kristalle bei Woolworth gekauft hatte. Dafür schlugen sie sich eigentlich ganz wacker, fand Jen.

»Das ist lange her«, erwiderte Harriet ausweichend. »Eine halbe Ewigkeit.«

»Aber Malcolm Bray?«

Harriet warf ihrer Tochter einen warnenden Blick zu. »Das reicht jetzt, danke sehr.«

»Entschuldigt, dass es so lange gedauert hat – ich habe an der Theke zufällig eine Kundin von mir getroffen«, sagte George und stellte ein Tablett mit Gläsern auf den Tisch. »Was reicht jetzt?«

Harriet guckte ihn schuldbewusst an. »Nichts, George«, murmelte sie rasch. »Gar nichts.«

»Ich kann es immer noch nicht fassen, dass du mir nichts da von erzählt hast«, meinte Jen mit einem vorwurfsvollen Blick zu ihrem Vater. »Die ganze Zeit hast du mich in dem Glauben gelassen, du seiest in die Sache verstrickt. Warum hast du mir denn nicht vertraue«

»Du hast mir doch auch nicht vertraut«, entgegnete er mit einem kleinen Lächeln. »Und ich wollte dich da nicht mit hineinziehen. Egal, hast du noch nie gehört, dass man sagt: ›Der Zweck heiligt die Mittel‹?«

»Na toll, soll das etwa heißen, ich war ein Mittel zum Zweck?« George schüttelte den Kopf. »Natürlich nicht. Obwohl deine Mutter sich wirklich angestrengt hat«, meinte er lächelnd.

»Ich verstehe das immer noch nicht so ganz«, wunderte Harriet sich, schüttelte den Kopf und bemühte sich weiter, aus der ganzen Sache schlau zu werden.

»Es ist ganz einfach«, erklärte George geduldig. »Als Axiom die ganzen Aufträge in Indonesien bekommen hat, waren wir alle, ehrlich gesagt, ziemlich schockiert. Ich habe mir die Ausschreibungsunterlagen angesehen, und die waren in keinster Weise wettbewerbsorientiert und dazu unvollständig. Aber ich habe mir erst mal nichts dabei gedacht, bis es in der Gerüchteküche zu brodeln begann, und plötzlich war die Rede von Bestechungsgeldern und Geschäften, die unter der Hand abgewickelt worden sein sollten. Ich habe etwas gegen Geschäfte unter der Hand, vor allem, wenn sie mit meiner Firma zu tun haben, also habe ich angefangen, ein bisschen nachzuforschen. Und da habe ich dann Paul kennengelernt, der auch gerade ein paar Nachforschungen anstellte. Wir haben einen Plan ausgebrütet – ich habe ihm angeboten, Malcolm aus einer Zwickmühle zu helfen, indem ich ihn mit Paul bekannt mache, der seinerseits vorgab, ein korrupter Ermittlungsbeamter zu sein. Malcolm be stand darauf, sämtliche Deals über einen Mittelsmann abzuwickeln – dumm ist er nicht, dass muss man ihm lassen –, also sollte ich Paul das Geld über unser Büro in Indonesien zukommen lassen.«

»Hast du aber nicht«, unterbrach Harriet ihn. »Ja, das leuchtet mir irgendwie ein. Aber warum hast du so lange gebraucht, bis du ihn festnageln konntest? Und warum haben die Zeitungen immer geschrieben, es gäbe keine heiße Spur?«

George zuckte die Achseln. »Das ist wohl meine Schuld. Ich wollte verhindern, dass Malcolm Verdacht schöpft. Wir brauchten handfeste Beweise für die anfänglichen Schmiergeldzahlungen, also habe ich einen unserer Berater nach Indonesien geschickt, um danach zu suchen. Aber es war natürlich schon zu spät. Und dann sind wir darauf gekommen, was Malcolm im Schilde führte – nämlich es aussehen zu lassen, als steckten wir hinter der ganzen Geschichte. Dieser Dreckskerl. Wäre ich Weihnachten nicht im Krankenhaus gelandet, wäre ich viel früher dahintergekommen.«

Jen errötete etwas beim Gedanken daran, wie sie versucht hatte, ihn von den Nachrichten und seiner Arbeit fernzuhalten. »Trotzdem«, warf sie ein, »jetzt hast du ihn ja geschnappt.«

Harriet schnaubte empört. »Ich hoffe, Paul hat genug Beweise, um ihn für eine Weile hinter Gitter zu bringen«, ereiferte sie sich.

George nickte bedächtig. »Und um seine Firma zu ruinieren und die ganze Branche in ihren Grundfesten zu erschüttern.«

Ein paar Minuten herrschte tiefes Schweigen, und Jen beobachtete, wie anders ihre Eltern auf einmal wirkten. Ihre Mutter erschien zugänglicher – weicher, und das stand ihr gar nicht schlecht. Es zeigte, dass auch sie verletzlich war. Und ihr Vater – tja, den hatte sie noch nie so fröhlich erlebt. Obwohl sie den Verdacht hatte, dass das eher Malcolm Brays Verdienst war.

Irgendwann sagte George dann an Jen gewandt: »Und, wie läuft's mit deinem MBA-Kurs?«

Ungläubig schaute sie ihn an. Nach allem, was passiert war, wollte er allen Ernstes wissen, ob sie fleißig lernte?

»Sagen wir's mal so«, antwortete sie und verdrehte die Augen, »heute Morgen wollte ich ihn schon hinschmeißen, aber jetzt überlege ich es mir noch mal. Aber um ehrlich zu sein, habe ich in letzter Zeit alle Hände voll zu tun gehabt« – sie warf ihren Eltern einen vielsagenden Blick zu – »also liege ich mit meinen Kursarbeiten nicht unbedingt gut in der Zeit ...«

»Du kannst nicht hinschmeißen«, protestierte George sofort. »Das ist doch lächerlich. Was ist das Thema deiner aktuellen Arbeit? Wir helfen dir, oder nicht, Harriet?«

Harriet zögerte. »Tja, ich könnte dir vielleicht ein bisschen helfen, allerdings bin ich mir nicht mehr so sicher, dass ich diese MBA-Sache wirklich gutheißen kann ...«

»Du hast mich doch dazu überredet«, brachte Jen fassungslos hervor.

»Raus mit der Sprache, wie lautet das Thema?«, fragte George ungeduldig.

»Buchhandel«, murmelte Jen, deren gute Stimmung schlagartig verpuffte. Sie wollte nicht mehr über Buchhandel schreiben. Irgendwie war ihre Begeisterung dafür verflogen.

»Buchhandel?«, murmelte Harriet. »Das ist aber ein eigenartiges Thema. Ich finde, du hättest dir besser ein anderes Thema ausgesucht, etwa die soziale Verantwortung großer Unternehmen. Liebes, du bist so klug, meinst du nicht, du solltest ein Thema wählen, bei dem du zeigen kannst, was in dir steckt?«

Jen sah ihrer Mutter in die Augen. »Mum, hör auf, mich zu bequatschen. Ich schreibe über Buchhandlungen, basta.«

Harriet seufzte. »Nun, wenn du das für eine gute Idee hältst ...«

»Natürlich ist das eine gute Idee«, erklärte George munter. Die Kundin, die ich eben hier getroffen habe, ist auch in der Buchbranche. Sie arbeitet zwar in einem Verlag, nicht im Buchhandel, aber sie kennt sich aus wie keine andere. Du solltest sie unbedingt kennenlernen. Soll ich euch mal bekannt machen?«

Jen nickte geistesabwesend. »Klar. Gib mir einfach ihre Nummer«, murmelte sie.

»Quatsch, ich stelle sie dir gleich vor. Solche Gelegenheiten darf man sich nicht entgehen lassen, die muss man beim Schopfe packen, Jennifer. Was du heute kannst besorgen, das verschiebe nie auf morgen.«

»Ich bin müde, Dad«, stöhnte Jen. »Lässt du mich bitte einfach in Ruhe etwas trinken?«

Doch ihre Worte stießen auf taube Ohren, George war schon aufgestanden. »Komm mit«, befahl er streng.

Widerstrebend folgte Jen ihrem Vater zum anderen Ende des Pubs, wo eine elegante blonde Frau mit drei Männern mittleren Alters zusammensaß.

Sie schaute auf und lächelte George freundlich an, dann drehte sie sich zu Jen um, die plötzlich ganz böse guckte.

»Anita, das ist meine Tochter Jen. Sie macht gerade den MBA-Kurs bei Bell und schreibt ihre Abschlussarbeit über den Buchhandel. Ich dachte, ihr beiden solltet euch mal kennenlernen. Was meinst du?«

Anita lächelte Jen kurz zu. »Sehr gerne, George. Hallo Jen. Sie interessieren sich also für den Buchhandel, ja?«

Jen starrte sie finster an. Das war die Frau aus dem Restaurant, die, über die Daniel hergefallen war.

»Ehrlich gesagt bin ich mir nicht mehr so sicher, ob ich tatsächlich über Buchhandlungen schreiben möchte«, entgegnete sie rasch. Ihr drehte sich fast der Magen um. Anita war der allerletzte Mensch auf der Welt, mit dem sie sich unterhalten wollte. Sie wollte sie nicht einmal mehr ansehen müssen.

»Was redest du denn da?«, fragte George verärgert. »Du hast doch gerade noch gesagt ...«

»Ich habe gesagt, ich überlege, vielleicht über den Buchhandel zu schreiben. Jetzt habe ich es mir anders überlegt«, erklärte Jen entschlossen, und ehe sie sich bremsen konnte, fügte sie hinzu: »Ich habe die Nase voll von Buchhändlern und Buchhandlungen.«

Anita starrte sie an, und ihre Augen wurden immer größer. »Sie sind nicht zufällig die Jen, die Jen von Daniel, meine ich?«, fragte sie.

Wütend kniff Jen die Augen zusammen. »Die war ich«, erklärte sie spitz. Ihr Vater sah sie ganz verwirrt an. »Ehe er mich Ihretwegen abserviert hat.«

Jetzt war es an Anita, verwirrt zu gucken. »Abserviert, meinetwegen? Was um Himmels willen reden Sie denn da? Daniel ist ganz verrückt nach Ihnen«, sagte sie mit großen Augen.

»Ich habe Sie beide im Restaurant gesehen«, rief Jen empört. »Schon gut, es ist okay, ehrlich. Sie können ihn geschenkt haben.«

»Aber ich will ihn nicht«, entgegnete Anita fassungslos. »Wir haben zusammen gegessen, weiter nichts. Wie kommen Sie bloß auf solche Gedanken?«

Jen bemühte sich nach Kräften, ganz gelassen zu klingen, aber es fiel ihr nicht leicht. Auf keinen Fall wollte sie weiter vor Anita als quengeliges kleines Mädchen dastehen. Nicht vor der eleganten Anita, und auch nicht vor ihrem Vater.

»Er hat Sie geküsst. Und er hat mich immer noch nicht angerufen. Er hat sich mir gegenüber unmöglich verhalten, als wir uns das letzte Mal gesehen haben, und sobald ich weg war, hatte er nichts Besseres zu tun, als gleich zu Ihnen zu laufen und mit ihnen essen zu gehen ...«

Tja, so viel zum Thema ›nicht wie ein quengeliges kleines Mädchen klingen‹, dachte sie wütend.

Doch statt sie anzusehen, als sei sie ein flennendes Kleinkind, lächelte Anita freundlich. »Ich habe ihm einen guten Rat gegeben, Jen. Der Streit mit Ihnen hat ihm furchtbar leidgetan. Er hat mir erzählt, dass er sich wie ein Arschloch aufgeführt hat, und er befürchtete, Sie wollten ihn bestimmt nie wiedersehen.«

Jen sah, wie ihr Vater entsetzt zusammenzuckte. »Er hat sich wirklich wie ein Arschloch benommen«, sagte sie mit einem schwachen Lächeln.

»Und als er mir erzählt hat, was er zu Ihnen gesagt hat«, fuhr Anita fort, »war ich vollkommen seiner Meinung. Aber ich habe ihm gesagt, wenn er sich ungefähr eine Woche lang ununterbrochen bei Ihnen entschuldigt, bestünde durchaus Hoffnung, dass Sie ihm noch mal verzeihen.«

Jen nickte und ihr Lächeln wurde ein bisschen breiter.

»Und geküsst hat er mich nur als Dank, ehe er dann losgezogen ist, um Sie zu suchen. Er hat sogar bei Bell Consulting angerufen und als man ihm sagte, sie seien nicht da, wollte er zu Ihnen nach Hause. Danach habe ich nichts mehr von ihm gehört. Dann hat er Sie also nicht gefunden?«

Jen runzelte die Stirn und schüttelte den Kopf. »Bei mir ist er nicht angekommen«, sagte sie, und bei dem Gedanken, dass Daniel gar nichts mit Anita hatte, schlug ihr Herz gleich ein paar Takte schneller. Der Streit tat ihm also leid. Aber warum war er dann nicht bei ihr aufgetaucht? Was konnte ihn davon abgehalten haben? »Vielleicht hat er es sich ja anders überlegt«, wandte sie schwach ein.

Anita schüttelte den Kopf. »Nein, er wollte ganz bestimmt zu Ihnen nach Hause.«

Verzweifelt zerbrach Jen sich den Kopf, was ihm dazwischengekommen sein könnte. War sie vielleicht nicht zu Hause gewesen? Hatte sie ein Bad genommen? Hatte sie …

Plötzlich schaute sie Anita an und holte ihr Handy aus der Tasche. »Gavin«, murmelte sie ganz außer sich. »Gavin war da.«

Anita nickte zustimmend, als wüsste sie genau, wer Gavin war.

Jen wählte die Nummer und wartete. Ihr Gesicht begann langsam zu glühen. Dann endlich ging Gavin an sein Telefon.

»Ja!«

»Gavin«, schnaubte Jen. »Hast du neulich rein zufällig Daniel getroffen? Als du gegangen bist, ist dir da Daniel möglicherweise über den Weg gelaufen? Und wenn du mich anlügst, ziehe ich dir bei lebendigem Leib das Fell über die Ohren.«

Kurzes Schweigen. »Möglicherweise.«

Jen stöhnte laut. Deutlich spürbar pulsierte ein Adrenalinschub durch ihren Körper. »Und könnte es eventuell sein, dass du irgendwas zu ihm gesagt hast, das ihn dazu veranlasst haben könnte, sich auf dem Absatz umzudrehen und nach Hause zu gehen?«

Wieder folgte ein kurzes Schweigen. »Also, Jen, es könnte durchaus sein, dass ich ihm erzählt haben, wie seien wieder zusammen. Und dass du ihn nie wiedersehen wolltest. Aber ich wollte nur dein Bestes. Ich habe das nur getan, weil ich dachte, wenn er weg vom Fenster ist, könnten wir beide vielleicht ...«

»Du ... verfluchter Vollidiot«, brüllte Jen. »Du dämlicher, blöder ...«

»Schweinehund?«, schlug Anita vor.

»Schweinehund«, bestätigte Jen und legte schnell auf. »Dad, ich muss los«, erklärte sie atemlos, dann lächelte sie Anita kurz zu. »Danke. Und entschuldigen Sie bitte, dass ich dachte, Sie und Daniel ...«

Anita erwiderte das Lächeln. »Keine Ursache. Vielleicht treffen wir uns mal zum Mittagessen und besprechen Ihre Abschlussarbeit. Dann machen wir beide Daniel mal ein bisschen eifersüchtig!«

Jen nickte dankbar, drückte ihrem Dad ein Küsschen auf die Wange und war schon fast aus der Tür, doch bei ihrer Mutter bremste sie noch einmal kurz und erklärte ihr, was sie vorhatte. Deren Rat, lieber etwas ganz anderes zu tun, wartete sie gar nicht erst ab.

29

Daniel wischte die feuchten Hände an der Hose ab und schaute auf die Uhr. In gerade mal fünf Minuten tanzte der gesamte Vorstand hier an und alle Augen würden auf ihn gerichtet sein. Er sollte ihnen von seinen Plänen zur Kostenreduktion erzählen, von seinem Vorhaben, einen Preiskrieg um Kinderbücher anzuzetteln. Und dann würde er rausgehen und sich umbringen.

Daniel runzelte die Stirn. Nein, korrigierte er sich, das würde er nicht. Er würde hingehen und diese Pläne umsetzen. Er war Geschäftsführer und so langsam sollte er sich auch dementsprechend benehmen. Ansonsten hatte er ja auch nicht viel zu bieten, überlegte er wehmütig.

Auf einmal überfiel ihn der beinahe unwiderstehliche Drang, Jen anzurufen, sie zu fragen, warum sie wieder mit diesem bescheuerten Penner zusammen war, ob sie nicht mit ihm nach Borneo durchbrennen wollte oder an einen anderen, genauso abgelegenen Ort. Doch diese Anwandlungen schlug er sich gleich wieder aus dem Kopf. Konzentriere dich auf das Hier und Jetzt, ermahnte er sich. Konzentriere dich auf die Wirklichkeit, nicht auf irgendwelche Wunschträume.

Wieder sah er auf die Uhr. Ihm bleib gerade noch genug Zeit, noch einmal kurz zur Toilette zu verschwinden.

Zögernd drückte Jen die Tür zu Wyman's auf und überlegte angestrengt, was sie sagen sollte. Ein einfaches »Tut mir leid« erschien ihr bei weitem nicht ausreichend und »Tut mir leid, und keine Sorge, ich werde Gavin sämtliche Glieder einzeln aus dem Leib reißen« war wohl doch ein wenig übertrieben. Und was, wenn er sie bloß ansah, als hätte sie den Verstand verloren? Vielleicht war es ihm ja auch völlig schnuppe gewesen, als Gavin ihm erzählte, sie seien wieder zusammen. Vielleicht war er sogar erleichtert.

Sie schauderte. Selbstverständlich war er nicht erleichtert. Bestimmt würde das eine wunderbare Versöhnung werden, da war sie ganz sicher. Ob sie besser Blumen mitgebracht hätte?

Die Empfangsdame am Tresen unten unterhielt sich gerade angeregt mit einem Besucher, und Jen wollte lieber nicht riskieren, von ihr nach einem Termin gefragt zu werden, also marschierte sie schnurstracks zum Aufzug. Dann hatte sie einen Geistesblitz. Sie zögerte kurz und griff dann nach den Blumen, die immer noch dort in der Vase steckten. Zugegeben, die Lilien waren nicht mehr die frischesten – aber immer noch besser als gar nichts. Erst versuchte sie, zwei oder drei einzelne Stiele herauszuziehen, doch sie waren fest zusammengebunden, also nahm sie nach kurzem

Gefummel und aus Angst, die Dame am Empfang könne doch noch etwas sagen, einfach die ganze Vase und hüpfte in den Aufzug.

Einen Augenblick später öffnete sich die Tür mit einem »Ping« auf Daniels Etage, und Jen stieg aus und fragte sich noch einmal, was um alles in der Welt sie dazu getrieben hatte, einen Blumenstrauß komplett mit Vase aus dem Empfangsbereich mitgehen zu lassen. Dieses Gebinde war so groß, dass ihr ganzer Kopf dahinter verschwand. Was allerdings bei erneutem Nachdenken gar nicht so verkehrt war – so war sie wenigstens ein bisschen ge tarnt, wenn sie hier einfach so den Gang entlanglief, auch wenn es ziemlich dämlich aussehen musste.

Als sie auf Daniels Büro zusteuerte, sah sie, dass die Tür offenstand und er nicht da war. Eine Frau mittleren Alters, seine Sekretärin vermutlich, saß davor.

»Sind die für die Vorstandssitzung?«, fragte sie desinteressiert und warf nur einen flüchtigen Blick hinter ihrem Bildschirm hervor auf Jen und ihren Monsterstrauß.

Jen überlegte kurz. Wenn irgendwo eine Vorstandssitzung stattfand, dann war Daniel sicher auch dort.

Sie nickte.

»Den Gang runter«, sagte die Dame und zeigte nach links.

Jen folgte ihren Anweisungen und versuchte, die Vase ein wenig anders zu greifen, um sehen zu können, wohin sie überhaupt lief. Sie würde sich Daniel einfach schnappen, ehe er hineinging, überlegte sie. Ihm schnell erzählen, dass Gavin ein verlogener Idiot war und dass sie sich, wenn er später Zeit und Lust hätte, treffen und aussprechen könnten. Und wenn er Nein sagte, tja, auch gut. Dann würde sie ihm einfach die Blumen in die Hand drücken und hocherhobenen Hauptes wieder gehen.

Oder auch nicht, dachte sie achselzuckend. Aber andererseits, sollte es ganz schlimm kommen, konnte sie ja immer noch betteln und flehen, dachte sie mit einem schwachen Grinsen.

Der Gang endete vor einer offenen Flügeltür, die in einen leeren Raum führte. Jen marschierte hinein, holte tief Luft und überlegte, was sie sagen sollte. Sie musste ein Gähnen unterdrücken – auch wenn es erst früher Nachmittag war, war Jen hundemüde. Obwohl sie das nicht weiter überraschte – so einen Tag hatte sie noch nie erlebt.

Sie schloss ganz kurz die Augen und lehnte sich gegen die Wand. Sie sollte die Blumen besser irgendwo abstellen, dachte sie. Eine gigantische Vase voller Wasser und Lilien herumzuschleppen war nicht unbedingt hilfreich.

Doch noch ehe sie einen Finger rühren konnte, merkte sie, dass jemand sie durchdringend ansah, und machte die Augen schnell wieder auf.

Vor ihr stand ein grauhaariger Mann und schaute sie stirnrunzelnd an. »Kann ich Ihnen helfen?«

»Ich, ähm ... ich suche Daniel. Daniel Peterson.«

»Sind die für die Sitzung?«, fragte er mit Blick auf die Blumen.

Jen wollte schon den Kopf schütteln, überlegte es sich dann aber anders. »Ja. Ich glaube schon. Ich meine, die sind für Daniel ...«

»Für die Sitzung also«, sagte der Mann bestimmt. Das war eine Feststellung, keine Frage, und so ging Jen widerspruchslos zum Tisch und platzierte die Vase mittendrauf.

»Daniel«, fuhr der Mann fort, »warum um Himmels willen haben Sie diese Blumen kommen lassen? Keiner wird den anderen mehr sehen können.«

Verdutzt drehte Jen sich um und sah Daniel in der Tür auftauchen. Er schaute sie an und machte ganz große Augen.

»Ich hatte gar keine ...«, setzte er an, dann verstummte er und schaute ganz perplex.

Der ältere Mann stierte Jen an, die ihrerseits zu Daniel hinüberguckte und ergeben die Achseln zuckte.

»... Ahnung, dass die so groß sind«, vollendete Daniel den Satz und blickte Jen nun seinerseits gespannt an.

Sie nickte ernst. »Nein, ich auch nicht«, sagte sie. Der ältere Mann sah sie schon ganz komisch an, also holte sie noch mal tief Luft und schaute Daniel inständig an. Sie musste ihm irgendwie zu verstehen geben, weshalb sie da war. Ihm alles erklären. »Ich ... ich soll Ihnen ausrichten ...«, stammelte sie, »das mit der Verwechslung vor ein paar Tagen. Also, einer unserer Angestellten, Gavin – der, der aussieht wie ein Penner – der, ... also der hat Ihnen nicht ganz die Wahrheit gesagt ...«

Um Daniels Lippen spielte der Anflug eines Lächelns.

»Nicht ganz?«, fragte er nach.

»Genau genommen überhaupt nicht«, erwiderte Jen und verdrehte die Augen. »Er hat alles frei erfunden.«

»Das freut mich sehr«, sagte Daniel rasch. »Ich wollte mich unbedingt für mein schreckliches Benehmen entschuldigen. Das letzte Mal ...« Er warf einen etwas gehetzten Blick in Roberts Richtung. »... bei Ihnen im Laden; also, ich war ziemlich wütend, aber das hatte nichts mit den ... mit den Blumen zu tun.«

Der Mann schüttelte inzwischen nur noch den Kopf. »Entschuldigen? Was für einen Auftrag hat dieser Laden denn von uns? Und warum vertrödeln Sie Ihre Zeit beim Floristen, Daniel? Ich dachte, Sie hätten an den Unternehmensstrategien gearbeitet, auf die der Vorstand sich geeinigt hat.«

Er lächelte verkniffen und schlagartig wurde Jen bewusst, dass sie sich im Konferenzraum des Vorstands befand. Heute war der große Tag, Daniels alles entscheidende Präsentation stand an.

»Ehrlich gesagt, nein«, entgegnete Daniel gelassen. »Und ehrlich gesagt ist sie auch keine Floristin.«

Peinlich berührt schoss Jen das Blut in den Kopf. Wenn Daniel diesem Typen erzählte, wer sie wirklich war, würde ihm das ewig nachhängen.

»Und wer ist dann die Dame?«

Daniel schaute erst sie an und dann Robert, als überlege er fieberhaft, was er sagen sollte. Jen hielt den Atem an. Das war heute ein wichtiger Tag für Daniel. Sie konnte nicht zulassen, dass er alles vermasselte, bloß weil sie aus heiterem Himmel hier hereingeschneit war.

»Ich komme von Bell Consulting«, platzte sie heraus. »Ich ... ich habe mit Daniel die Ideen für die Präsentation ausgearbeitet.«

Mit einem hilflosen Schulterzucken sah sie Daniel an, und der grinste zurück.

»Robert, darf ich Ihnen Jennifer Bell vorstellen.«

Erstaunt sah Robert sie an, schüttelte ihr verwundert die Hand und spazierte dann hinüber, um einige andere Leute zu begrüßen, die gerade hereinkamen.

Daniel zwinkerte ihr verschwörerisch zu und trat zu ihr. »Ich bin so froh, dass du hier bist«, flüsterte er. »Und es tut mir ganz schrecklich leid. Du hast recht gehabt – ich habe mich wie ein echter Dreckskerl benommen.«

»Nein, mir tut es leid«, flüsterte Jen zurück. »Du ziehst jetzt deine Präsentation durch – das hat nichts mit mir zu tun.«

»Ach, vergiss es«, widersprach Daniel bestimmt. Dann runzelte er die Stirn. »Ich habe unsere ganze Präsentation gelöscht«, jammerte er und schaute Jen dann hoffnungsvoll an. »Kannst du dich noch an irgendetwas erinnern?«

Jen dachte einen Moment lang nach, dann zog sie ein paar Unterlagen aus der Tasche. »Das meiste steht hier drin«, sagte sie und reichte ihm ihre halb fertige Arbeit.

Daniel grinste übers ganze Gesicht. »Spiel einfach mit, ja?«, murmelte er, als die anderen herüberkamen, um ihn zu begrüßen.

Jen nickte kaum merklich und spürte, wie Daniels Hand ihre ganz leicht streifte, so zart, dass sie fast glaubte, es nur geträumt zu haben, aber das leichte Kribbeln verriet ihr, dass es wirklich passiert war.

»Daniel«, wandte Robert sich an ihn, als alle ihre Plätze um den Tisch herum einnahmen, »ich hoffe, Sie wissen, was Sie tun. Ich erinnere mich nicht, dass Sie irgendwelche Berater erwähnt hätten.«

»Nein, habe ich auch, glaube ich, nicht. Aber keine Sorge – zum ersten Mal seit langem weiß ich ganz genau, was ich tue.«

Verunsichert setzte Robert sich auf seinen Platz und Daniel wandte sich an Jen. »Ich kann mich höchstens noch an die Hälfte von dem erinnern, was wir gemeinsam ausgebrütet haben«, wisperte er. »Du musst mir vorsagen.«

»Was meinst du damit?«, wisperte Jen zurück.

»Buchhandel«, raunte Daniel mit funkelnden Augen. »Ich will ihnen etwas über guten, altmodischen Buchhandel erzählen.«

»Also«, erklärte Daniel und ließ den Blick durch den Konferenzraum schweifen, »abschließend kann man also sagen, dass es für uns keinen vernünftigen Grund gibt, im Buchhandel tätig zu sein, wenn wir tun, als verkauften wir irgendetwas – Kartoffeln, Computer, was auch immer. Es geht darum, dass Bücher etwas Besonderes sind, und wenn wir expandieren wollen, dann müssen auch wir etwas Besonderes sein.«

Er guckte zu Jen hinüber, die ihn aufmunternd anlächelte. Eine Präsentation ohne Notizen und ohne Dias zu machen war reiner Wahnsinn, aber irgendwie hatte Daniel es geschafft, mit Jens Hilfe, die ihm immer wieder Zettelchen zuschob, auf die sie alles kritzelte, was ihr gerade wieder einfiel. Es war ziemlich aufregend gewesen – ein Gefühl, als stünden sie und Daniel mit dem Rücken zur Wand und kämpften gegen den Rest der Welt. Oder natürlich, als säßen sie in einem Konferenzraum voller Vorstandsmitglieder und wollten diesen gestandenen Geschäftsleuten erklären, wie man ein Geschäft führte.

Robert räusperte sich. »Das ist ja alles sehr interessant, Daniel. Aber wir haben eine Menge leeres Geschwafel zu hören bekommen und wenig Konkretes. Würden Sie uns freundlicherweise aufklären, wie genau Sie Wyman's zu etwas Besonderem machen wollen?«

Jen sah, wie Daniel sich nervös mit den Fingern durch die Haare fuhr, und das gleich dreimal hintereinander. »Tja«, setzte er zögernd an, und offenbar war er kurzzeitig ganz aus dem Konzept gebracht, »wir hatten da so einige Ideen. Was, ähm, also, was die Kundenbindung angeht, hatten wir uns überlegt, ähm ...«

»Mit anderen Firmen zusammenzuarbeiten«, soufflierte Jen. »Zum Beispiel mit einem der großen Internet-Reisebüros. Bucht dort beispielsweise ein Kunde eine Reise nach Spanien, und diese Reiseseite ist mit Wyman's vernetzt, kann er gleich auch einen Spanien-Reiseführer kaufen oder vielleicht ein, zwei Romane, die in Spanien spielen. Macht er einen Strandurlaub, bekommt er Vorschläge für Strandlektüre. Und wenn man dann ein Buch kauft, liegt es im Flugzeug auf dem

Platz bereit und wartet dort auf den Kunden, damit er es bis dahin nicht mit sich herumtragen muss.«

Jen bemerkte, dass Robert die Stirn runzelte. Daniel sah sie dankbar lächelnd an und nickte ihr aufmunternd zu, weiterzumachen.

»Oder im Bereich Markenbildung«, fuhr sie fort. Sie kam langsam in Fahrt. »Wyman's ist zwar jetzt schon eine großartige Buchhandlung, aber wenn jemand ein Buch bei Ihnen gekauft hat und es mit nach Hause nimmt, könnte er es auch in einem beliebigen anderen Buchladen erworben haben, nicht wahr? Ich meine, es ist eben nicht wie bei Marc Jacobs, wo einen das eingenähte Schildchen immer daran erinnert, warum man so viel Geld dafür ausgegeben hat.«

Sie sah die Anwesenden an und schaute in ein Meer erstaunter Gesichter.

»Okay, die Idee ist folgende«, erklärte sie und musste daran denken, wie sie vor ein paar Wochen auf Daniels Sofa gesessen und Wein getrunken und diese ganzen Pläne ausgebrütet hatten. »Wenn Ihre Einkäufer entscheiden, welche Bücher sie im jeweiligen Monat bestellen möchten, dann kaufen sie nicht bloß eine gewisse Anzahl, sondern geben ein Joint Venture in Auftrag. Ihre Einkäufer garantieren dem Verlag, eine gewisse Anzahl von Büchern abzunehmen, dafür druckt der Verlag den Namen Wyman's hinten auf den Buchrücken. So ließen sich bei Wyman's gekaufte Bücher immer leicht erkennen. Und die Leute kaufen dann deswegen wieder dort ein. Das könnte doch durchaus funktionieren, nicht wahr?«

Daniel grinste übers ganze Gesicht. »Wir könnten ein Treueprogramm einführen«, erklärte er und klang wieder ganz begeistert, »mit Rabatten für treue Kunden, Einladungen zu Autorengesprächen und einem Chatroom, in dem man sich online über Bücher austauschen kann. Wir könnten eine Zeitschrift herausgeben, in der wir Romanauszüge als ›Appetithappen‹ veröffentlichen, um die Leute zum Lesen zu animieren und in den Laden zu locken. Die könnten wir auch kostenlos in Fliegern auslegen und den Leuten anbieten, die Bücher für ihren Rückflug zu bestellen.«

»Ja, danke, Daniel, und ähm ...« Robert sah Jen fragend an. »Jennifer Bell«, sagte Daniel laut und deutlich.

»Ja. Nun, danke, Ihnen beiden. Aber, Daniel, wie schon besprochen, was der Vorstand eigentlich möchte, ist, wie soll ich sagen, einen etwas konkreteren Plan. Eine Strategie, die unsere Zuliefererkette berücksichtigt, Kosteneffizienz, all solche Sachen ...«

»Da muss ich Ihnen widersprechen«, schaltete sich einer der Herren am Tisch ein. »Ich finde, uns könnte ein wenig Kreativität nicht schaden.«

»Die Idee mit den Fluggesellschaften gefällt mir«, warf ein anderer ein. »Ich kenne den Generaldirektor von American Airlines. Der hätte bestimmt Interesse.«

Robert runzelte die Stirn. »Na ja, natürlich, selbstverständlich könnten wir die eine oder andere Idee umsetzen, aber im Großen und Ganzen läuft es doch darauf hinaus ...«

»... dass ich genau das machen möchte«, beendete Daniel den Satz. »Alles oder nichts.«

»Tja«, murmelte Robert, »in diesem Fall nehmen wir dann wohl ...«

»Alles«, erklärte der Mann, dem die Idee mit den Fluglinien gefiel.

»Allerdings!«, pflichtete ihm der Mann bei, der sich für mehr Kreativität ausgesprochen hatte.

»Ganz meine Meinung«, stimmte eine farblose Frau ein, die bisher noch kein einziges Wort gesagt hatte.

Robert schaute sich hektisch um, tiefe Sorgenfalten auf der Stirn.

»Aber ... aber ...«, stammelte er hilflos.

»Vielen Dank für Ihre Hilfe, Robert«, sagte Daniel und sammelte seine Sachen zusammen. »Ich glaube, damit ist diese Sitzung beendet. Wir sehen uns dann morgen?«

Und damit drehte er sich zu Jen um und zwinkerte. »Wenn du heute Abend nicht damit beschäftigt bist, überdimensionale Blumenvasen durch die Gegend zu schleppen, meinst du, ich dürfte dich dann zum Essen einladen?«

Sie strahlte übers ganze Gesicht. »Das wäre schön«, antwortete sie leise. »Und Daniel?«

Er sah sie erwartungsvoll an.

»Anita lässt schön grüßen.«

»Anita?« Daniel schüttelte den Kopf. »Lieber Himmel, kann man sich denn heutzutage bei niemandem mehr darauf verlassen, dass er die Klappe hält?«

Und dann beugte er sich hinunter, hob Jen hoch und küsste sie, so wie er es sich die ganze Sitzung lang erträumt hatte.

Epilog

»Und, hat Jack dir die Geschichte mit Brian schon erzählt?«

Zufällig hörte Jen das Gespräch der beiden Männer mit, die direkt neben ihr standen, als sie vor der Kirche auf Daniel wartete.

»Brian, der Brian, der alles vögelt, was nicht bei drei auf den Bäumen ist? Nein, ich glaube nicht.«

»Genau der. Oh Mann, du lachst dich tot. Also, vor sechs Monaten war er auf so einer fetten Firmenfeier, es ist spät geworden, möglicherweise hat er es mit den Bacardi Breezers ein bisschen übertrieben, wenn du verstehst, was ich meine. Er muss versucht haben, mit Carly aus der Übernahme-Abteilung nach Hause zu gehen, aber die hat ihm ziemlich deutlich zu verstehen gegeben, wo er sich hinscheren soll. Egal, er ist also auf dem Weg nach Hause, als er plötzlich mal muss. Ich meine, es ist wirklich dringend. Also bittet er den Taxifahrer anzuhalten, springt raus, und wie er da so mit runtergelassener Hose in einer dunklen Seitenstraße steht, kommt eine ganze Gang vorbei und überfällt ihn.«

»Nein!«

»Ehrlich! Und die klauen nicht nur sein ganzes Geld – seine Klamotten nehmen sie auch noch mit. Nur die Schlüssel lassen sie ihm, mehr nicht. Was ich eigentlich sehr nett finde. Ich meine, es hätte doch noch schlimmer kommen können, oder?«

»Na ja, vielleicht ...«

»Okay, aber damit ist die Geschichte noch nicht zu Ende. Hör zu, er kommt also nach Hause, und da, vor dem Haus, steht seine Frau mit gepackten Koffern und zieht gerade aus. Und als er sie fragt, wo sie denn hinwill, sagt sie ihm ins Gesicht, dass sie ihn nie wiedersehen will, weil sie seit einem Jahr ein Verhältnis mit seinem besten Freund hat.«

Jen runzelte die Stirn. Die Geschichte hatte sie doch schon mal gehört. Wenn sie sich nicht irrte, war das die Geschichte, die sie damals vor etlichen Monaten in Daniels Arme getrieben hatte. Und, nicht zu vergessen, fast bis ins Herrenklo. Aber vielleicht würde sie ja jetzt endlich erfahren, wie das Ganze ausgegangen war.

»Nicht dein Ernst!«

»Doch, mein voller Ernst. Er steht also da, in der Unterhose, und zum Glück braucht sie ein Taxi, also gibt sie dem Taxifahrer das Geld für seine Fahrt, aber an der Wohnungstür merkt er, dass sie das Sicherheitsschloss auch abgeschlossen hat. Und den Schlüssel hat er nicht. Also macht er sich auf den Weg zu besagtem Freund.

Aber er muss mit dem Auto hinfahren, weil er kein Geld mehr hat ...«

»Du siehst umwerfend aus. Aber warum drückst du dich hier herum? Ich habe dich gesucht.«

Jen sah Daniel an. Er trug einen Cutaway und sah schnuckeliger aus denn je. Als er sich zu ihr hinunterbeugte, um sie zu küssen, hörte sie, wie Jack und sein Kumpel in Richtung Kirche verschwanden, und sie seufzte verärgert.

»Jetzt werde ich wohl nie erfahren, wie die Geschichte mit Brian ausgegangen ist«, jammerte sie.

Daniel schaute sie verwundert an und sie rückte ihr Korsagenkleid zurecht, um besser atmen zu können.

»Wer ist denn Brian?«

Jen grinste. »Keine Ahnung. Tut mir leid, ich habe eben gelauscht. Du siehst aber auch nicht schlecht aus.«

Er nickte erfreut. »Willst du darin zum Altar schreiten? Es sieht toll aus, aber auch ein bisschen unbequem.«

Jen zuckte die Achseln. »Mir bleibt wohl nichts anderes übrig, oder? Du glaubst doch nicht, Mum wäre auf meine Vorschläge eingegangen?«

»Sei nicht so streng mit ihr«, sagte Daniel und gab ihr noch einen Kuss. »Schließlich heiratet sie heute.«

»Hoffen wir einfach mal, dass sie auch kommt, ja?«, meinte Jen. Harriet war nicht gerade für ihr Organisationstalent bekannt und als erste Brautjungfer hatte Jen eigentlich vorgehabt, mit ihr zusammen zur Kirche zu fahren, damit sie auch garantiert pünktlich dort ankam. Aber natürlich war im letzten Moment alles über den Haufen geworfen worden – Harriet hatte sich das mit den Blumen noch einmal anders überlegt und darauf bestanden, dass Jen früher hinfuhr und sich vergewisserte, ob man ihre Anweisungen auch bis ins kleinste Detail befolgt hatte. Es gab keinen Anlass zur Sorge – die ganze Kirche war voller weißer Rosen und der Duft war geradezu berauschend.

»Sie kommt schon noch, keine Bange. Und, ziehst du das Kleid auch zur MBA-Abschlussfeier nächste Woche an?«

Jen boxte Daniel zärtlich gegen die Schulter. »Idiot. Geh und mach dich irgendwie nützlich.«

Er drückte ihre Hand und wanderte davon, und im gleichen Augenblick sah Jen Angel ankommen.

»Angel! Hier drüben!«

Angel schwebte zu ihr hinüber, ihren hübschen Freund im Schlepptau. »Hallo Ravi«, begrüßte Jen ihn und strahlte, als er sie auf beide Wangen küsste.

»Ich kann es immer noch nicht fassen, dass du dich weigerst, diesen Mann zu heiraten«, flüsterte sie ihrer Freundin ins Ohr.

Angel antwortete mit einem Schulterzucken. »Ich will keine arrangierte Ehe mit ihm. Das heißt ja nicht, dass er mich nicht ganz normal fragen kann«, erklärte sie mit einem neckischen Funkeln in den Augen.

Jen verdrehte die Augen. »Du bist einmalig, Angel. Hör zu, am besten geht ihr schon mal rein und sichert euch einen guten Platz – ich muss auf meine Mutter warten.«

Angel hob erstaunt die Augenbrauen. »Bei dir entwirren sich die Dinge zusehends, nicht?«, fragte sie mit einem schelmischen Grinsen.

Jen zwinkerte ihr zu. »Vielleicht bist du ja jetzt an der Reihe«, erwiderte sie grinsend.

Als Angel und Ravi in die Kirche gingen, stießen Lara und Alan zu ihr.

»Heiliger Himmel, dein Busen sieht ja riesig aus in dem Kleid«, bemerkte Lara verwundert. »Was hast du denn da reingestopft?«

Jen wurde rot. »Das kommt von den Stäbchen in der Korsage. Die drücken alles nach oben«, erklärte sie verlegen. »Und, ehrlich gesagt, es tut verdammt weh.«

Alan lächelte betreten. Du siehst wunderschön aus«, sagte er. »Am besten überhörst du die unqualifizierten Kommentare meiner Freundin einfach. Sie ist bloß neidisch, dass die Männer mal nicht alle auf ihre Brüste starren.«

»Du Idiot!«, schimpfte Lara scherzhaft und Jen lächelte. Sie konnte noch immer nicht richtig fassen, wie sehr Alan sich verändert hatte, und sie verbuchte es ein wenig als ihren Verdienst, auch wenn sie wusste, dass sie eigentlich nicht wirklich viel dazu getan hatte. Alan hatte Wort gehalten und seine Begabung in punkto Unternehmensführung an sich selbst angewendet, wodurch er sich nach und nach in einen interessanten, witzigen Typen verwandelt hatte, der Leuten zuhörte und Lara glücklicher machte, als sie es sich je erträumt hatte. Außerdem hatte er »seine Marke aufgepeppt« und im Zuge dessen seine Brille gegen Kontaktlinsen eingetauscht, sich ein paar nette Klamotten gekauft und eine richtige Frisur verpassen lassen. Es war wie eine Vorher-Nachher-Show, dachte Jen jedes Mal, wenn sie ihn sah, bloß dass er das ganz allein hinbekommen hatte. Und das alles nur, um bei Lara landen zu können, in die er sich wohl gleich am ersten Tag unsterblich verliebt hatte. *Ich bin schon eine Superspionin*, dachte Jen und musste lächeln. *Ich habe ja nicht mal mitgekriegt, was direkt vor meiner Nase passiert ist.*

»Los, komm, Alan«, drängelte Lara. »Alle anderen sind schon in der Kirche. Wir sollten lieber auch reingehen. Wann kommt denn deine Mum, Jen?«

Jen rollte mit den Augen, »Das weiß der liebe Gott. Eigentlich müsste sie jeden Moment kommen ...«

Noch während sie das sagte, fuhr ein Wagen vor. Ein weißes Londoner Taxi. Und heraus kletterte ihre Mutter in einer Wolke aus cremefarbener Seide. Lara und Alan winkten ihr kurz zu und gingen dann hinein, um sich einen Platz zu sichern. Jen lief ihrer Mutter entgegen.

»Du siehst ... perfekt aus«, rief sie und kleine Tränen schossen ihr in die Augen. »Einfach ... perfekt.«

Harriet lächelte bescheiden, und Jen nahm sie kurz in den Arm und drückte sie. Noch nie hatte sie erlebt, dass Harriet auch nur einen Hauch von Bescheidenheit gezeigt hatte, und das wollte sie voll ausnutzen. Harriet löste sich aus Jens Umarmung und die beiden gingen gemeinsam zur Kirchentür. Dahinter wartete Geoffrey auf sie, wie üblich mit Bart und stolzgeschwellter Brust. »Bist du soweit?«

Harriet wandte sich an Jen. »Meinst du wirklich, ich begehe gerade keine Dummheit?«, fragte sie. »Meinst du nicht, es ist verrückt, den gleichen Mann zweimal zu heiraten?«

Jen lugte in die Kirche und sah ihren Vater ganz nervös vorne stehen. Er schaute auf die Uhr und klopfte ein paar nicht vorhandene Fussel von seinem Cutaway. Dann entdeckte er sie und lächelte, ein Lächeln, dass sie erst vor kurzem kennengelernt hatte – das unsichere, bescheidene Lächeln eines verliebten Mannes. Vermutlich hatte es Jen am meisten überrascht, als die beiden verkündet hatten, es noch einmal miteinander versuchen zu wollen, aber inzwischen fand sie es ganz selbstverständlich. George hatte in Green Futures investiert, also waren die beiden nun Geschäftspartner, und auch wenn sie sich häufig stritten, waren es doch eher harmlose Zankereien als ernsthafte Auseinandersetzungen. Sie brauchten einander, das hatte Jen eingesehen. Und sie hatten die ganze Zeit über immer noch etwas füreinander empfunden, selbst wenn sie diese Gefühle geschickt als Hass getarnt hatten.

Sie erwiderte das Lächeln und sah ihre Mutter dann eindringlich an. »Vertraust du ihm?«, fragte sie.

Harriet nickte. »Fünfzehn Jahre lang habe ich ihn gehasst«, flüsterte sie. »Und fünfzehn Jahre lang haben wir versucht uns einzureden, wir täten das Richtige und der andere sei an allem schuld. Aber das war bloß, weil wir uns so sehr lieben. Er ist nicht perfekt, Jennifer. Er macht nicht immer alles richtig, denkt nicht immer an andere. Aber er liebt mich und ich liebe ihn, und ich glaube, das wird immer so bleiben.«

»Dann ist das die Antwort«, erwiderte Jen mit einem kleinen Lächeln. »Hier, ich habe dir etwas mitgebracht.«

Es war eine Lilie.

»Die gibst du Dad, wenn du am Altar angekommen bist«, wies Jen Harriet an und drückte ihr die Blume in die Hand. »Die Liebe ist kostbar und sehr zerbrechlich. Sorge dafür, dass er das weiß.«

»Danke, Liebes. Ich glaube, das weiß er schon. Ich glaube, das wissen wir beide. Und Jennifer?«

Jen schaute auf. »Ja, Mum?«

Harriet zog die Stirn ein bisschen kraus, und Jen schluckte und rechnete schon mit einem heftigen Gefühlsausbruch beiderseits, den ihre Wimpertusche hoffentlich überleben würde.

»Ich dachte, ich hätte dir gesagt, du sollst die anderen Schuhe anziehen«, tadelte Harriet. »Die mit den kleineren Absätzen. Ich will schließlich nicht, dass du mich überragst, wenn wir hineingehen. Dass du nie auf mich hörst!«

Jen musste grinsen. Manche Dinge, dachte sie, änderten sich eben nie.

Danksagung

Eine ganze Menge Leute haben sich für ihre Hilfe bei der Entstehung dieses Buchs ein dickes Dankeschön verdient. Mark, der mir Stunde um Stunde (um Stunde) zugehört hat, während ich mit vielen Hmms und Ähms über der Handlung brütete; meine Agentin Dorie Simmonds für ihre weisen Ratschläge, ihre Geduld und die lebensnotwendigen aufmunternden Worte; Allison Dickens, meine Lektorin, für ihre Geduld (wieder einmal ...!), ihre Begeisterung und ihren Rat; und Maddy, die mich mit der Nase auf Offensichtliches (und nicht ganz so Offensichtliches) gestoßen hat, als ich den Wald vor lauter Bäumen nicht mehr gesehen habe. Und zum Schluss ein großes Dankeschön und herzlichen Glückwunsch dem Team von Zone 2 – Roger, Yvonne, Robin, Ross und Charl. Wer hätte gedacht, dass es so viel Spaß machen kann, wieder die Schulbank zu drücken.

Mehr von Gemma Townley

Wie angle ich mir meinen Chef?
Gemma Townley
E-Book-ISBN: 978-3-96087-891-9
TB-ISBN: 978-3-96087-936-7

**Eine Lüge mit ungeahnten Folgen – vom Mauerblümchen zur Heiratsschwindlerin wider Willen.
Eine romantisch-turbulente Komödie.**

Seit Jahren ist die schüchterne Jessica in ihren Chef Anthony Milton verliebt. Doch als Mauerblümchen traut sie sich nicht, ihm ihre Gefühle zu gestehen. Vor ihrer ältesten Freundin Grace will sie das aber auf gar keinen Fall zugeben. Deswegen erfindet sie kurzerhand ein romantisches Date mit Anthony, den ersten Kuss und ihre Verlobung gleich dazu. Schnell entspinnt sich ein Geflecht aus Lügen, aus dem Jess nicht mehr rauskommt – mit der Folge, dass sie sich schließlich sogar selbst einen Ehering kaufen muss. Als die alte Dame überraschend verstirbt und „Mrs. Jessica Milton" in ihrem Testament als Erbin erwähnt, steht Jess vor einem schier unlösbaren Problem: Wie kriegt sie nun ihren Chef vor den Altar, um das Geld zu erben?